OMGAAN MET
HART- EN VAATZIEKTEN

Peter Goethals

Omgaan met hart- en vaatziekten

met medewerking van
Dr. Michel Roba

lannoo | TERRA

www.lannoo.com

Uitgeverij Lannoo nv
Kasteelstraat 97 - 8700 Tielt - België
lannoo@lannoo.be

Postbus 1080 - 7230 AB Warnsveld - Nederland
lannoo@lannoo.nl

Uitgeverij Terra Zutphen bv
Postbus 1080 - 7230 AB Warnsveld - Nederland
terra@terraboek.nl
www.terraboek.nl
Uitgeverij Terra maakt deel
uit van de Lannoo-groep

Omslagontwerp Studio Lannoo
Eindredactie: Anne-Marie Recour

D/2002/45/415 - ISBN 90 209 4908 X - NUR 876

Gedrukt en gebonden bij drukkerij Lannoo nv, Tielt

Inhoud

Voorwoord en waarschuwing:

Het boek is niet alleen nuttig voor hartpatiënten en hun familie maar ook voor nieuwsgierige lezers. Naast uitleg over de werking van het hart en de bloedsomloop worden ziektebeelden beschreven, hartonderzoeken uitgelegd en de actuele behandelingen overlopen. Na elk hoofdstuk is er een praktische samenvatting voor lezers die een snelle lectuur verkiezen. Het boek beklemtoont dat het snel inroepen van medische hulp van groot belang is bij vermoeden van een hartkwaal. De uitleg van de ziektebeelden is een hulpmiddel om aan een hartkwaal te denken en op tijd medische hulp in te roepen. *In geen geval mag men op dit boek steunen om zelf de mogelijkheid van een hartziekte te verwerpen. Het is steeds de arts die een diagnose stelt.* Het boek kan daarentegen vele vragen beantwoorden in verband met uw hartziekte, die u aan uw cardioloog vergat te vragen. In elk geval geeft het boek u een klare en positieve kijk op de onderzoeken, de ingrepen en de verandering van uw levenswijze, de dag dat u met een hartaandoening wordt geconfronteerd.

Voorwoord

In commerciële termen spreekt men van een gat in de markt wanneer een idee of project tot stand komt dat een bijzondere behoefte vervult. Het boek dat u in uw handen hebt, vervult een enorme behoefte: het recht van de hartpatiënt en ook alle andere mensen (ziek of niet ziek) om juiste en praktische informatie te verkrijgen.

Dit boek gaat over cardiologie en legt op een zeer duidelijke manier zowel de oorzaken uit, als de preventie en behandeling van hartziekten, in een taal die voor iedereen begrijpelijk is. Dat een paar technische aspecten uitgelegd moeten worden in een wat meer ingewikkelde taal is onvermijdelijk, maar drs. Goethals en Roba hebben dat op meesterlijke wijze gedaan. Ik kan alleen volledig achter het doel en de inhoud van dit boek staan. De huidige, moderne, supergespecialiseerde cardiologie wordt volledig en vlekkeloos uiteengezet.

De hartpatiënt, maar ook het gewone publiek, vindt in dit boek zeer concrete informatie om hartziekten te voorkomen, de klachten van de meest belangrijke hartziekten te herkennen, de behandeling daarvan te verstaan en ook andere praktische informatie om, in het kort gezegd, beter en gezonder te leven.

De belangrijkste waarde van dit boek is het feit dat het nu werd geschreven en een echt gat in de informatiemarkt dicht. Het is een boek dat veel angst bij hartpatiënten kan voorkomen, wanneer ze een onderzoek of behandeling ondergaan, omdat alles veel gemakkelijker is wanneer je vooraf weet waar het om gaat. Voor de gezonde mens kan dit boek helpen om grote rampen als een onverwachte hartinfarct te voorkomen door gezonder te leven en de zogenaamde 'risicofactoren' beter te begrijpen en te bestrijden. Er was inderdaad een grote behoefte aan een boek zoals dit. Goed dat twee uitstekende cardiologen dat begrepen en hebben gereageerd!

Prof. dr. Pedro Brugada

Knokke-Heist, 11 augustus 2002

Voorwoord

Dr. Peter Goethals behaalde in 1989 zijn diploma van arts aan de Katholieke Universiteit Leuven en volgde een opleiding in de cardiologie aan de Universitaire Ziekenhuizen van de KUL en de UCL. In 1995 vervoegde hij de dienst cardiologie in de Algemene Kliniek Sint-Jan te Brussel. Terwijl hij belast was met de gehospitaliseerde hartpatiënten en de dienst hartbewaking, volgde hij een bijkomende opleiding in de ritmologie bij Prof. Brugada in het Onze-Lieve-Vrouwziekenhuis te Aalst. Hierna gaf hij verder vorm aan de eenheid diagnostische en interventionele ritmologie in de Algemene Kliniek Sint-Jan.

Dr. Goethals bezit een grote klinische belangstelling en is een gewaardeerd medewerker, niet alleen door zijn wetenschappelijke kennis maar ook door zijn menselijke kwaliteiten.

Dit boek, waarin de moderne cardiologie aan het grote publiek wordt uitgelegd, is onder zijn impuls totstandgekomen.

Het doel van dit boek is uiteraard de verscheidene hartaandoeningen in een verstaanbare taal uit te leggen aan een leek. Dit kan enkel de kwaliteit van de relatie tussen arts en patiënt ten goede komen.

En indien dit boek ten slotte kan helpen om de angst bij de patiënt met hartproblemen te verminderen, dan heeft dit werk volledig zijn doel bereikt.

Wij wensen hiervoor Dr. Peter Goethals van harte dank.

Dr. Marc Castadot

Diensthoofd Cardiologie
Algemene Kliniek Sint-Jan

Het verhaal van Gilbert

Guido is een succesrijke veertiger. Hij dankt zijn carrière als zelfstandig restaurantuitbater aan zijn harde werklust en zijn doorzettingsvermogen. Zijn vrouw en zijn twee kinderen van 8 en 6 jaar zijn gewoon dat Guido weinig tijd heeft voor zijn gezin en tonen hiervoor veel begrip. Guido slaapt weinig, neemt zelden vakantie en is steeds gehaast en gestrest. Ondanks zijn ongezonde levensstijl heeft hij geen specifieke gezondheidsproblemen. Guido eet op onregelmatige tijdstippen maar drinkt weinig alcohol. Om zich te ontspannen rookt hij graag een sigaret maar hij probeert al 2 jaar deze rookgewoonte te verminderen. Hij halveerde het aantal sigaretten tot een half pakje per dag en rookt 's avonds een sigaar. Hierdoor komt hij tot rust en voelt hij zich beter. Ondanks de waarschuwende vinger van zijn echtgenote, is hij niet van plan het roken te laten want hij is bang om een buikje te krijgen. Hij heeft een hekel aan overgewicht en kijkt tevreden in de spiegel naar zijn gespierde lichaam. Hij wil absoluut opnieuw aan atletiek doen, de sport waarin hij op zijn twintigste uitblonk.

Het is zaterdagavond en het restaurant is zo goed als volgeboekt. Rond vijf uur 's avonds neemt Guido een koffie in zijn restaurant en kan hij even verpozen voor de eerste klanten komen. Plots ondervindt hij een lichte beklemming in de borst die uitstraalt tot in de linkerbovenarm. De beklemming is draaglijk maar Guido heeft het benauwd en gaat een luchtje scheppen. De last wijkt na een tiental minuten. De dag voordien heeft hij een vriend geholpen met het versjouwen van een kast, een klus die voor Guido te zwaar was. 'Ongetwijfeld wat spierpijn, na gisteren', denkt hij. De avond gaat voorbij en de klanten worden goed bediend. Het wordt laat en Guido gaat pas om drie uur 's nachts naar bed. In de vroege ochtend, rond halfzes, wordt hij wakker met een nieuwe beklemming in de borst, die ditmaal een beetje uitstraalt naar de keel. Hij zweet en staat op om een glas water te drinken maar de beklemming gaat hiermee niet over. Het is zondagmorgen en Guido is ongerust; hij heeft deze last nog nooit gehad. Omdat de klachten na tien minuten over zijn durft hij zijn huisarts niet te storen. Na het ontbijt beslist hij een kleine wandeling te maken; hij trekt een jas aan omdat het buiten koud is. Na een tiental meter belet een onbehaaglijk gevoel in de borststreek hem verder te stappen. Nu beslist hij zijn huisarts te bellen maar een stem op het antwoordapparaat verwijst hem naar de wachtdienst. Wanneer de wachtdokter zijn verhaal hoort, kan hij Guido overtuigen naar het dichtstbijzijnde ziekenhuis te gaan om een klein onderzoek te laten uitvoeren; de arts vreest voor een probleem aan het hart. Guido is het hiermee eens maar wil zo snel mogelijk terug aan de slag want de zondagavond verwacht hij veel gasten in zijn restaurant.

In het ziekenhuis wordt hij onderzocht. 'Op het eerste zicht is alles normaal', verzekert een arts in opleiding, 'het is zeker geen infarct want het elektrocardiogram is normaal. Ook uw bloeddruk en polsslag, en het radiogram van de longen zijn OK'. Guido voelt zich wat meer gerustgesteld en denkt dat hij snel naar huis kan want hij voelt helemaal niets meer. Op de dienst spoedgevallen worden bloedstalen genomen voor analyse. Een uur nadien is het resultaat bekend: één van de testen voor het hart is licht afwijkend en de arts stelt Guido voor om in het ziekenhuis te blijven op de afdeling intensieve zorgen. Hij mag slechts op bepaalde tijdstippen bezoek hebben en hij moet rusten. Guido is het hiermee niet eens: de arts had hem eerst verzekerd dat er geen sprake was van een hartinfarct en Guido wil bovendien de reputatie van zijn restaurant niet in het gedrang brengen. Hij vraagt de arts of hij de week nadien kan worden opgenomen en belooft om het een beetje rustiger aan te doen. Hij zal de medicatie nemen die de arts zal voorschrijven. De arts is evenwel formeel en legt Guido uit dat de kans op een hartinfarct bij het vroegtijdig verlaten van het ziekenhuis hoog is.

Het troponinegehalte in het bloed is gestegen en deze stof is enkel aanwezig in de hartspiercellen. Het vrijkomen van deze stof in het bloed wijst erop dat er enkele hartcellen door zuurstoftekort zijn afgestorven. Dit is meestal het gevolg van een klonter in één van de drie kroonslagaders. De kroonslagaders die het hart omgeven als een kroon voeren zuurstofrijk bloed naar de hartspier. Wanneer de klonter het bloedvat volledig afsluit, dan ontstaat er een hartinfarct. Een klonter kan het bloedvat ook gedeeltelijk afsluiten en dit veroorzaakt, in rusttoestand, een beklemming in de borststreek, die spontaan overgaat na maximaal twintig minuten (angor in rust, voorbode van een infarct, ook instabiele angor genoemd). Indien de pijn of de beklemming langer dan 20 minuten aanhoudt, dan is er meestal al een hartinfarct aan de gang. Eén op drie personen met een hartinfarct sterft binnen het uur door het optreden van ernstige hartritmestoornissen die weliswaar in het ziekenhuis kunnen worden behandeld. Net zoals bij terugkerende pijnen wordt bij aanhoudende pijnen zo snel mogelijk de huisarts opgebeld die de ernst van de situatie kan beoordelen. Bij het vermoeden van een infarct is een directe ziekenhuisopname wenselijk, niet alleen om een ritmestoornis te behandelen maar ook om de mogelijke schade te beperken. Het is immers bewezen dat het litteken ten gevolge van het hartinfarct verkleint indien het opgestopte bloedvat binnen de zes uur open is. De cardioloog dient een klonteroplossende stof toe of maakt het bloedvat met een ballonnetje open. Door een groot infarctlitteken te vermijden is de hartpomp na het infarct niet erg beschadigd zodat de patiënt nadien een normaal leven kan lijden. Bij een groot infarct dat niet op tijd werd behandeld is het litteken groter waarbij er later hartzwakte kan ontstaan (met vermoeidheid, kortademigheid bij inspanning, zwelling van de onderste ledematen).

Guido beslist toch maar in het ziekenhuis te blijven. De volgende 24 uur ondervindt hij geen pijn meer in de borststreek. Zijn medicatie omvat één aspirine per dag en de verpleegster dient ook twee keer per dag een klein spuitje met een bloedverdunner toe, in de buikstreek.

Daags nadien stelt de cardioloog coronariografie voor. Coronariografie is het op film vastleggen van de toestand van de bloedvaten van het hart door het opvoeren van een kleine katheter vanuit de liesstreek naar het hart en het inspuiten van een jodiumhoudend product in de kroonslagaders. De arts verzekert dat dit de beste manier is opdat Guido nadien zo snel mogelijk terug aan de slag kan.

Het onderzoek toont een ernstige vernauwing aan de oorsprong van het bloedvat dat de voorkant van het hart bevloeit. In dit bloedvat is er een kleine uitsparing door een aanwezige klonter. Via de ader dient de verpleegster medicatie toe die het aan elkaar klitten van de bloedplaatjes van de klonter remmen waardoor de klonter breekbaar wordt. Nu kan de cardioloog zonder gevaar een ballonnetje tot in de vernauwing opschuiven, dat hij nadien opblaast om de klonter te verbreken. Door de hoge druk in het kleine bloedvat ontstaat een klein scheurtje in het bloedvat. Hierdoor kan het bloedvat plots dichtklappen en om dit te vermijden plaatst de cardioloog een klein veertje *(stent)* om de wand van het bloedvat te stutten.

De dag na deze ingreep kan Guido het ziekenhuis verlaten. De andere bloedvaten rond het hart zijn volledig normaal. Een hartoperatie is niet nodig maar er is één kans op vier dat de vernauwing in de eerste 6 maanden terugkomt waardoor Guido opnieuw last in de borst kan krijgen. Een regelmatige cardiale controle is aangewezen en Guido moet het roken laten. Hij volgt een vetarm dieet met de bedoeling zijn totale cholesterolgehalte onder de 180 mg/dL te brengen en zijn gehalte aan LDL-cholesterol, of slechte cholesterol, onder de 110 mg/dL. De huisarts zal na 3 maanden cholesterolverlagende medicatie voorschrijven indien het dieet niet volstaat. Gedurende één maand neemt Guido twee tabletten ticlopidine per dag (een medicament om klontervorming in de *stent* te vermijden). Na 14 dagen doet de huisarts een bloedtest om het gehalte aan witte bloedcellen en bloedplaatjes te controleren. Sommige patiënten doen soms een bloedreactie op deze plaatjesremmende medicatie.

De cardioloog stelt voor dat Guido het gedurende enkele weken rustiger zou aandoen. Vier weken later legt Guido tijdens de raadpleging bij de cardioloog een normale fietsproef af en kan hij zijn professionele activiteiten hervatten. Hij neemt als medicatie één kinderaspirine per dag om het bloed vloeibaar te houden.

Deze casus brengt ons een typisch verhaal van een patiënt met ernstige hartkramp die bijna een hartinfarct doormaakt. Een bloedvat rond het hart dat minder dan 70 % vernauwd is, veroorzaakt meestal geen last. Een hartinfarct ontstaat als het bloedvat plots volledig dichtvalt; dit kan voorkomen bij iemand die voordien in prima conditie was. Soms, maar niet altijd, zijn er enkele crisissen voordat een continue pijn optreedt doordat de klonter het bloedvat niet onmiddellijk afsluit.

Het herkennen van bepaalde ziektetekens is zeer belangrijk om zelf de ernst van de situatie te bepalen en op tijd een dokter te raadplegen, bij voorkeur voordat een hartinfarct optreedt.

Een hartinfarct is steeds een levensbedreigende toestand omdat de patiënt thuis één kans op drie heeft om te overlijden door hartstilstand en kamerfibrillatie. Als de patiënt in het ziekenhuis is, dan is de kans om te overlijden door kamerfibrillatie gering na een uitwendige hartdefibrillatie. Een aanhoudende pijn wijst op een hartinfarct en medische hulp in de eerste uren is levensreddend. Bij een typische aanhoudende pijn in de borst tijdens de nacht moet men onmiddellijk hulp inroepen en niet tot de volgende ochtend wachten.

Dit boek wil u een inzicht geven hoe hart- en vaatziekten vandaag worden behandeld. Het boek is een kennismaking met het werkterrein van de cardioloog.

Hartziekten vermijden begint bij voorkeur nog voor er klachten zijn (primaire preventie). Het vernauwen van de slagaders of atheromatose is een langzaam ziekteproces en komt meer voor bij personen met risicofactoren zoals roken, een hoog cholesterolgehalte, suikerziekte, hoge bloeddruk en familiale belasting. Stress is wellicht niet de oorzaak van kroonslagadervernauwing maar zet aan tot een ongezonde levenswijze. Gezond leven kan inderdaad veel problemen voorkomen.

De hartkramp en het hartinfarct verdienen speciale aandacht. Hartkramp is meestal het gevolg van een ernstige vernauwing van één of meerdere kroonslagaders die de hartspier van bloed voorzien. De last wordt dikwijls uitgelokt door inspanning maar wijkt spontaan na enkele minuten. Bij een opstopping van een kroonslagader door een klonter ontstaat een hartinfarct. Dit gaat meestal gepaard met aanhoudende pijn in de borststreek, zweten en angst. Een herhaalde hartkramp in rust en een hartinfarct zijn dringende hartproblemen. Patiënten met een hartinfarct die onmiddellijk medische hulp inroepen komen op tijd in het ziekenhuis. Bij een eventuele hartstilstand door kamerfibrillatie wordt het hart hier terug op gang gebracht en het snel openmaken van de opgestopte kroonslagader beperkt de opgelopen schade. Door trombolyse (toedienen van een klonteroplossende stof) of spoeddilatatie (herstellen van de bloedstroom in het bloedvat door de klonter met een ballon te verbreken en soms de plaatsing van een veertje die onder lokale verdoving worden ingebracht) kan de cardioloog het opgestopte bloedvat openmaken.

Bij patiënten met hartkramp door meerdere ernstige vernauwingen op de kroonslagaders die niet in aanmerking komen voor ballondilatatie kan de hartchirurg, onder algemene verdoving, een hartoperatie uitvoeren waarbij hij overbruggingen aanlegt.

Elke hartpatiënt met risicofactoren moet zijn levenswijze achteraf aanpassen (secundaire preventie) om nieuwe vernauwingen of opstoppingen van de kroonslagaders te voorkomen.

Het boek wil u dan ook een positief beeld geven over de levenswijze van de hartpatiënt die vandaag meestal niet meer invalide is.

Verder kunnen praktische richtlijnen ook belangrijk zijn voor de familie.

Een uitleg over de werking van het hart laat toe om het nut van de hartonderzoeken beter te begrijpen. In andere hoofdstukken worden hartchirurgie, ziekten van de hartkleppen en hartritmestoornissen uitgelegd. Er is ook een hoofdstuk over hartverzwakking. De werking van geneesmiddelen bij hartziekten laat toe een ingestelde behandeling beter te begrijpen.

Het boek is een eerste kennismaking met hart- en vaatziekten. De inhoud van dit boek kan de bredere kennis van uw arts evenwel niet vervangen. Bij vermoeden van een hartklacht is het belangrijk dat een arts wordt geraadpleegd die de diagnose van een hartaandoening kan stellen.

1 Het hart als een pomp

Wat is de functie van ons hart?

Ons hart is een holle spierpomp die instaat voor de bloedsomloop van ons lichaam. Per hartslag stuwt het hart 70 milliliter bloed vanuit de rechter- en de linkerkamer naar respectievelijk de longslagader en de grote lichaamsslagader. Het hartdebiet in rust bedraagt ongeveer 5 liter per minuut. Het hart klopt gemiddeld 70 keer per minuut of 100.000 keer per dag en stuwt minstens 7000 liter per dag voort!

De hartcyclus is de afwisseling tussen het samentrekken en het ontspannen van de kamers. Het aantal hartcycli per minuut kan men via de polsslag tellen. Het samentrekken van de rechter- en de linkerkamer wordt systole genoemd, dit komt overeen met de uitdrijvingsfase van het bloed. De rustfase van de beide kamers wordt diastole genoemd.

In het bloed circuleren bloedlichaampjes die instaan voor de normale functie van de organen. Men onderscheidt de witte bloedlichaampjes die ons verdedigen tegen infecties, de bloedplaatjes die instaan voor de bloedstolling en de rode bloedlichaampjes die de zuurstof vervoeren. Het bloedpigment of de hemoglobine verklaart de kleur van de rode bloedlichaampjes. Hemoglobine is een molecule met een speciale vorm die meerdere zuurstofmoleculen opneemt zodat het vervoer van zuurstof naar de weefsels zeer efficiënt verloopt. De rode bloedlichaampjes die hemoglobine opstapelen staan in voor het zuurstoftransport in ons lichaam.

Zuurstof is belangrijk voor de normale werking van ons lichaam. De suikers en de vetten in onze voeding worden afgebroken tot elementaire bouwstenen en ondergaan een reactie door contact met zuurstof. Dit wordt de verbranding genoemd en hierbij komt de nodige energie vrij voor de werking van de organen en de spieren.

Hoe reageert het hart bij inspanning?

De hoeveelheid bloed die per minuut door het hart wordt weggepompt wordt ook het hartdebiet genoemd. Het hartdebiet is afhankelijk van de hartfrequentie (de hoeveelheid hartslagen per minuut, te voelen aan de pols) en het slagvolume (dit is de hoeveelheid bloed die per hartslag uit het hart wordt gestuwd).

Bij inspanning onttrekken de spieren van de onderste ledematen meer zuurstof uit het bloed doordat de bloedtoevoer toeneemt. Dit is mogelijk door de aanpassing van ons hart en de bloedvaten: de hartfrequentie versnelt en de bloedvaten in de spieren ontspannen zich. Dit gaat samen met een toename van de ademhalingsfrequentie zodat de longen het zuurstofarme bloed voldoende met zuurstof verzadigen.

Een ongetrainde persoon kan bij een ongewone inspanning kramp in de benen krijgen. Dit komt door een ontoereikende zuurstofaanvoer waardoor de verbranding van de suikers onvolledig is. Hierdoor komt niet alleen minder energie vrij maar treedt er bovendien een verzuring van de weefsels op. Het tussenproduct lactaat bevat nog energie maar verzuurt de weefsels. Deze verzuring in de spieren veroorzaakt spierkramp, een signaal van ons lichaam om de inspanning te stoppen.

Bij een geoefende persoon is het hartdebiet bij een maximale inspanning tot vijf keer hoger in vergelijking met de rustfase. Dit is vooral mogelijk door een versnelling van de hartslag en in mindere mate door het krachtiger pompen van de hartspier. De maximale hartfrequentie bij inspanning voor een patiënt wordt berekend door van 220 de leeftijd in jaren af te trekken. Training kan de lichaamsprestaties verbeteren. In vergelijking met een ongeoefende persoon hebben sportlui een trage polsslag in rust die ook trager oploopt bij inspanning. Sportlui kunnen hierdoor zwaardere inspanningen leveren voordat hun maximale hartfrequentie is bereikt. Door training nemen hun spieren ook gemakkelijker zuurstof op. Ook de spierkracht van het hart zelf verbetert en bij uithoudingssporten is er een lichte toename van het volume van de hartspier.

Waaruit bestaat het menselijk hart?

Het hart in een holle spier met een tussenschot tussen de rechter- en de linkerhelft. Het hart heeft twee voorkamers en twee kamers. De rechterkamer is verbonden met de grote longslagader (arterie pulmonalis) en de linkerkamer is verbonden met de grote lichaamsslagader (aorta).

Tussen de voorkamers en de kamers en tussen de kamers en de slagaders zijn er kleppen (figuur 1) zodat het bloed in één richting vloeit. De tricuspidaalklep scheidt de rechtervoorkamer van de rechterkamer en de pulmonaalklep scheidt de rechterkamer van de grote longslagader. In het linkerdeel van het hart scheidt de mitraalklep de linkervoorkamer van de linkerkamer en de aortaklep scheidt de linkerkamer van de grote lichaamsslagader.

De hartpomp wordt aangedreven door een inwendige batterij of de sinusknoop (figuur2) die hoog in de rechtervoorkamer ligt en die bestaat uit speciale cellen die zich ongeveer 70 keer per minuut ontladen. De elektrische stroom die hierdoor wordt opgewekt verspreidt zich nadien snel naar de rechter- en de linkervoorkamer die op hun beurt worden geprikkeld. Hierdoor trekken de rechter- en de linkervoorkamer samen waardoor het bloed in de beide kamers wordt voortgestuwd.

De atrioventriculaire knoop (AV knoop) vangt alle elektrische activiteit van de voorkamers op en is het elektrisch knooppunt van het hart. Hij vertraagt de snelle geleiding vanuit de voorkamers naar de kamers. Doordat de bloedstroom over kleppen trager is dan de elektrische stroom in de hartcellen is de prikkelvertraging in de knoop ideaal om de kamers eerst te laten vullen met bloed vooraleer ze te prikkelen. De hartcellen die de prikkels van de AV knoop naar de kamers geleiden behoren tot het His-Purkinje-systeem.

De sinusknoop staat onder invloed van het autonoom zenuwstelsel en is door talrijke kleine zenuwen verbonden met het ruggenmerg. Het autonoom zenuwstelsel staat niet onder de invloed van de vrije wil en wordt daarom het onwillekeurig zenuwstelsel genoemd. Het orthosympathische deel versnelt de hartslag en het parasympathische deel vertraagt de hartslag. Het hartritme in rust is bepaald door een evenwicht tussen het ortho- en het parasympathische deel en dit is individueel verschillend. Emotie en inspanning versnellen zo het hartritme. Anderzijds prikkelen bijnierhormonen de sinusknoop bij stress. Een verhoging van de lichaamstemperatuur verhoogt ook rechtstreeks de pols door inwerking op de sinusknoop.

De kroonslagaders voorzien het hart van zuurstof en voedingsstoffen (figuur 3, 30). Dit zijn drie holle slagaders die de hartspier omgeven en uitzetten bij inspanning zodat de brandstofvoorziening van de hartspier evenredig toeneemt.

De rechter- en de linkerkroonslagader bevloeien respectievelijk de rechter- en de linkerkant van het hart. Deze slagaders zijn de eerste vertakkingen van de grote lichaamsslagader (aorta). De linkerkroonslagader splitst zich in een slagader die aan de voorzijde van het hart van boven naar onder loopt (LAD staat voor *Left Anterior Descending artery*) en een slagader die een plotse boog naar de achterzijde maakt om de linkerbuitenzijde en een deel van de achterkant van het hart te bevloeien (Cx staat voor *Circumflex artery*).

De rechterkroonslagader (RCA staat voor *Right Coronary Artery*) loopt aan de rechterzijde van het hart. De eindtakken bevloeien de onderzijde en een deel van de achterkant van het hart.

De kroonslagaders omgeven het hart als een kroon en hebben een diameter van 1.5 tot 4 millimeter. Zij takken af in kleinere bloedvaten die de hartspier binnendringen om zich dan opnieuw te splitsen in kleinere bloedvaten tot uiteindelijk minuscule vaten. Deze kleinste bloedvaten geven brandstof aan de hartspiercellen en nemen de afvalstoffen op.

Hoe verhoogt het hart zijn brandstoftoevoer bij inspanning?

De hartspiercellen onttrekken zuurstof uit het kroonslagaderbloed. Zuurstof is nodig voor de verbranding van vetzuren, de voornaamste energiebron van het hart.

De hartspiercellen onttrekken reeds in rust een maximale hoeveelheid zuurstof uit het zuurstofrijke kroonslagaderbloed. Bij een toename van de zuurstofbehoefte van de hartspiercellen zetten de kroonslagaders uit door ontspanning van hun slagaderwand die deels uit gladde spiervezels bestaat (figuur4). Aldus neemt hun diameter toe waardoor het bloeddebiet in kroonslagaders tijdens een maximale inspanning tot vijf keer toeneemt. Een bloedvat kan schematisch als een buis worden voorgesteld. Indien de diameter van de buis verdubbelt dan zal het debiet in de buis toenemen met het kwadraat (zie oppervlakteberekening van de cirkel of pi x het kwadraat van de straal).

Het zuurstofarme bloed vloeit vanuit de hartspier naar de kroonaders die op het hart naast de kroonslagaders liggen en die samenkomen in de coronaire sinus, een grote ader aan de achterzijde van het hart. Deze laatste mondt uit in de rechtervoorkamer. Het zuurstofarme bloed gaat van hier naar de longslagader en de kleinste longvaten die de zuurstof uit de longblaasjes opnemen.

Hoe werkt de bloedsomloop (figuur5)?

De voorstuwing van het bloed naar de voorkamers gebeurt door de negatieve druk in de borstkas die zorgt voor een aanzuigeffect. Tijdens de ontspanningsfase van de kamers of de diastole stroomt het bloed van de voorkamers naar de kamers. In de eerste helft van de diastole zorgt de zuigkracht van de kamers, en aan het einde van de diastole zorgt de pompwerking van de voorkamers dat het bloed wordt voortgestuwd.

Het zuurstofarme bloed bevindt zich in de rechterhelft van het hart en het zuurstofrijke bloed in de linkerhelft. De beide helften zijn volledig gescheiden zodat er geen menging optreedt.

Tijdens de systole pompt de rechterkamer het zuurstofarme bloed naar de longslagader of arterie pulmonalis waar het bloed na vele aftakkingen in de kleinste longvaten of longcapillairen komt die in nauw contact staan met de longblaasjes die de zuurstof uit de ingeademde lucht aanbrengen. Het met zuurstof verrijkte bloed komt vanuit de kleine longvaten samen in de vier grote longaders of venae pulmonalis die uitmonden aan de achterzijde van de linkervoorkamer. Tijdens de linkerkamersystole pompt de linkerkamer het bloed weg naar de grote lichaamsslagader of aorta die het zuurstofrijke bloed naar de spieren en de organen voert.

De lichaamsslagaders of lichaamsarteries zijn dus aftakkingen van de aorta. Het zuurstofrijke bloed vloeit van het hart weg in de slagaders om onze spieren en organen van brandstof te voorzien.

De lichaamsaders of de lichaamsvenen voeren het gebruikte zuurstofarme bloed van de organen en de spieren terug naar de rechterhelft van het hart. De kleine aders van de spieren en de organen komen samen in grotere aders die samenvloeien in de onderste en de bovenste grote lichaamsader (venae cava) die beiden uitmonden in de rechtervoorkamer van het hart.

Wat is het onderscheid tussen de grote en de kleine bloedsomloop?

Met de kleine bloedsomloop bedoelen we de longcirculatie. Dit houdt in dat het bloed van de rechterkamer in de slagaders van de longen stroomt en via de longaders in de linkervoorkamer van het hart.

De grote bloedsomloop wijst op lichaamscirculatie. Het bloed vloeit van de linkerkamer in de aorta om de spieren en organen te voorzien van brandstof en keert via de venae cava terug naar de rechtervoorkamer.

De druk van de kleine bloedsomloop is vijf keer lager dan de druk in de grote bloedsomloop. Het bloeddebiet van de kleine en de grote bloedsomloop is evenwel identiek en dit veronderstelt dus een lagere weerstand van de longslagaders in vergelijking met de lichaamsslagaders. De lichaamsslagaders houden de bloeddruk van de grote bloedsomloop (die we klassiek meten aan de arm) door hun dikkere spierwand op peil.

Wat betekent een goede bloeddruk hebben?

De rekbare wand van de grote lichaamsslagader zet de druk die het hart tijdens de uitdrijvingsfase opbouwt verder tot in de slagaders van de armen en de benen door een drukgolf. Deze drukgolf voelen we door het nemen van de polsslag.

De bloeddruk wordt uitgedrukt door 2 cijfers. De systolische druk is de druk die wordt opgewekt door het hart tijdens de uitdrijving van het bloed en de diastolische druk is de druk tijdens de rustfase van het hart.

De systolische druk in de aorta is normaal lager dan 140 mm Hg. De diastolische druk, ook de onderdruk genoemd, is dus de drukwaarde tussen elke hartslag. Deze druk is afhankelijk van de rekbaarheid of de elasticiteit van de bloedvaten en is lager dan 90 mm Hg.

De systolisch-diastolische aortadruk komt ongeveer overeen met de bloeddruk ter hoogte van de armslagader. De arts blaast een manchet op ter hoogte van de bovenarm totdat de armslagader is samengeknepen zodat er geen bloed meer doorkan. Hij luistert met zijn stethoscoop op de armslagader tijdens het langzaam aflaten van de manchet. De systolische druk komt overeen met het begin van de tonen die de arts hoort door beginnende doorstroming van het bloed en de diastolische bloeddruk met het verdwijnen van de tonen wanneer de slagader helemaal ontspannen is (tonen van Korotkow).

Tijdens het verouderen is het normaal dat de rekbaarheid van de aorta afneemt en dus hebben veel patiënten op latere leeftijd last van systolische hypertensie of een te hoge bloeddruk tijdens de uitdrijving van het bloed in de aorta. Het is van belang om ook deze bloeddrukstijging, die vroeger als een normaal verouderingsproces werd beschouwd, te behandelen.

Een zeer lage bloeddruk gedurende 5 seconden kan bewustzijnsverlies veroorzaken. De hoeveelheid bloed die per minuut in de hersenen vloeit is constant en is meestal niet beïnvloed door kleine bloeddrukschommelingen. Een systolische bloeddruk die lager is dan 50 mm Hg veroorzaakt een daling van het hersendebiet. Aldus ontstaat bewusteloosheid door een verminderde doorbloeding van de hersenstam die instaat voor de waakzaamheid.

Hoe wordt de bloeddruk constant gehouden bij een houdingsverandering?

De bloeddruk blijft steeds ongeveer constant bij plotse houdingsveranderingen en dit vergt een aanpassing van het organisme door het autonoom zenuwstelsel. Dit autonoom zenuwstelsel zorgt ervoor dat onze organen werken zonder dat we hierbij hoeven na te denken en reguleert de werking van bijvoorbeeld het hart, de longen en de ingewanden. Het orthosympathische gedeelte verdedigt het organisme. Bij woede worden we rood of wit in het gelaat, klopt ons hart sneller en heviger en stijgt de bloeddruk. Het parasympathische gedeelte remt de hevige reacties van het orthosympathische deel af en zorgt voor een evenwicht. Kleine orgaantjes in de slagaders van de hals en aan de oorsprong van de aorta registreren de bloeddruk, dit zijn de baroreceptoren (*baro* = druk). Indien we rechtstaan zakt een deel van het bloed door de zwaartekracht in de aders van de onderste ledematen en de lichte bloeddrukval wordt onmiddellijk bijgestuurd door deze baroreceptoren die een signaal naar het ruggenmerg sturen. Van hieruit wordt het orthosympathische gedeelte geprikkeld waardoor de bloeddruk terug stijgt en we niets merken. De slagaders regelen de bloeddruk door een evenwicht tussen krimpen en uitzetten (vasoconstrictie en vasodilatatie).

Hoe ontstaat bloeddrukval?

Iemand die flauwvalt heeft plots een te lage bloeddruk. In de volksmond heet dit een 'appelflauwte'. Dit treedt klassiek op in een onbeweeglijke rechtstaande houding in een warme omgeving of bij emotie, bijvoorbeeld het zien van een injectiespuit. Het volstaat evenwel steeds om de persoon onmiddellijk plat te leggen met de onderste ledematen in hoogstand. Een te sterke prikkeling van het parasympathisch zenuwstelsel brengt een reflex op gang die we niet kunnen beïnvloeden en waarbij naast een zeer traag hartritme ook een bloeddrukval optreedt. Deze reflex veroorzaakt een tijdelijk bewustzijnsverlies, ook vagale syncope genoemd. Deze syncope komt veel voor bij personen met een gezond hart en het vermijden van de uitlokkende oorzaak is meestal voldoende om een nieuwe aanval te vermijden.

Waarom is een slagaderbloeding gevaarlijker dan een aderlijke bloeding?

De druk in de slagaders is gemiddeld vijf keer hoger dan in de aders. Een slagaderbloeding (arteriële bloeding) is moeilijker te stoppen en bij elke hartslag spuit het rood bloed uit het bloedvat. Het aanleggen van een knellend drukverband op de slagader tussen het hart en de plaats van de bloeding is voldoende om de bloeding te stoppen. Bij een bloeding van een lichaamsader (veneuze bloeding) sijpelt er zwart bloed uit de ader. Een aderbloeding is gemakkelijker te stelpen dan een slagaderbloeding door de lagere druk in de aders. Bij een aderbloeding volstaat het een lichte druk uit te oefenen op de plaats van de bloeding.

Samenvatting

Ons hart is een holle spierpomp met een tussenschot. De rechter- en de linkerhelft van het hart hebben één voorkamer en één kamer. De twee voorkamers zorgen ervoor dat de vulling van de twee kamers goed verloopt. De druk in de rechterhelft is vijf keer lager dan links. Het zuurstofarme bloed van de rechterhelft van het hart wordt verzadigd ter hoogte van de longen. De linkerhelft van het hart is de hogedrukmotor die zuurstofrijk bloed in de lichaamscirculatie spuit. Het hart is een automatische pomp die wordt aangedreven door de sinusknoop (te vergelijken met een elektrische batterij). Tijdens de rustfase zuigt de kamer het bloed uit de voorkamer aan. De voorkamer trekt nadien samen om de kamer optimaal te vullen. De uitdrijvingsfase van het bloed uit de rechter- en de linkerkamer gebeurt ongeveer gelijktijdig. Voor de brandstofvoorziening van de motor staan de kroonslagaders in, dit zijn kleine slagaders van enkele millimeter diameter die het hart omgeven als een kroon en die de hartspier voorzien van zuurstof en voedingsstoffen.

Het hartdebiet bedraagt ongeveer 5 liter per minuut in rust en kan tijdens inspanning vijf keer toenemen.

De bloeddruk is de druk in onze slagaders. De systolische druk is de druk tijdens de uitdrijving van het bloed uit het hart en is normaal onder de 140 mm Hg. De druk tijdens de rustfase van het hart is normaal onder de 90 mm Hg en wordt de diastolische druk genoemd. Het onwillekeurig zenuwstelsel houdt de bloeddruk binnen normale grenzen maar een bloeddruk bij één persoon is nooit identiek. Het is normaal dat deze hoger is bij inspanning en emotie. Als we rechtstaan prikkelt het orthosympathisch autonoom zenuwstelsel de slagaders waardoor hun gespierde wand samentrekt. Zonder deze aanpassing zouden we een erge bloeddrukval doormaken doordat er onder invloed van de zwaartekracht bij het rechtstaan meer dan een halve liter bloed in de aders van de benen vloeit. Bij een appelflauwte of een vagale syncope treedt massieve bloeddrukval op door te sterk prikkelen van het parasympathische deel en volledige spierontspanning van de slagaders.

2 Cardiovasculaire ziekten en slagaderverkalking of atheromatose

Wat is atheromatose?

De slagaders hebben een dikke en soepele spierwand. Wanneer het hart tijdens de systole bloed stuwt in de aorta dan vangt deze het bloedvolume op doordat de wand lichtjes meegeeft als een elastiek. Hierdoor is de druktoename in de aorta beperkt en door het terugveren van de wand wordt de drukgolf in het lichaam tot in de kleinere slagaders verplaatst. Bij het verouderen treedt normaal een verstijving op van de slagaderwand doordat de verhouding elastinevezels tegenover collageenvezels afneemt. Door de stijve collageenvezels is de drukstijging in de slagaders bij elke hartslag hoger en ontstaat er een verhoogde bloeddruk.

Atheromatose is geen normaal verouderingsproces maar een ziekte van de slagaders die ontstaat door een abnormale afzetting van kalk en cholesterol in de wand van bloedvaten. In de volksmond wordt dit ook slagaderverkalking genoemd. Het bloedvat heeft hierdoor niet alleen een kleinere binnendiameter maar kan zich bovendien niet goed ontspannen. Hierdoor kan de kroonslagaderdoorbloeding onvoldoende toenemen bij inspanning. Slagaderverkalking van de bloedvaten verhindert hierdoor een goede bloedvoorziening van de organen.

Waaruit bestaat een normale slagader en wat verandert er bij slagaderverkalking?

Een normale slagader is aan de binnenzijde glad. Van binnen naar buiten zijn er verschillende lagen met een eigen structuur: het endotheel van de intima, de media en de adventitia (figuur 4). Bij atheromatose verandert de binnenzijde van de slagader.

In een eerste stadium treedt er een vervetting op van de binnenwand door de afzetting van slechte cholesteroldeeltjes die in het bloed rondzwemmen. Vetstrepen of plaques laden de binnenzijde van de slagader aan (figuur 6). De plaques zijn te zien met het blote oog. Onder de lichtmicroscoop zien we schuimcellen die overladen zijn met vetpartikels. In de intima bevinden zich cellen die een kleine hoeveelheid vetpartikels kunnen opruimen maar bij overbelasting lijkt hun inhoud op schuim, vandaar hun naam.

In een tweede stadium nemen de schuimcellen het vet niet meer op waardoor het vrij achterblijft onder het endotheel. LDL-cholesterol is de boosdoener omdat deze slechte cholesterol reageert met zuurstof (oxidatiereactie). Hierdoor komt een ontstekingsreactie op gang waarbij witte bloedcellen uit de bloedbaan onder het endotheel kruipen en het aantal schuimcellen zo sterk toeneemt dat het gladde aspect van de binnenzijde van de slagader verandert in eilandjes van kruimelige resten.

Aldus wordt een atheroomplaat gevormd die bestaat uit losse vetten en een deel cellen (figuur 6). Deze atheroomplaat puilt uit aan de binnenzijde van het bloedvat waardoor de inwendige diameter verkleint.

Wanneer is slagaderverkalking een probleem voor onze gezondheid?

Slagaderverkalking komt op latere leeftijd heel frequent voor en treedt op ter hoogte van de middelgrote slagaders en hun afsplitsingen. De aders blijven gespaard van verkalking omdat de druk in deze bloedvaten veel lager is.

De zachte beperkte vernauwingen zijn het gevaarlijkst (figuur 7) omdat de atheroomplaat hier gemakkelijk breekt. Het bloedcontact met de vetten veroorzaakt hevige klontervorming waardoor het bloedvat meestal volledig wordt afgesloten. Door klontervorming is de doorstroming in bijvoorbeeld de kroonslagader plots onderbroken en ontstaat een hartinfarct. Kroonslagaders die weinig vernauwd zijn kunnen door klontervorming plots volledig worden afgesloten door een kleine scheur van de wand. Vooral rokers maken grote klonters.

Anderzijds kan het bloedvat met een harde vernauwing en veel kalkaanslag progressief vernauwen (figuur 7) doordat de inhoud van de atheroomplaat uitpuilt in het bloedvat. Harde kroonslagadervernauwingen zijn minder breekbaar en veroorzaken meestal eerst toenemende hartkramp bij inspanning voordat een hartinfarct optreedt.

Wat betekent de graad van vernauwing van een bloedvat?

Als we het bloedvat doormidden snijden zien we een cirkel. De oppervlakte van de cirkel waardoor het bloed stroomt is een maat van de graad van vernauwing. De diameter van het bloedvat is minder nauwkeurig om de graad van de vernauwing in te schatten. Als voorbeeld stellen we dat een vermindering van de diameter van het bloedvat van 4 naar 2,8 mm een vernauwing van meer dan 50 % veroorzaakt. Indien de diameter verder vermindert, van 2,8 mm naar 2 mm, dan is het bloedvat reeds voor 75 % vernauwd. Een beperkte vernauwing waarbij de dwarse oppervlakte van het bloedvat voor minder dan 50 % is verminderd, veroorzaakt zelden klachten.

Wat voelt men bij slagaderverkalking van het hart?

De doorbloeding van het hart kan normaal met een vijfvoud toenemen. Bij maximale inspanning betekent dit een vijfvoudige toename van de doorstroming van de kroonslagaders die instaan voor de zuurstof en de brandstof van de hartspier. Deze toename is mogelijk door de ontspanning van deze bloedvaten. Indien het evenwicht tussen de behoefte en de aanvoer verbroken is, verkeert de hartspier in zuurstofnood. Dit veroorzaakt hartkramp of angor pectoris.

Angor pectoris die jaren aanwezig is wordt een stabiele angor genoemd. Deze vorm is te wijten aan een harde vernauwing op de kroonslagaders waardoor het hart enkel bij overmatige inspanningen zonder zuurstof valt. Door de kalk- en cholesterolafzetting verkleint de diameter van het bloedvat. In rust is er geen last, maar bij inspanning kan het bloedvat niet goed uitzetten en is er zuurstofnood.

Zuurstofnood van de hartspier in rust kan te wijten zijn aan een kroonslagadervernauwing van meer dan 90 %. Dit wordt ook instabiele angor genoemd en kan zonder medische behandeling evolueren naar een infarct. De laatste jaren heeft men met een endoscoop of een kleine camera deze toestand in de bloedvaten proefondervindelijk bestudeerd. Bij instabiele angor is de vernauwing van het bloedvat te wijten aan de klontervorming. Enerzijds kan de harde vernauwing zo ernstig zijn waardoor de bloeddoorstroming zo vertraagt dat er klontervorming ontstaat. Anderzijds kan overmatige klontervorming optreden na een scheurtje in een zachte vernauwing.

Waarin verschilt de behandeling van een instabiele angor en een hartinfarct?

Bij een instabiele angor is er een witte klonter (trombus) die bestaat uit bloedplaatjes. Deze witte klonter sluit het bloedvat niet volledig af en wordt verbroken door een plaatjesremmer zoals aspirine of ticlopidine. Ziekenhuisopname is wenselijk om een hartinfarct te vermijden.

Een hartinfarct ontstaat als het bloedvat volledig is afgesloten (zie figuur 8,30). De klonter van een hartinfarct is rood gekleurd (rode trombus) en bestaat uit de rode bloedcellen, bloedplaatjes en fibrinedraden. Het thuis toedienen van aspirine bij een hartcrisis redt reeds levens. De klonter die het bloedvat afsluit wordt echter best zo snel mogelijk behandeld met trombolyse waarbij een klonteroplossende stof via een ader in het ziekenhuis wordt toegediend. Deze medicatie verbreekt de fibrinedraden die de klonter hard maken. Fibrine is te vergelijken met metaaldraad die beton verstevigt.

Wat voelt men bij slagaderverkalking van de andere organen?

Slagaderverkalking of atheromatose tast de middelgrote slagaders aan en vooral op deze plaatsen die blootstaan aan druk en bewegingen. Klassiek zijn dit de kroonslagaders rond het hart, de halsslagaders die het bloed naar de hersenen stuwen, de slagaders van de onderste ledematen en de nierslagaders.

Door atheromatose van de aorta is de wand harder en minder rekbaar.

Een TIA (Engels acroniem voor: *transient ischaemic attack*) kan een voorbode zijn van een CVA (cerebrovasculair accident) en is meestal te wijten aan het loskomen van stukjes kalk en cholesterol uit een min of meer ernstige vernauwing van de inwendige halsslagader. Bij een TIA treden voorbijgaande spraakstoornissen of verlammingen op waarvan de patiënt volledig herstelt. Deze klachten vergen een onmiddellijke spoedgevallenopname. Bij een CVA is de uitval blijvend; soms is er een langzaam herstel dat weken kan duren.

Claudicatio zijn krampen in de onderste ledematen, tijdens het stappen, door een vernauwing van één of meerdere slagaders. Dit geeft klassiek een kramp in de kuit of het bovenbeen. Deze vernauwing is meestal het gevolg van roken. Onmiddellijk stoppen met roken en blijvende lichaamsbeweging, ondanks de krampen, kunnen een verbetering van de wandelafstand inhouden. Soms kan een overbruggingsoperatie of een ballondilatatie van het opgestopte bloedvat verbetering brengen.

Bij een vernauwing op één nierarterie is er zuurstoftekort van de nier en ontstaat er hoge bloeddruk. Een verwijding of een ballondilatatie van de nierarterie is de geschikte behandeling waarbij de bloeddruk met medicatie nadien beter onder controle is. Een vernauwing van de aorta ter hoogte van de buikstreek (abdominale aorta) veroorzaakt impotentie en een 'hoge claudicatio' met krampen in de bilstreek en lage rugpijn tijdens inspanning (syndroom van Leriche).

Slagaderverkalking van de grote lichaamsslagader (aorta)

Gezien de lichaamsslagader 30 mm breed is zal cholesterolafzetting in de wand niet onmiddellijk klachten geven in tegenstelling tot de kleinere bloedvaten die het hart of de hersenen bevloeien.

Plaques die loskomen van de wand, hetzij spontaan, hetzij na bijvoorbeeld een hartkatheterisatie veroorzaken cholesterolembolen.

Een embool is een deeltje van uiteenlopende samenstelling dat meegevoerd wordt met de bloedstroom om stroomafwaarts een bloedvat plots en volledig op te stoppen. Men spreekt over trombo-embolen of klonters, vetembolen na een heupoperatie door het vet van het beenmerg, vruchtwaterembolen, luchtembolen enz.

Een klein cholesterolembool gaat meestal onopgemerkt voorbij, maar grotere of multipele embolen geven plotseling hevige klachten. Cholesterolembolen kunnen zich afzetten in een kleine slagader van de tenen met een voorbijgaande pijn en blauwe verkleuring. Soms is er een tijdelijke vermindering van de nierwerking door afzetting van materiaal in de nierarteries.

Wat is een aneurysma?

Een aneurysma is een verzwakking van de spierwand van een slagader waardoor de binnenzijde als het ware naar buiten puilt. De grote lichaamsslagader kan vooral bij onbehandelde verhoogde bloeddruk op bepaalde plaatsen aneurysmata of verwijdingen vertonen. Deze aneurysmata worden meestal vanaf een dwarse diameter van 5 cm geopereerd gezien het gevaar van openbarsten of ruptuur. Gezien de massale inwendige bloeding is een ruptuur van de buikslagader meestal steeds fataal. Evenwel wordt deze meestal voorafgegaan door een gedeeltelijke ruptuur waarbij de druk van de omgevende organen de inwendige bloeding stelpt. Deze partiële ruptuur geeft buikklachten en moet steeds worden onderkend gezien de juiste behandeling levensreddend kan zijn.

Samenvatting

Slagaderverkalking van de kroonslagaders veroorzaakt een doorbloedingsstoornis van een deel van de hartspier. Stabiele hartkramp is te wijten aan een vernauwing die hard is zonder klontervorming in het bloedvat. Onstabiele hartkramp ontstaat wanneer klontervorming het bloedvat bijna volledig afsluit. Onstabiele angor kan ontstaan na jarenlange stabiele angor en een ernstige harde vernauwing. Anderzijds kan instabiele angor plots optreden ten gevolge van een scheur in een weinig uitgesproken zachte vernauwing.

Onstabiele angor vergt een onmiddellijke ziekenhuisopname om een hartinfarct te vermijden.

Een hartinfarct treedt op wanneer het bloedvat volledig wordt afgesloten door klontervorming en wordt niet altijd voorafgegaan door angor. Ook hier is een onmiddellijke ziekenhuisopname levensreddend.

3 Preventie van atheromatose

Slagaderverkalking of atheromatose kan worden omschreven als een moderne beschavingsziekte. Een verhoogd cholesterolgehalte, hoge bloeddruk, roken en suikerziekte verhogen de kans op slagaderverkalking. Het individueel risico van een hartziekte wordt berekend aan de hand van tabellen. Het risico is cumulatief en dit betekent dat de kans op een hartziekte bij gecombineerd voorkomen van risicofactoren veel groter is dan de som van de afzonderlijke risicofactoren.

Cholesterol

Wat is cholesterol en waarvoor dient het?

Cholesterol is onder andere nodig als bouwsteen van een reeks vetoplosbare hormonen die ons organisme nodig heeft om normaal te functioneren. Hormonen zijn natuurlijke stoffen die ons lichaam aanmaakt en die instaan voor de controle en het onderhoud van een aantal belangrijke orgaanfuncties. Ongeveer 30 % van de cholesterol in ons lichaam is afkomstig uit de voeding. Cholesterol is een onderdeel van dierlijke vetten en bevindt zich niet in plantaardige vetten. De vertering van het vet in de voeding gebeurt in de dunne darm; hier gaan vetpartikels over in het bloed. De lever neemt deze vetpartikels op en scheidt het cholesterol van de vetpartikels. De cholesterol in de voeding staat voor 30 % van de dagelijkse cholesterolbehoefte van het lichaam. De overige 70 % wordt aangemaakt in de lever. Bij overmatige inname van cholesterol via de voeding vermindert de lever zijn cholesterolproductie. Een deel van het overschot aan cholesterol wordt door de lever in de darmen uitgescheiden, via de gal. Doordat cholesterol niet oplost in het bloed kan de restfractie zich gemakkelijk afzetten in de wand van de bloedvaten.

Het totale serumcholesterol bestaat uit 2 delen of fracties: cholesterol van hoge dichtheid of HDL-cholesterol *(high density lipoprotein)* en cholesterol van lage dichtheid of LDL-cholesterol *(low density lipoprotein)*. HDL-cholesterol is goede cholesterol en LDL-cholesterol is slechte cholesterol. HDL-cholesterol verhindert de afzetting van LDL-cholesterol ter hoogte van de vaatwand en verhindert slagaderverkalking. Bij overmatige inname van verzadigde dierlijke vetten wordt veel slechte cholesterol aangemaakt en deze vetten zijn dus te vermijden bij hypercholesterolemie (een te hoog cholesterolgehalte in het bloed). De LDL-deeltjes worden normaal opgeruimd door de hoger genoemde cellen die veranderen van uitzicht in schuimcellen door de opname van de vetpartikels. Deze LDL-deeltjes zetten zich gemakkelijk af in de vaatwand en brengen door een interactie met zuurstof (oxidatieredactie) een vroegtijdige veroudering van de wand op gang.

Matig alcoholgebruik en fysieke inspanning doen het HDL-gehalte stijgen. De vrouwelijke hormonen verklaren waarom het HDL-gehalte bij de vrouw gemiddeld hoger is dan bij de man.

Waarom is een verhoging van het serumcholesterol schadelijk?

In de afgelopen 50 jaar werden de inwoners van de stad Framingham gevolgd op het voorkomen van hart- en vaatziekten door een bevolkingsonderzoek of epidemiologisch onderzoek. Hierbij werd aangetoond dat een verhoogd cholesterolgehalte in het bloed of een hypercholesterolemie de kans op hart- en vaatziekten verhoogt.

Bij een onderlinge vergelijking van bevolkingsgroepen hebben Japan en China het laagste en de Scandinavische landen en Schotland het hoogste cholesterolgehalte. Het cholesterolgehalte is waarschijnlijk de belangrijkste risicofactor voor een hartinfarct. Bij een vergelijking tussen België en Japan is het aantal personen dat rookt of lijdt aan verhoogde bloeddruk ongeveer identiek. Toch is een hartinfarct zeldzamer in Japan, waar het cholesterolgehalte bij de patiënt gemiddeld lager is.

Hoe krijgt men een te hoog serumcholesterolgehalte?

Een verhoogd serumcholesterolgehalte is meestal het gevolg van een overdreven inname van vetten. Bij de behandeling van een verhoogd cholesterolgehalte zal de arts eerst een dieetanamnese laten afnemen bij een diëtiste. Dit is belangrijk aangezien er vele patiënten een verkeerde eetgewoonte hebben en zich hiervan niet bewust zijn. Een vetarm dieet is arm aan verzadigde vetten (vooral aanwezig in dierlijke vetten) en rijk aan onverzadigde vetten (vooral aanwezig in plantaardige oliën zoals olijf- en zonnebloemolie, ook soja- en pindaolie). Een vetarme voeding bestaat ten hoogste uit 300 milligram cholesterol per dag (dit is het gehalte aan cholesterol in één ei, dus alle gerechten waar eieren in verwerkt zijn zoals patisserie en koekjes zijn verboden). Boter kan beter vervangen worden door margarine. Het dieet bestaat ten hoogste uit 1/3 vetten waarvan maximaal 1/3 dierlijke vetten. Minstens twee keer per week vis op het menu is uitstekend. Het cholesterolgehalte in zalm (een vis met een hoog vetgehalte) is immers nog steeds minder dan het cholesterolgehalte in mager rundvlees. Het is een misverstand om te denken dat mager vlees niet veel vet bevat!

Ook bepaalde aangeboren afwijkingen in de verwerking van de vetten verklaren hoge cholesterolspiegels ondanks een gezonde voeding. Bij erfelijke stofwisselingsziekten komen hartziekten reeds vroeg voor. De erge vormen zijn zeldzaam maar toch krijgen mensen die pas 30 jaar zijn soms een hartinfarct door hun zeer hoge cholesterolspiegel vanaf de leeftijd van 10 jaar. De lichtere vormen komen vaker voor en de verhoging van de cholesterolspiegel in de familie veroorzaakt op middellange termijn schade. Gelukkig kunnen we al deze patiënten vandaag behandelen met medicatie zodat een hartziekte wordt vermeden.

Waarom controleert men het cholesterolgehalte na een hartinfarct of een interventie aan het hart?

Secundaire cholesterolpreventie is het vermijden van een tweede kroonslagadervernauwing op een andere plaats door het verlagen van het cholesterolgehalte in de voeding.

Het voorschrijven van een vetarm dieet geeft niet altijd de gewenste resultaten omdat het veranderen van voedingsgewoontes moeilijk is. Bij alle aangeboren vormen van hypercholesterolemie zakt het cholesterolgehalte bovendien onvoldoende met een dieet. De inname van een pil die de aanmaak van cholesterol remt en de bloedspiegel verlaagt (cholesterolremmer) is een goede oplossing.

Vanaf 1988 tot 1994 namen 4444 hartpatiënten met kroonslagadervernauwing en een verhoogd serumcholesterolgehalte (tussen 215 en 340 mg/dL) aan een internationale studie deel. Allen volgden zij hetzelfde vetarme dieet. De studie toonde aan dat de kans op een nieuw hartprobleem lager was in de groep die een cholesterolremmende pil kreeg in vergelijking met de groep die een neppil kreeg. In de groep patiënten die gedurende 5 jaar de cholesterolremmer 'simvastatine' kregen waren er ongeveer 80 patiënten meer in leven in vergelijking met de groep patiënten die een placebomiddel kregen.

Secundaire cholesterolpreventie met geneesmiddelen heeft een grotere kosten-batenverhouding dan de primaire preventie. Medicatie in primaire preventie verlaagt het hoge cholesterolgehalte bij gezonde personen. In vergelijking met de groep hartpatiënten moeten de artsen evenwel meer gezonde patiënten behandelen om een eerste hartinfarct te vermijden.

Niet alleen het absolute cholesterolgehalte maar ook de procentuele cholesterolverlaging zou van belang zijn om de verdere progressie van kroonslagaderverkalking te voorkomen zodat in feite iedereen na een hartprobleem moet werken aan een lager cholesterolgehalte, ook al is deze bij de aanvang laag.

Wie geniet van de terugbetaling van de cholesterolremmende medicatie?

Om van de terugbetaling te genieten blijft het totale cholesterolgehalte boven 250 mg/dL na een aangepast vetarm dieet van 3 maanden. De internationaal voorgestelde streefwaarden bij een kroonslagadervernauwing zijn evenwel strenger: 180 mg/dL voor het totale cholesterolgehalte en 110 mg/dL voor slechte cholesterol. Dit heeft als gevolg dat een heel deel patiënten na een coronair incident niet in aanmerking komt voor terugbetaling. Toch kan de cardioloog de patiënt aanraden om de cholesterolremmende medicatie, indien mogelijk, zelf te betalen omdat de voordelen van cholesterolcontrole na een infarct bewezen zijn.

Waarom is een cholesterolremmer zo efficiënt na een hartinfarct?

Het hartinfarct ontstaat door een scheurtje in een atheroomplaat en het endotheel waarbij aan de binnenzijde van het bloedvat een hevige ontstekingsreactie op gang komt. Door het doorscheuren van het gladde laagje endotheelcellen komt het bloed rechtstreeks in contact met de ruwe oppervlakte van de atheroomplaat. Men kan dit vergelijken met een schaafwonde op de huid. Dit veroorzaakt een prikkeling van de bloedplaatjes in een eerste fase met de vorming van een witte klonter (instabiele angor) en nadien prikkeling van de bloedstolling met de vorming van een rode klonter die het bloedvat volledig gaat opstoppen (hartinfarct). De laatste jaren heeft men vastgesteld dat de inhoud van de atheroomplaat sterk verband houdt met de breekbaarheid van de plaat. Zachte platen zijn breekbaar en harde platen zijn sterk. In een zachte plaat treft men veel vet aan en weinig bindweefsel en kalk. In een harde plaat treft men minder vet aan. Men kan de zachte platen 'harder' maken door het LDL-cholesterol te verlagen. De geoxideerde LDL-cholesterol wakkert de ontsteking van de bloedvatwand aan waardoor de binnenste laag met de atheroomplaat gemakkelijker breekt. Cholesterolremmende medicatie verlaagt niet alleen de vrije serumcholesterol maar ook de slechte cholesterol in de vaatwand.

Het is duidelijk dat de opkomst van cholesterolremmende medicatie de overlevingskansen verbeterde bij de patiënten met een kroonslagadervernauwing.

Het nut van cholesterolverlaging is niet bewezen in studies voor patiënten die ouder zijn dan 75 jaar maar is vermoedelijk toch nuttig.

De secundaire preventie wordt spijtig genoeg te weinig benadrukt omdat de patiënt zich goed voelt en ook de arts is zich niet altijd bewust van het gevaar van een nieuw coronair incident. Cholesterolcontrole en gericht voedingsadvies worden nog steeds te weinig benadrukt in ons zorgensysteem dat nog te veel geschoeid is op het behandelen van een ziekte en minder op het voorkomen ervan.

Soorten hypercholesterolemie

Ook bij patiënten met familiale homozygote hypercholesterolemie en een duidelijke verhoging van de cholesterolspiegel wordt met medicatie gestart nog voor dat een incident optreedt (primaire preventie). Het gebruik van cholesterolremmers bij kinderen voor de puberteit heeft geen schadelijke invloed op hun ontwikkeling en groei.

Het nut van cholesterolremmende medicatie bij polygenetische vormen van hypercholesterolemie is ook bewezen bij een matig verhoogd cholesterolgehalte, zelfs indien de patiënt geen andere risicofactoren heeft.

Het behandelen van een verhoogd cholesterolgehalte bij een gezonde persoon zonder aangeboren hypercholesterolemie is een individuele beslissing van de dokter.

Samenvatting

Na het optreden van een kroonslagadervernauwing is het van essentieel belang om het cholesterolgehalte te doen dalen. De secundaire preventie is van groot belang omdat een goede cholesterolcontrole de overlevingskans verbetert. Naast het volgen van een dieet zullen vele patiënten een cholesterolremmer nemen om het totale cholesterolgehalte onder de 180 mg/dL en de slechte cholesterol onder de 110 mg/dL te krijgen.

Anderzijds is een cholesterolremmer van belang om de plaques van de kroonslagaders harder te maken. Bij het breken van een plaque ontstaat immers een instabiele angor of een hartinfarct. Bij familiale hypercholesterolemie behandelt men kinderen om een vroegtijdige atheromatose te vermijden.

Arteriële hypertensie

Wat is arteriële hypertensie en hoe wordt de diagnose gesteld?

Arteriële hypertensie is een gemiddeld te hoge druk in de slagaders van het lichaam met schadelijke gevolgen op lange termijn. De bloeddrukmeting wordt uitgedrukt in twee cijfers. Het eerste cijfer staat voor de systolische bloeddruk en het tweede cijfer voor de diastolische bloeddruk. De normale systolische druk is lager dan 140 mm Hg en de normale diastolische druk lager dan 90 mm Hg. De systolische druk is de druk in de slagaders tijdens elke hartslag en de diastolische druk is de druk tussen twee hartslagen in.

Een eenmalig verhoogde bloeddruk is niet voldoende om de diagnose van arteriële hypertensie te stellen. Herhaalde metingen in verschillende omstandigheden zijn noodzakelijk. Patiënten kunnen een hoge bloeddruk hebben in het dokterskabinet door stress en een normale bloeddruk thuis. Deze wittejashypertensie hoeft niet onmiddellijk met medicatie te worden behandeld maar kan na verloop van tijd soms toch evolueren naar een echte arteriële hypertensie.

Met een 24-uursbloeddrukmeting kan de dokter snel de diagnose stellen. Hierbij krijgt de patiënt op de raadpleging een manchet rond de bovenarm die op geregelde tijdstippen automatisch de bloeddruk meet. De waarden worden op een cassette opgeslagen. De arts kan de metingen nadien uitlezen op een scherm. Indien de systolische of de diastolische druk in meer dan 30 % van de metingen abnormaal is, dan spreekt men van een systolische of een diastolische hypertensie.

Waarom is arteriële hypertensie schadelijk?

Door de verminderde elasticiteit van de bloedvaten neemt de systolische bloeddruk bij iedereen met de leeftijd toe. Arteriële hypertensie op latere leeftijd is evenwel niet banaal. Door onderzoek op grote groepen hebben wetenschappers aangetoond dat de kans op een hersenbloeding of verminderde nierwerking evenredig toeneemt met de bloeddrukstijging. Daarenboven veroorzaakt hypertensie zelden ernstige klachten zodat de diagnose vaak laat wordt gesteld. Hypertensie heeft de bijnaam van ‘stille doder’. Verhoogde bloeddruk komt frequenter voor dan vroeger door de toenemende levensverwachting en door overgewicht. In de volgende jaren kunnen we ons verwachten aan een epidemie van hypertensie.

Waardoor krijgt men hypertensie en hoe kan men dit vermijden?

Bij meer dan 90 % van de patiënten kan de arts geen onderliggende oorzaak weerhouden. Deze vorm van hypertensie wordt primaire arteriële hypertensie of essentiële arteriële hypertensie genoemd. Overgewicht, een sedentaire levenswijze en een verhoogd zoutverbruik werken een verhoogde bloeddruk in de hand. Door het toenemend gebruik van de auto neemt de westerse mens steeds minder lichaamsbeweging. We nemen minder tijd om maaltijden te bereiden en kant-en-klare menu’s bevatten veel zout. De schoolgaande jeugd is meer sedentair en eet minder gezond waardoor het aantal jongeren met overgewicht toeneemt.

Overgewicht op latere leeftijd verhoogt de kans op suikerziekte of diabetes en verhoogde bloeddruk. Deze bloeddrukstijging heeft te maken met de ongevoeligheid van het organisme voor de eigen insuline (insulineresistentie).

Welke vormen van arteriële hypertensie vergen een speciale aanpak?

Bij een secundaire arteriële hypertensie veroorzaakt een onderliggende aandoening hoge bloeddruk. Nierziektes die soms hoge bloeddruk verklaren zijn: herhaalde urineweginfecties, nierstenen, een ziekte van de nierfilter en een verminderde doorbloeding van de nier door een nierarteriestenose (vernauwing van de nierslagader).

Hormonen zijn natuurlijke stoffen die door ons lichaam worden aangemaakt en die specifiek bepaalde organen prikkelen voor een optimale werking. Een afwijking van de normale productie van hormonen kan soms hoge bloeddruk als gevolg hebben.

Zo staan de bijnieren die boven op de nieren liggen in voor de productie van bijnierhormonen die onder andere de zoutbalans en de bloeddruk in ons lichaam regelen. De hypofyse prikkelt de bijnieren overmatig bij de ziekte van Cushing, anderzijds kan een bijniertumor te veel aldosterone aanmaken met bloeddrukstijging als gevolg.

Aanvallen van bloeddrukstijging die gepaard gaan met hartkloppingen en bleekheid zijn dan weer suggestief voor een feochromocytoom. Dit is een kleine tumor die zich meestal bevindt in de nabijheid van de wervelzuil en die door de chirurg wordt weggenomen.

De inname van vrouwelijke hormonen (contraceptieve pil of na de menopauze) kan soms een bloeddrukstijging verklaren. We vermelden ter volledigheid een aangeboren vernauwing van de grote lichaamsslagader na de aftakking van de grote sleutelbeenarteries of coarctatie van de aorta. Klassiek wordt er bij deze patiënten een hogere bloeddruk opgemeten in de bovenste ledematen en een lage druk in de onderste ledematen. Na het opheffen van de vernauwing is arteriële hypertensie gemakkelijker te behandelen. Bij de meeste patiënten normaliseert de bloeddruk als de vernauwing voor de volwassen leeftijd wordt opgeheven.

Heeft mijn lichaam schade geleden door de verhoging van de bloeddruk?

De arts kan de weerslag van de voordien onbehandelde bloeddrukstijging nagaan en kijkt na of er geen schade is ter hoogte van de verschillende organen. Deze schade treedt meestal langzaam op in de verloop der jaren.

De dikte van de wand van de linkerkamer neemt toe bij langdurige bloeddrukstijging doordat de spiercellen van de kamer verdikken als aanpassing op de verhoogde druk tijdens elke hartslag. Deze linkerkamerhypertrofie belemmert de aanvoer van zuurstof en voedingsstoffen en verhoogt de kans op hartritmestoornissen. Hartverzwakking was vroeger een eindstadium van onbehandelde bloeddruk door een uitputting van de kamer maar dit is vandaag zeldzamer omdat arteriële hypertensie beter en sneller wordt behandeld.

Bij een jarenlang verwaarloosde bloeddruk verouderen de nieren vroegtijdig door een drukoverbelasting op de nierfilter. De patiënt watert dan in een vergevorderd stadium massale hoeveelheden eiwitten uit (meer dan 1 gram per dag) waarbij het serumcreatininegehalte stijgt. Een stijging van het serumcreatininegehalte wijst op een slechte nierwerking. Voor de man is de bovengrens 1.35 mg/dL, voor de vrouw 1.1 mg/dL. In bepaalde gevallen kan de nierwerking na jaren volledig uitvallen bij gelijktijdige inname van schadelijke medicatie (fenacetine, aanwezig in pijnstillers) of bij patiënten die lijden aan suikerziekte. Het kunstmatig reinigen van het bloed door een kunstnier of hemodialyse is dan noodzakelijk.

De weerslag van de arteriële hypertensie op onze slagaders van het netvlies achteraan in het oog wordt nagekeken met een oogfundusonderzoek. Hierbij druppelt de oogarts een vloeistof in de twee ogen om de pupillen maximaal te openen en kijkt hij met een vergrootglas en een smalle lichtbundel binnenin het oog. Het netvlies is een scherm dat zich aan de achterzijde bevindt en waarop de binnenvallende beelden zich projecteren. Het netvlies ontvangt zuurstof en voedingsstoffen door de aftakkingen van de netvliesarterie die samen met de oogzenuw via de oogpapil het oog binnenkomt.

Bij zeer ernstig verhoogde bloeddruk of hypertensiecrisis zijn er netvliesbloedingen, een onscherpe belijning van de papil of papiloedeem en weinig zichtbare arteries.

Ten slotte kan de arts met de stethoscoop geruis aan de bloedvaten vaststellen. Dit geruis ter hoogte van de halsslagaders en de slagaders in de lies die respectievelijk de hersenen en de onderste ledematen van bloed voorzien wijzen meestal op bloedvatvernauwing.

Welke klachten ondervindt men bij een verhoogde bloeddruk?

Een verhoogde bloeddruk is meestal een toevallige vaststelling door de dokter die men raadpleegt voor klachten die hiermee meestal geen verband houden. Het is dus van belang om één keer per jaar de bloeddruk te laten controleren, ook al heeft men geen klachten.

De diagnose kan ook laat worden gesteld, wanneer de patiënt een verwikkeling van de arteriële hypertensie vertoont.

Bij een hypertensieve crisis heeft de patiënt intense hoofdpijn aan de achterzijde van het hoofd, en vertoont hij tekenen van braken, gezichtsstoornissen, spierstuipen, verlammingen, slaperigheid en zelfs coma.

Er is meestal ook een afnemende nierfunctie en hartverzwakking. De bloeddruk is zeer sterk verhoogd met systolische waarden van

250 mm Hg tot 300 mm Hg en diastolische waarden boven de 130 mm Hg maar de diagnose van maligne hypertensie wordt gesteld door de aanwezige symptomen en niet de absolute bloeddrukcijfers. Maligne arteriële hypertensie is de enige situatie waar een snelle daling van de bloeddruk van levensbelang is.

Indien een patiënt een verhoogde bloeddruk heeft en geen klachten, dan is er geen noodzaak om deze bloeddruk snel te laten dalen. Dit wordt evenwel dikwijls vergeten en vaak wordt in het ziekenhuis snel bloeddrukdalende medicatie voorgeschreven bij patiënten met verhoogde cijfers die hiervan geen last hebben. Een snelle bloeddrukdaling bij patiënten die geen medicatie innamen tegen arteriële hypertensie is gevaarlijk gezien een zekere aanpassing is opgetreden ter hoogte van de hersenen en het hart tegenover de chronisch verhoogde waarden. Aldus kan een daling van 230 mm Hg systolisch naar 140 mm Hg bij deze patiënten een plotseling zuurstoftekort ter hoogte van de hersenen of het hart veroorzaken.

Andere patiënten vertonen een voorbijgaande verlamming van één lichaamshelft en/of spraak- en/of gezichtsstoornissen door een zuurstoftekort van een deel van de hersenen. Men spreekt van een cerebrovasculair accident (CVA) indien de verlamming blijvend is en van een transiënte ischemische aanval (TIA) indien de patiënt binnen de 24 uur volledig herstelt.

Nog andere patiënten vertonen een hartverzwakking of hartfalen met kortademigheid bij inspanning en tekens van waterophoping van de onderste ledematen en een onverklaarde gewichtstoename.

Onvoldoende nierwerking kan vermoeidheidsklachten veroorzaken. Een lichte vermindering van de nierwerking geeft geen klachten maar eens de afvalstoffen zich in het lichaam opstapelen ontstaat er vermoeidheid. Uremie is de hoeveelheid ureum in het bloed en weerspiegelt de mate van bloedverontreiniging.

Ten slotte hebben we reeds eerder aangehaald dat een verhoogde bloeddruk een risicofactor is voor atheromatose van de slagaders. Bij een langzame uitzetting van de diameter van de slagaderwand ontstaat een aneurysma dat kan barsten bij het groter worden. Anderzijds veroorzaakt een plotselinge scheur aan de binnenzijde van de slagaderwand een dissecerend aneurysma. Dit is een medische urgentie gezien de bloedsvoorziening naar vitale organen afgesloten kan worden, afhankelijk van de plaats van de dissectie. Een dissectie die begint ter hoogte van het opstijgend gedeelte van de aorta wordt bijna steeds urgent geopereerd als de slagaders naar de armen, de hersenen en het hart in de dissectie zijn betrokken. Indien de dissectie begint na de oorsprong van de linker sleutelbeenader en eindigt boven de nierarteries dan is de verdere behandeling medisch.

Samenvatting

Arteriële hypertensie is een gemiddeld te hoge bloeddruk. De normale bloeddruk is onder de 140 mm Hg voor de systolische waarde en onder de 90 mm Hg voor de diastolische waarde. Hoge bloeddruk geeft geen klachten maar veroorzaakt schade aan de hersenen, het hart, de nieren en de slagaders. In 90 % van de gevallen is er geen onderliggende oorzaak.

Het regelmatig laten controleren van de bloeddruk leidt tot een vroege diagnose van arteriële hypertensie. De geneesmiddelen die vandaag ter beschikking zijn kunnen de verwikkelingen van arteriële hypertensie vermijden. Het is niet nuttig om de bloeddruk snel te doen dalen als er geen evidentie is van een hypertensie-aanval. In dit laatste geval is de diastolische bloeddruk hoger dan 130 mm Hg en heeft patiënt last van hoofdpijn, gezichtstoornissen, slaperigheid en kortademigheid.

Roken en hart- en vaatziekten

Waarom is roken een bijzonder schadelijke risicofactor voor hart- en vaatziekten?

Roken is één van de belangrijkste risicofactoren voor hart en vaatziekten, samen met diabetes mellitus en hypercholesterolemie. Er is bovendien een cumulatief risico indien meerdere risicofactoren samen voorkomen. Een patiënt van 70 met een perfect risicoprofiel (rookt niet, normale bloeddruk, totaal cholesterolgehalte onder de 200 mg/dL) heeft 10 tot 20 % kans op een hartaandoening in de volgende 10 jaar.

Een man van 70 met een cholesterolgehalte van 300 mg/dL heeft 20 tot 40 % kans op een hartaandoening binnen de 10 jaar. Als hij rookt of arteriële hypertensie heeft dan is zijn kans meer dan 40 %. Diabetes of suikerziekte verdubbelt elk risico. Men kan voor elke leeftijd het risico berekenen aan de hand van speciale tabellen.

In vergelijking met de niet-rokers hebben rokers een verhoogde kans op plots overlijden, hartinfarct, angina pectoris, perifeer vaatlijden en hersentrombose. Het is opvallend dat stoppen met roken een vrij snelle daling veroorzaakt van het risico. Ondanks de overvloed aan gegevens over de schadelijke gevolgen van roken, is er een toename van rokers bij de jeugd. Jonge mensen roken steeds vroeger en de massareclame zet de jeugd bovendien aan om een eerste sigaret te proberen door een verleidelijke boodschap van succes en liefde te associëren met de sigaret. Recent is er evenwel een ommekeer door het verbieden van de reclame op tabak in België.

Welk risico lopen de vrouwen die roken?
Vrouwen die roken hebben een groter risico op hartinfarct vanaf de leeftijd van 40 jaar. Kroonslagadervernauwing bij de vrouw treedt normaal 10 jaar later op dan bij de man, dus vanaf de leeftijd van 70 jaar. De vrouwelijke hormonen hebben immers een beschermende invloed tegen een hartinfarct tot aan de menopauze door een verhoging van de HDL-cholesterolgehalte.

Roken en de hormonale contraceptie (pil) verhoogt het risico van klontervorming in de aders van de onderste ledematen (veneuze trombose). Indien de veneuze trombose in een dieper gelegen bloedvat voorkomt (diepe veneuze trombose) dan kan een deel van de klonter worden meegevoerd via de onderste vena cava naar de rechterhelft van het hart. Afhankelijk van de grootte van de klonter zal een opstopping ontstaan van een kleine of grote slagader van de longen (longembolie).

Vrouwen roken soms om een slanke lijn te behouden en het is correct dat er gewichtstoename is na het stoppen met roken door een meer langzame verbranding van de voedingsstoffen, maar dit klein overgewicht is geen goed argument om verder te roken.

Welke andere schadelijke gevolgen heeft het roken?
Chronische bronchitis met luchtwegobstructie is een laat gevolg van jarenlang tabaksmisbruik. Een persoon met een chronische bronchitis heeft meer dan vier luchtwegontstekingen per jaar, hoest continu slijmen en is kortademig bij een kleine inspanning (dyspnoe). Het roken veroorzaakt een voortdurende irritatie van de luchtwegen. Hierdoor worden de bacteriën minder efficiënt opgeruimd en worden overmatige slijmen geproduceerd. Dit gaat gepaard met een min of meer erge vernietiging van de longblaasjes zelf. Het risico van een kanker van de luchtwegen (longkanker) is toegenomen. Gezien het organisme een goede reserve heeft zal een persoon die rookt zich jarenlang niet bewust zijn van de achteruitgang van zijn longcapaciteit totdat hij kortademig wordt maar op dat ogenblik is de schade onomkeerbaar. De longarts kan in een vroeg stadium de luchtwegobstructie aantonen met een longfunctietest. Meestal zijn de patiënten op de ziekenhuisafdeling longziekten mannen, maar het aantal vrouwelijke patiënten zal in de komende jaren wellicht toenemen doordat nu meer jonge vrouwen dan mannen roken.

Naast de eerder vermelde associatie met hartinfarct, diepe veneuze trombose, chronische bronchitis en longkanker, veroorzaakt het roken ook vernauwingen en verstoppingen van de slagaders van de onderste ledematen. Soms kan een overbruggingsoperatie van de onderste ledematen bij zware rokers niet meer worden uitgevoerd doordat de diameter van de bloedvaten te klein is. Personen met zeer ernstig stoornissen van de arteriële bloedsomloop hebben niet alleen krampen in de onderste ledematen bij het wandelen (claudicatio intermittens of in de volksmond 'etalageziekte' genoemd) maar hebben ook hevige pijn gedurende de nacht. Enkel wanneer ze de onderste ledematen uit bed laat hangen, verlicht de pijn doordat de bloedsomloop onder invloed van de zwaartekracht iets verbetert.

Ten slotte veroorzaakt roken in combinatie met overvloedig alcoholgebruik keelkanker.

Is roken schadelijk voor de medemens?

Niet alleen de persoon die rookt maar ook zijn omgeving ondergaat de schadelijke effecten van het roken (passief roken). Baby's van zwangere vrouwen die roken hebben een lager geboortegewicht. Kinderen van rokende ouders hebben een verhoogde kans op allergische aandoeningen.

Kan men sigaretten vervangen?

Niet alleen het roken van sigaretten maar ook het roken van sigaren is schadelijk voor de longen, het hart en de bloedvaten. Pijprokers hebben bovendien een grotere kans op blaaskanker.

Samenvatting

Roken verhoogt duidelijk de kans op hart- en vaatziekten, is schadelijk voor de omgeving, veroorzaakt chronische bronchitis, keelkanker, diepe tromboflebitis bij pilgebruik en een vernauwing van de slagaders van de onderste ledematen.
Het is duidelijk bewezen dat een persoon die één of andere vorm van vaatziekte ontwikkelt bij secundaire preventie absoluut moet stoppen met roken. Slagaderverkalking is een vroegtijdige veroudering van de slagaderwand en een definitieve rookstop is de enige manier om de ziekte te stoppen.

Suikerziekte of diabetes

Wat is diabetes en waarom is dit schadelijk voor het lichaam?

Diabetes of suikerziekte is een grote risicofactor voor ziekten van het hart en de bloedvaten. Men onderscheidt type 1-diabetes (juveniele diabetes, insulinedependente diabetes) van type 2-diabetes (ouderdomsdiabetes, niet-insulinedependente diabetes). In de beide gevallen treft men een te hoog suikergehalte aan in het bloed, wat op lange termijn de slagaders van ons lichaam beschadigt. Er zijn klassieke verwikkelingen ter hoogte van de ogen (vermindering van het gezichtsvermogen door kleine bloedingen in het netvlies), de nieren (nierinsufficiëntie na een lange periode van overmatig eiwitverlies in de urine), de onderste ledematen (diabetesvoet met slecht helende wondjes, claudicatio intermittens of de 'etalageziekte' door vernauwing van de grotere slagaders), het hart (hartinfarct, hartverzwakking), de hersenen (vernauwing van de halsslagaders die de hersenen voorzien van bloed met CVA) en de zenuwbanen (perifere neuropathie met tintelingen en soms verminderd gevoel ter hoogte van de voeten waardoor een voetwonde geen pijn meer doet).

Waarom krijgt men diabetes?

Bij een type 1-diabetes produceert het pancreas onvoldoende insuline en bij een type 2-diabetes produceert de pancreas overmatig insuline. In dit laatste geval is het organisme eerder ongevoelig voor de eigen insuline.

Type 1-diabetes begint meestal op jonge leeftijd (juveniele diabetes) en type 2-diabetes begint op latere leeftijd (ouderdomsdiabetes). Voor type 1-diabetes is de oorzaak niet goed gekend en voor type 2-diabetes is overgewicht een frequente oorzaak.

De pancreas is een orgaan in de buikstreek dat verteringsstoffen en insuline afscheidt na een maaltijd. Hierdoor worden het vet en het zetmeel in de darmen afgebroken tot kleinere stoffen en opgenomen in het bloed. Insuline stimuleert de opname van suikers in de spieren en de aanmaak van vetstoffen als reservebrandstof en is van belang voor de goede werking van ons organisme.

Welke hartklachten hebben patiënten met suikerziekte?

Patiënten met suikerziekte hebben dikwijls een hartaandoening maar bij een hartaanval hebben zij vaak geen pijn op de borststreek (stil hartinfarct). Een preventief cardiaal onderzoek met een inspanningsproef is nuttig om zuurstoftekort bij inspanning uit te sluiten (stille ischemie).

De kroonslagaders zijn meestal op meerdere plaatsen vernauwd en zijn moeilijker te behandelen met een dilatatie. De dilatatie is geen operatie maar een techniek die de cardioloog gebruikt om het vernauwde bloedvat met een ballonnetje of een veertje *(stent)* open te rekken. Bij één op drie patiënten komt de vernauwing na 6 maanden terug en spreekt men van restenose. De kans op restenose is groter bij meerdere vernauwingen en bij diabetes zodat bij deze patiënten de voorkeur uitgaat naar een hartoperatie.

Hoe kan men een verwikkeling vermijden?

Na gemiddeld 10 jaar suikerziekte kunnen verwikkelingen optreden. Een goede stabilisatie van de glykemie of het bloedsuikergehalte is primordiaal. Bij diabetes is een optimaal gewicht van het allergrootste belang omdat de patiënt dan de medicatie (insuline of pillen) kan verminderen of soms volledig onderbreken. Bij type 1-diabetes produceert de pancreas onvoldoende insuline en stabiliseren insuline-injecties het bloedsuikergehalte. Patiënten met type 1-diabetes bepalen zelf het suikergehalte in het bloed met een glucosemeter om de insulinedosis aan te passen volgens hun lichaamsactiviteit.

Men raadt ook aan de medicatie (pil of insuline) aan te passen tot een goede suikercontrole is bereikt met een geglycoliseerd hemogline (HbA1C) op een bloedstaal onder de 7 %. Het HbA1C is een maat voor de gemiddelde suikercontrole van de voorbije 6 weken.

Wat is de oorzaak van diabetes?

Familiale voorbeschiktheid is één van de oorzaken van type 1-diabetes. Type 2-diabetes is minder familiaal gebonden en heeft veel te maken met overgewicht. Personen die vermageren hebben meestal een spontane verbetering van de suikerspiegel. Het aantal patiënten met type 2-diabetes neemt toe. Dit heeft te maken met onze sedentaire levenswijze. In vergelijking met de West-Europeanen krijgen immigranten uit Afrika, Marokko en Turkije die onze sedentaire levenswijze overnemen gemakkelijker en op vroegere leeftijd type 2-diabetes. Het is duidelijk dat lichaamsbeweging en een gezonde voeding voor iedereen van primordiaal belang zijn. De lichaamsconditie van de Belgische jongeren is slechts matig goed en meer jongeren kampen met overgewicht.

Samenvatting

In vergelijking met een persoon van dezelfde leeftijd en identieke levensstijl verdubbelt diabetes de kans op hart- en vaatziekten bij de man en deze kans is nog groter bij de vrouw. Bij de moderne behandeling van diabetes is een nauwkeurige controle van het bloedsuikergehalte van belang om hart- en vaatproblemen op lange termijn te voorkomen. Alle patiënten met type 1-diabetes spuiten insuline, de patiënten met type 2-diabetes krijgen pillen of/en insuline. Alle patiënten volgen een diabetesdieet dat bestaat uit suiker- en vetarme voeding. Vermagering tot een ideaal gewicht is van groot belang doordat de bloedsuikerspiegel (glykemie) hierdoor verlaagt. Bij type 2-diabetes kan een suikerarm dieet alleen voldoende zijn na aangepaste vermagering zodat de rest van de medicatie kan worden gestopt. Bij een goede controle van de glykemie kan iedereen de verwikkelingen van diabetes vermijden.

---

4 Onze levenswijze veranderen

Overgewicht en vermageren

Waarom is overgewicht schadelijk en hoe berekent men de graad van overgewicht?

Het is algemeen bekend dat overgewicht vroeg of laat medische problemen geeft. Denken we maar aan artrose van de rug, heup- en kniegewrichten door overbelasting. Verder hebben patiënten met overgewicht een grotere kans op problemen bij een buikoperatie. Door de overdreven vetlaag op de buik is er een verhoogde kans op infectie van de operatiewonde. Daarenboven belemmert de vetmassa de beweging van het middenrif waardoor longinfecties kunnen optreden. En toename van de abdominale vetmassa verhoogt ook de kans op ouderdomsdiabetes of type 2-diabetes.

De Body Mass Index of de index van de lichaamsmassa geeft een goed idee van het lichaamsgewicht waarbij rekening gehouden wordt met de lengte. Deze index wordt berekend door het gewicht in kilogram te delen door het kwadraat van de lengte in meter. Bijvoorbeeld: een persoon die 62 kg weegt en 1,70 m groot is heeft een BMI van 62 gedeeld door 1,7 x 1,7 = 21. Ideaal is de BMI onder de 22. Voor een persoon tussen de 20 en de 30 jaar is het maximale aanvaardbare BMI 28. Boven de 30 is er sprake van overgewicht of obesitas.

Hoe krijgt men overgewicht?

De voornaamste oorzaak van overgewicht is een verkeerde eetgewoonte waarbij de inname van het dagelijkse aantal calorieën hoger is dan het verbruik. Het aantal calorieën dat een persoon verbruikt hangt af van zijn arbeid. Een persoon die zware fysieke arbeid verricht heeft 3500 kilocalorieën per dag nodig, een sedentaire persoon slechts 2000 kilocalorieën. De meeste mensen behouden een constant lichaamsgewicht en eten ongeveer wat zij nodig hebben en volgens hun hongergevoel. 'Overeten' kan te wijten zijn aan verkeerde eetgewoontes in eenzelfde gezin (alle gezinsleden zijn dik) of aan psychische problemen waarbij niet opgeloste problemen en stress worden weggewerkt door aanvallen van overmatig eten (boulimie). Zeer zeldzaam is er een afwijking in een hersenzone die instaat voor het hongergevoel.

In zeldzame gevallen is er overgewicht zonder overmatig eten. Dit wordt verklaard doordat de opgenomen calorieën niet worden verbrand en worden opgestapeld in een toenemende vetmassa. Een verminderde werking van de schildklier (hypothyroïdie) of een overmatig aantal vetcellen sinds de geboorte (hyperplastische vetzucht) zijn hiervan twee voorbeelden. De verbranding van de calorieën of het metabolisme kan variëren bij een persoon en stijgt bij een verhoging van de lichaamstemperatuur. Ook een lichte overmaat aan calorieën stimuleert de metabole activiteit zodat ons lichaamsgewicht constant blijft. Zonder deze aanpassing zou een klein overschot in 100 kilocalorieën per dag (één appel) een toename van 36500 kilocalorieën per jaar of 4 kilogram lichaamsvet betekenen (één kilogram vet verliezen komt overeen met 9000 kilocalorieën).

Het lichaamsgewicht neemt toe met de leeftijd. Dit heeft vooral te maken met de verminderde lichaamsbeweging (minder professionele activiteit, verminderde lichaamsbeweging door minder sportbeoefening en het nemen van de auto in plaats van de fiets). Voor de mannen is de leeftijd van 40 en bij de vrouwen is de menopauze een periode van gewichtstoename.

Lege calorieën als een oorzaak van plotseling overgewicht worden vaak vergeten (inname van gesuikerde frisdranken, van alcoholische dranken en van snoepgoed, chips en ijsjes).

Hoe kan men het best afslanken?

Het is een misvatting om te denken dat afslanken snel gebeurt! Een kilogram vetweefsel bevat 9000 kilocalorieën en bij een matige activiteit verbruiken we 2500 kilocalorieën per dag. Een dieet van 1200 kilocalorieën doet normaal ongeveer één kilogram per week vermageren. Het is van belang dat de persoon zich bewust is van zijn fouten voor de aanvang van het dieet. Daarom kan een gesprek met een diëtist(e) nuttig zijn. Voedingsmiddelen wegen en tussendoortjes vermijden zijn nuttige tips.

Bepaalde eetlustremmers zijn nadelig voor onze gezondheid vooral indien zij langer dan 3 maanden worden ingenomen. De amfetaminepreparaten verliezen hun eetlustremmend effect na enkele weken en nadien stijgt het gewicht meestal. Vermageringscocktails worden door de apotheker bereid op voorschrift van een arts. Tal van deze zogenaamde wondermiddelen bevatten naast amfetamines ook vochtafdrijvende stoffen waardoor men water maar geen vet verliest. Ook het schildklierhormoon doet vermageren maar een langdurige inname is niet zonder gevaar. In 1997 werden de vermageringspillen fenfluramine en dexfenfluramine wereldwijd uit de handel teruggetrokken omwille van cardiale bijwerkingen. In een klein aantal gevallen werd een sterk verhoogde druk in de pulmonale circulatie (pulmonale hypertensie) en beschadiging van de hartkleppen vastgesteld.

Een nieuw product tegen zwaarlijvigheid is orlistat en dit heeft een andere werking dan de klassieke eetlustremmers. Orlistat verhindert de opname van het vet uit de voeding. Het remt de darmenzymen die de vetten verteren tot kleinere stoffen en het onverteerde vet wordt met de ontlasting uitgescheiden.

Samenvatting
Overgewicht of obesitas is een beschavingsziekte en een onderliggende 'ziekte' is slechts in de minderheid van de gevallen aantoonbaar. Overdreven vetmassa geeft niet alleen een verhoogde kans op slijtage van de gewrichten, maar veroorzaakt ook medische problemen zoals een verhoogde bloeddruk en suikerziekte. Ook bij een operatie is de kans op huid- of longinfectie groter. De Body Mass Index (BMI) is een goede maat om de graad van overgewicht te bepalen. De Body Mass Index wordt berekend door het lichaamsgewicht in kilogram te delen door het kwadraat van de lengte in meter. Ideaal is een BMI tussen de 20 en de 25, indien de BMI hoger is dan 30 dan is er duidelijk overgewicht of obesitas.
Vermageren gebeurt slechts langzaam aangezien één kilogram vet overeenkomt met 9000 kilocalorieën en een actieve persoon per dag 3500 kilocalorieën verbruikt. Het is goed om een diëtist(e) te raadplegen vooraleer een dieet te beginnen om zich bewust te worden van zijn voedingsfouten. Vermageringspillen zijn enkel op doktersvoorschrift in te nemen en zijn nooit een wondermiddel.

Alcohol: met mate

De mediterrane voeding beschermt tegen hart- en vaatziekten

Cardiovasculaire ziekten zijn één van de voornaamste oorzaken van overlijden in de westerse wereld. Zoals reeds eerder vermeld zijn de risicofactoren die de kans op hart- en vaatziekten verhogen: cholesterol, tabaksgebruik, een sedentaire levensstijl, diabetes mellitus, overgewicht en een familiale voorbeschiktheid.

Epidemiologische studies hebben het aantal overlijdensgevallen vergeleken tussen de mediterrane landen en de rest van Europa. Het aantal overlijdensgevallen te wijten aan hart- en vaatziekten is opvallend laag in de mediterrane landen. Vele wetenschappers hebben dit fenomeen uitgelegd door het goed gekende verband tussen een hoger verbruik aan verzadigde dierlijke vetten in de rest van Europa en het voorkomen van cardiovasculaire ziekten. Vis, fruit, groenten en olijfolie staan regelmatig op het menu in de zuiderse landen en dit verklaart wellicht dat hart- en vaatziekten daar minder voorkomen.

De Franse paradox, wat betekent dit?

Het dieet alleen verklaart niet alles want in Frankrijk, waar de keuken even vettig is als in de rest van Europa, komen veel minder hart- en vaatziekten voor. Dit is de Franse paradox. Bovendien zijn er minder hartinfarcten in de streek rond Toulouse in vergelijking met Rijsel.

Het sterftecijfer door hart- en vaatziekten per jaar en per 100.000 inwoners bedraagt 78 in Toulouse, in vergelijking met 348 in Belfast.

Eén theorie stelt dat matig alcoholverbruik beschermt tegen cardiovasculaire ziekten. Rode wijn zou ook meer beschermen dan witte wijn en zuivere alcohol en kan deze paradox verklaren. Rode wijn bevat meer antioxidantia en deze stoffen vindt men ook in fruit, groenten en olijfolie. Deze antioxidantia verhinderen net zoals de vitamine E en het foliumzuur dat de slechte cholesterol zich afzet in de slagaderwand.

De Fransen drinken inderdaad meer rode wijn dan de rest van Europa en in de streek rond Toulouse drinkt men het meest rode wijn (dagelijks gemiddeld 380 milliliter rode wijn tegenover 37 milliliter in Rijsel).

Moet men de mensen aanzetten om rode wijn te drinken opdat zij langer zouden leven?

Bepaalde critici geloven niet in het effect van rode wijn en leggen uit dat de voedingsgewoontes in de jaren 70 in Toulouse te vergelijken waren met deze in de mediterrane gebieden. Het schadelijke effect van de huidige vettige voeding in Toulouse zou nog verschillende jaren op zich laten wachten (zoals bij onderzoek op bevolkingsgroepen de schadelijke effecten van tabak pas na meerdere jaren duidelijk worden).

Andere artsen vinden het gevaarlijk om te verkondigen dat het drinken van twee glazen wijn per dag beschermt tegen hartziekten omdat velen deze grens zullen overschrijden. Het gunstige effect van wijn op de gezondheid is immers snel verdwenen als men meer dan twee glazen per dag drinkt. Recent heeft een Franse journalist de negatieve gevolgen van alcoholmisbruik in Frankrijk nagegaan. Bij nietverslaafden is alcohol de oorzaak van kort werkverlet door een kater en verslaafden functioneren niet optimaal en krijgen gezondheidsproblemen. De financiële gevolgen van alcoholmisbruik zijn veel groter dan van druggebruik omdat het aantal mensen met alcoholproblemen veel groter is.

Het drinken van maximaal twee glazen wijn per dag, zonder andere bijkomende alcoholische dranken, biedt een zekere bescherming tegen hart- en vaatziekten.

Samenvatting
Een mediterrane voeding beschermt tegen hart- en vaatziekten maar in Frankrijk, waar men even vettig eet als in de rest van Europa komen minder hart- en vaatziekten voor. Een theorie stelt dat rode wijn veel antioxidantia bevat (die slechte cholesterol elimineren) en bescherming biedt. In Frankrijk wordt er inderdaad meer rode wijn gedronken dan in de rest van Europa. Het drinken van twee glazen rode wijn per dag biedt een zekere bescherming tegen hart- en vaatziekten maar indien men meer alcohol gebruikt, dan is dit opnieuw nadelig voor de algemene gezondheid.

Sportbeoefening en lichaamsbeweging

Mensen die regelmatig recreatief sporten hebben minder kans op een hartinfarct. Een sedentaire levenswijze verhoogt deze kans. Critici merken op dat sporters meer begaan zijn met hun gezondheid en zich beter verzorgen en dat sportbeoefening op zich geen bescherming biedt tegen hart- en vaatziekten.

Sportbeoefening veroorzaakt een daling van de bloeddruk en een verhoging van de goede cholesterol (HDL-cholesterol). Vooral sportende hartpatiënten zijn wellicht beter beschermd tegen ziekteherval. Door te sporten kan men overgewicht bestrijden. Het wegvallen van de beroepsactiviteit op de pensioenleeftijd en de geringe lichaamsbeweging veroorzaken overgewicht. Meer lichaamsbeweging op latere leeftijd is de boodschap!

Anderzijds zijn er gevallen van plotse dood bij zeer intensieve sportbeoefening. Een aangeboren verdikking van de hartspier (of hypertrofische cardiopathie) en ongekende kroonslagadervernauwing zijn de voornaamste oorzaak. Sedentaire personen ouder dan 45 jaar die beslissen intensief te sporten kunnen best eerst een fietsproef ondergaan bij een cardioloog. Ook personen met een familiale voorgeschiedenis van een plotselinge dood krijgen een echocardiografie.

Sportbeoefening in competitieverband kan schadelijk zijn voor het hart. We denken aan de wielersport waarbij doorgedreven training en kunstmiddelen het prestatievermogen verbeteren ten koste van de gezondheid van de renners.

De meest onschuldige ritmestoornis is de voorkamerfibrillatie bij wielrenners met een (te) trage rustpols. Waarom deze voorkamerfibrillatie of deze ongeordende elektrische activiteit optreedt bij sporters is niet duidelijk maar het overrekken van de voorkamers van het hart bij overdreven pompwerking kan een verklaring zijn.

Anderzijds zijn gevaarlijke ritmestoornissen van de hartkamers soms de oorzaak van een plotseling bewustzijnsverlies bij beroepsrenners.

Stress

Stress kan een hartkramp of een hartinfarct uitlokken doordat het hart meer zuurstof nodig heeft wanneer we ons druk maken. Kroonslagadervernauwing is niet het gevolg van stress maar het gevolg van ons zenuwachtige gedrag waarbij we roken, weinig bewegen en ongezond eten. Wanneer we weinig beweging nemen hebben we meer kans op overgewicht en een hoge bloeddruk.

Stoppen met roken

Waarom is stoppen met roken zo moeilijk?

Ten eerste steekt men door psychische verslaving automatisch een sigaret op (bijvoorbeeld tijdens het telefoneren of bij het afreageren van stress). Het stoppen met roken kan dus een periode van ontstemming, irritatie en zelfs depressie veroorzaken.

Daarnaast is er steeds een gewichtstoename door een tragere verbranding. Vooral bij vrouwen kan de gewichtstoename de motivatie voor stoppen met roken verminderen.

Een hartinfarct of ademhalingsproblemen zijn evenwel voldoende om de schadelijke effecten van het roken aan te tonen en helpen de patiënt om gemotiveerd te blijven. Rookstop voordat er gezondheidsproblemen optreden is ideaal maar moeilijk. Indien een roker op zijn eentje wilt stoppen, zonder medische hulp, heeft hij minder dan één kans op tien om te slagen.

Is nicotinesubstitutie aan te raden bij een hartpatiënt die stopt met roken?

Nicotinesubstitutie is beschikbaar in de vorm van kauwgom, ademspray, neusverstuivers of een huidpleister.

De nicotinepleister is goed gekend. De pleister geeft een dosis nicotine vrij voor het organisme en wordt na 24 uur vervangen. De graad van de nicotineverslaving bepaalt of de arts een lichtere of een zwaardere klever met minder of meer nicotinevrijstelling voorschrijft.

Een hartpatiënt mag een nicotineklever gebruiken als zijn toestand stabiel is. Deze behandeling gebeurt dus steeds op doktersadvies. Bij een onstabiele angor of de dagen na een hartinfarct is deze klever niet aangewezen. De klever kan met nicotinekauwgom worden gebruikt en mag langer dan 6 maanden blijven zonder schadelijke gevolgen voor het organisme.

De sterkte van de klever neemt geleidelijk af, bijvoorbeeld: 21 mg nicotine per dag gedurende 4 weken en nadien 14 mg per dag gedurende de volgende 2 weken om te eindigen met 7 mg gedurende 2 weken.

Vandaag is er ook de antinicotinepil bupropion die de rookstop kan vergemakkelijken. Men neemt 150 mg per dag gedurende 6 dagen en de dosis wordt de zevende dag verhoogd tot twee keer 150 mg per dag. Bupropion is niet aangewezen bij epilepsie, boulimie of levercirrose. Het plots stoppen met het innemen van alcohol of kalmeermiddelen is niet aangewezen bij het gebruik van bupropion.

Waarom is een psychologische ondersteuning door de arts zo belangrijk?

Regelmatige gesprekken met de arts zijn van belang opdat de patiënt gemotiveerd zou blijven. De arts kan ondersteunende maatregelen voorstellen om het slaagpercentage van de patiënten die stoppen met roken te verhogen. Hij legt de patiënt uit dat het goed is om:

- De omgeving op de hoogte te brengen dat men gaat stoppen.
- Gewichtstoename te verwachten.
- Stress op een andere manier af te reageren.
- Alcohol te vermijden, net als een omgeving waar anderen roken.
- Leren om te gaan met negatieve gevoelens en eventueel antidepressiva te nemen zoals nortriptyline hydrochloride.
- Zich bewust te worden van de schadelijke gevolgen voor de kinderen in huis (grotere kans op oorontstekingen, astma en latere rokers), en voor het ongeboren kind in geval van een zwangerschap (laag geboortegewicht, wiegendood).
- Zich bewust te worden van de voordelen van het stoppen met roken: meer adem bij inspanning, meer smaak bij het eten, fris ruikende kleren, geen zorgen meer dat men zou moeten stoppen met roken, een beter psychisch gevoel, geen verrimpelde huid enz.
- Zich bewust te worden dat hervallen geen schande is en dat de meeste rokers enkele mislukte pogingen hebben ondernomen voor ze definitief stopten.
- De moeilijkheden bij het stoppen met roken te herkennen zodat men niet hervalt bij het optreden van één van deze problemen: depressieve gevoelens, humeurigheid en een opgejaagd gevoel (ontwenningsverschijnselen), geen ondersteuning krijgen van de omgeving die nog verder rookt, angst om te mislukken met het stoppen, het snakken om terug een sigaret op te steken.

Welk advies kan de arts geven?

- Een gewichtstoename is normaal na rookstop. Het volgen van een strikt dieet is af te raden in deze periode, voldoende beweging nemen volstaat.

- Dagen met een verminderde motivatie zijn normaal maar het roken van één sigaret is te vermijden om herval te voorkomen. Het verminderen van het aantal sigaretten is dus zinloos.
- Een inspanning van meerdere maanden kan beter worden volgehouden als men aan het einde beloond wordt met een geschenk waarvan men reeds jaren droomde.
- De nicotinesubstitutie is niet aan te raden aan adolescenten, zwangere vrouwen en personen die minder dan tien sigaretten per dag roken.

Samenvatting
Rookstop is moeilijk maar wilskracht en gesprekken met de arts zijn belangrijk om te slagen. Het is overduidelijk dat het roken op lange termijn schadelijk is voor de gezondheid. De arts kan vandaag geneesmiddelen voorschrijven die het stoppen met roken vergemakkelijken.

Gezonde voeding: minder vetten en meer vezels

Wat houdt een vetarm dieet in?

Het volgen van een vetarm dieet is in het bijzonder aangewezen voor patiënten die een vernauwing van de kroonslagaders hebben. Men zal er vooral op letten dat het cholesterolgehalte in de voeding laag genoeg is. Het is van belang dat het dieet niet te veel afwijkt van de gewone dagelijkse voeding aangezien dit de beste manier is om de inspanningen vol te houden.

Enkele richtlijnen

- Neem dagelijks maximaal 300 mg cholesterol, dit staat gelijk met één eierdooier. Vermijd spek met eieren!
- De hoeveelheid vet in de voeding bedraagt maximaal 30 tot 35 % van de dagelijkse hoeveelheid calorieën.
- Beperk ook het gebruik van margarine en dieetboter om de toegelaten hoeveelheid vet niet te overschrijden.
- Neem voldoende lichaamsbeweging zodat het goede cholesterolgehalte (HDL-cholesterol) stijgt.
- Houd het lichaamsgewicht op peil na de inspanningen van een vermageringsdieet.
- Vermijd dierlijke verzadigde vetten en vervang ze door onverzadigde vetten. Vooral plantaardige vetten bevatten veel onverzadigde vetten.
- Vermijd het randjesvet van het vlees.

- Vermijd de overmatige inname van de onzichtbare verzadigde vetten in vette kaas, volle melk, chips, gebak, chocolade, ijs, worst en paté. Rood rundvlees zonder zichtbaar vet bevat meer vet dan bijvoorbeeld een vetrijke vis zoals zalm. Rundvlees en varkensvlees worden beter vervangen door kip en gevogelte en twee keer per week vis op het menu is gezond. Alles wat zwemt en vliegt is prima voor een vetarm dieet. Paardenvlees bevat ook minder cholesterol dan rund- en varkensvlees.
- Gebruik meer onverzadigde vetten. Gebruik minarine en margarine in plaats van boter op de boterham en in de sausen. Voor de bereidingen kunnen de volgende oliën worden gebruikt: olijfolie, arachideolie, maïsolie, zonnebloem- en sojaolie. Kokosolie en palmolie bevatten verzadigde vetten en zijn niet geschikt.
- Eet meer groenten, fruit en peulvruchten aangezien deze cholesterolverlagend werken.
- Gebruik vetten die rijk zijn aan linolzuur zoals margarines, speciaal vet voor braden, slaolie en frituurolie. Frituurolie mag maximaal 12 keer worden opgewarmd.
- Het gebruik van speciale margarines met sterolen kan het cholesterol nog verder doen dalen maar het dieet is van meer belang dan de inname van cholesterolverlagende margarines.

Met enkele keukentips kan een cholesterolarm dieet smakelijk en zelfs gastronomisch zijn!

Samenvatting

Hart- en vaatziekten zijn een beschavingsziekte en het is duidelijk aangetoond dat onze ongezonde levenswijze hiervoor deels verantwoordelijk is. We leven ongezond uit onwetendheid, door tijdsgebrek, door stress. Stress op zich is geen oorzaak van een hartziekte maar kan inderdaad de aanleiding zijn van een hartkramp of hartinfarct bij vernauwde kroonslagaders.

Het is beter te voorkomen dan te genezen. Gezond eten leert men al heel jong van de ouders. Een correcte opvoeding is van groot belang. Een gezonde voeding hoeft niet duur te zijn en de slogan luidt: meer vezels en minder vet. Maximaal twee glazen wijn per dag zonder andere alcoholische dranken mag en rode wijn beschermt tegen hartziekten.

Het vermijden van overgewicht op jonge leeftijd door het aanmoedigen van sport is belangrijk. Overgewicht op jonge leeftijd verhoogt de kans op diabetes op latere leeftijd. Diabetes verdubbelt het risico van hart- en vaatziekten. Snel vermageren met wondermiddelen is niet realistisch; een diëtist(e) is goed geplaatst om een individueel gezond vermageringsdieet voor te stellen.

Niet roken is de grootste troef tegen hart- en vaatziekten. Een gesprek met de huisarts is belangrijk voor wie wilt stoppen met roken om de mogelijkheid van nicotinesubstitutie na te gaan, vooral wanneer men veel rookt. Dit kan met een nicotinepleister, maar ook een antinicotinepil kan een hulpmiddel zijn. Volharding en het omgaan met de negatieve gevoelens na de rookstop zijn de sleutels tot succes.

---

5 Infecties en ontsteking van het hart

Wat is het onderscheid tussen een infectie en een ontsteking?
Een infectie is een besmetting door een micro-organisme van buitenaf, die ons ziek maakt. Micro-organismen kunnen we niet zien met het blote oog maar wel met een microscoop.
We onderscheiden microben en virussen:
- Een microbe is een bacterie of een schimmel en te zien met een lichtmicroscoop. Het is een organisme dat een eigen leven leidt en zich vermenigvuldigt.
- Een virus is kleiner dan een microbe en enkel te zien met een elektronenmicroscoop. Het is een deeltje dat geen eigen leven leidt, maar dat zich vermenigvuldigt door zijn genetisch materiaal te injecteren in gezonde lichaamscellen die dan opnieuw geprogrammeerd worden om overmatige hoeveelheden viruspartikels aan te maken.

Een ontsteking of inflammatie is een reactie van ons eigen organisme tegen allerhande 'aanvallen' van buitenaf en dit is niet noodzakelijk een infectie. Door de ontsteking wordt de integriteit van het eigen lichaam bewaard en dit is een goede zaak. Na het hechten van een huidwonde of na een bijensteek is er roodheid van de huid en soms koorts; dit wijst niet noodzakelijk op een infectie.

Hoe werkt ons afweersysteem?
Ons afweersysteem staat in voor de verdediging tegen vreemde indringers. Na een tweede contact met hetzelfde vreemde partikel (microbe of virus) worden we niet meer ziek doordat antistoffen ons beschermen. Antistoffen zijn speciale eiwitten die zich vasthechten op 'de indringer' zodat witte bloedcellen deze indringer beter herkennen en neutraliseren. Bepaalde antistoffen reageren niet alleen tegen het vreemde lichaam maar ook tegen lichaamseigen cellen. De aanmaak van deze antistoffen tegen het eigen lichaam of auto-immuniteit kan schadelijk zijn voor het eigen organisme door het optreden van hevige ontstekingen waarvoor de arts soms ontstekingsremmende medicatie geeft (waaronder cortisonederivaten).

Acuut gewrichtsreuma

Hoe krijgt men acuut gewrichtsreuma?

Acuut gewrichtsreuma is een ongewone reactie na een keelontsteking met streptokokken. Drie personen op duizend die een streptokokkeninfectie doen van de groep A krijgen acuut gewrichtsreuma. Bij acuut gewrichtsreuma elimineert het organisme de bacterie op een ongewone manier door een 'overreactie' en een productie van overdreven veel antistoffen tegen het polysaccharide A. Polysaccharide A is een bouwsteen van de mantelstructuur van de microbe. Dit polysaccharide A lijkt heel goed op een onderdeel van de hartkleppen en dus reageren de antistoffen met de eigen hartkleppen (autoantistoffen).

Wat voelt men bij acuut gewrichtsreuma en waarom neemt men antibiotica bij een streptokokkenangina?

Een acute bacteriële keelontsteking duurt 5 tot 9 dagen en is te herkennen aan een wit beslag op de keelamandelen. Er is ook koorts en sliklast. Na 9 dagen komt de productie van deze antistoffen op gang om zijn hoogtepunt te bereiken na een viertal weken.

Acuut gewrichtsreuma begint 4 weken na het begin van de keelontsteking. Er is koorts met verspringende gewrichtspijnen, zoals bij griep. De ontsteking van de hartkleppen voelt de patiënt meestal niet. Soms is er kortademigheid door een ontsteking van de hartspier (myocarditis). Zeldzamer zijn de ongecontroleerde bewegingen door aantasting van het zenuwstelsel. Gelokaliseerde huiduitslag en onderhuidse noduli, ten slotte, komen het minst voor. De behandeling van acuut gewrichtsreuma bestaat uit het toedienen van een hoge dosis aspirine, bedrust en cortisone bij myocarditis.

In delen van de wereld waar antibiotica minder voorhanden zijn, is acuut gewrichtsreuma de hoofdoorzaak van mitraalstenose. Mitraalstenose of vernauwing van de mitraalklep, verhindert een goede bloeddoorstroming van de linkervoorkamer naar de linkerkamer. Bij uitgesproken acuut reuma of bij herhaalde opstoten, kan de aandoening hartklachten geven voor de leeftijd van 30 jaar. Acuut gewrichtsreuma is verantwoordelijk voor de helft van de gevallen van mitraalstenose en treft vooral vrouwen.

De behandeling van mitraalstenose wordt later besproken.

Hoe kan men acuut gewrichtsreuma vermijden?

Ter preventie van acuut gewrichtsreuma wordt de streptokokkenangina vroeg, dus voor de achtste dag, met een antibioticum behandeld (meestal een vorm van penicilline). Indien een persoon een acuut gewrichtsreuma heeft doorgemaakt dan is er steeds een herval bij een nieuwe streptokokkeninfectie. Een maandelijkse injectie van een penicillinederivaat met een verlengde werking beschermt de persoon met vroeger gewrichtsreuma tegen een nieuwe streptokokkeninfectie en vermijdt dat er verdere aantasting is van de hartkleppen.

Myocarditis

Wat zijn de verschillende oorzaken van myocarditis?

Radiotherapie wordt bijvoorbeeld aangewend bij bestraling van een kankergezwel van de longen waardoor het hart ook ongewild een stralingsdosis krijgt.

Bij de organismen die myocarditis veroorzaken onderscheiden wij:

- Virussen: enkel te zien met een elektronenmicroscoop. Kunnen op zich geen eigen leven leiden.
- Bacteriën: te zien met een lichtmicroscoop.
- Schimmels: hebben een andere structuur dan de bacteriën en zijn te zien met een lichtmicroscoop.
- Wormen: macroparasieten die met het blote oog te zien zijn.
- Protozoa: kleine organismen die een andere structuur hebben dan de bacteriën en de virussen en die te zien zijn met een lichtmicroscoop.

Een virusinfectie veroorzaakt meestal geen hartklachten; de meeste patiënten hebben koorts en spierpijnen. Men meent dat de meeste patiënten met een onverklaarde hartzwakte een vroegere myocarditis doormaakten. In Europa zijn het virussen die myocarditis veroorzaken zoals het enterovirus, het coxsackievirus en het echovirus. Bij Aids-patiënten kunnen parasieten een myocarditis veroorzaken.

De microbe borrelia burgdorferi wordt na een tekenbeet soms overgedragen op de mens. Na een grote rode vlek op de plaats van de tekenbeet treden er later onder andere spierpijnen op met koorts (de ziekte van Lyme) en in zeldzame gevallen is er ook een aantasting van het hart.

Schimmelinfecties van het hart komen soms voor bij ernstig verzwakte personen. De huidschimmel candida die bij gezonde personen wordt opgeruimd, kan zich bij verzwakte personen in het bloed verspreiden en zo het hart aantasten.

Een directe aantasting van de hartspiercellen door wormen en protozoa is in Europa zeldzaam. Het eten van onvoldoende gekookt varkensvlees van een slechte kwaliteit kan de overdracht van een wormziekte bij varkens naar de mens veroorzaken. In het varkensvlees zitten cysten of voorlopers van de volwassen worm. Na het eten van dit vlees kunnen de cysten een besmetting veroorzaken bij de mens met cystevorming ter hoogte van het hart. Deze aandoening wordt trichinose genoemd. Door varkensvlees goed te selecteren is deze aandoening in Europa zeldzaam geworden. Ten slotte zijn er echinococcuscysten die het hart kunnen aantasten. Deze worden overgedragen door een wormziekte bij honden. De larven van de worm kunnen de mens besmetten. Ze groeien niet uit tot volwassen wormen maar blijven als cysten achter in de verschillende organen. Tenslotte is er de ziekte van Chagas die frequent voorkomt in Centraal- en Zuid-Amerika en die één van de grote oorzaken van hartzwakte is. Het verantwoordelijke organisme is het protozoön Trypanosoma Cruzi.

Verschillende medicaties kunnen myocarditis veroorzaken waaronder ook stoffen die tot de verdovende middelen behoren zoals cocaïne.

Een ontsteking van het organisme gericht tegen de eigen hartspiercellen (auto-immuniteit) kan voorkomen bij een gewrichtsreuma en ook na een harttransplantatie. In dit laatste geval vertoont het lichaam een afstotingsreactie tegen het vreemde donorhart.

Welke klachten veroorzaakt myocarditis?

De symptomen van myocarditis kunnen verschillen naargelang de ernst van de aandoening. De patiënt heeft koorts en last van vermoeidheid en in het ergste geval is hij kortademig door een hartverzwakking. De meeste patiënten die myocarditis doormaken hebben een soort 'griep' waarbij het hart volledig herstelt en waarbij de arts niet denkt aan een hartaandoening. Doordat de ziekte meestal vanzelf geneest is het niet nodig om een hartbiopsie te nemen. Hierbij wordt een tangetje in een halsader geschoven en een stukje weefsel uit het hart geplukt. Het onderzoek van dit stukje hartweefsel onder de microscoop kan dan soms de diagnose van myocarditis bevestigen.

Waaruit bestaat de behandeling van myocarditis?

Het nemen van voldoende rust is van belang tijdens een acute aanval van myocarditis om een verdere hartverzwakking en hartritmestoornissen te vermijden. De uiteindelijke afloop (prognose) is meestal gunstig bij een virale infectie maar myocarditis na een hoge bestralingsdosis op de longen is ernstiger.

Endocarditis van het hart

Wat is endocarditis?

Endocarditis is een infectie van een hartklep door een microbe of in zeldzame gevallen door een schimmel.

Bij een bacteriële endocarditis onderscheidt men een traag en een snel verlopende vorm. Endocarditis door de bacterie Streptococcus viridans evolueert trager dan deze door de bacterie Staphylococcus aureus. Gelukkig genezen tegenwoordig de meeste patiënten met endocarditis. Voordien was endocarditis (over het verloop van enkele weken voor de snel verlopende vorm en enkele maanden voor de traag verlopende vorm) steeds een fatale aandoening.

Hoe krijgt men endocarditis?

Zodra er bij een tandartsbezoek een kleine bloeding optreedt in de mond (zoals bij het verwijderen van tandsteen of het trekken van een tand) komen de mondmicroben, waaronder streptokokken, in het bloed. Bij gynaecologische ingrepen, operaties van blaas- en urinewegen of endoscopische darmonderzoeken kunnen ook andere kiemen in het bloed terechtkomen.

De buitenkant van een normale hartklep is glad en de streptokok kan zich hier niet vastzetten. Tandverzorging veroorzaakt dus geen endocarditis indien de hartkleppen normaal glad zijn.

Enkel deze personen met een beschadiging van de hartkleppen hebben een verhoogd risico.

De voorbeschikkende factoren die de kans op endocarditis verhogen zijn: doorgemaakt acuut gewrichtsreuma, ruw oppervlak van de klep, een ernstig kleplek, een klepvernauwing en aangeboren hartafwijkingen (maar geen atriumseptumdefect), een vroegere hartoperatie met het plaatsen van een kunstklep (zowel de mechanische uit metaal of de biologische uit weefsel).

Met de ingangspoort wordt de plaats bedoeld waar de microbe het lichaam besmet. Bij endocarditis door streptokokken is de ingangspoort meestal de mond, bijvoorbeeld bij een onverzorgd tandabces.

Een microbe die zich op de klep vastzet groeit snel uit tot een vegetatie. Dit is een kluwen dat zichtbaar is als een wratje op de klep en dat bestaat uit microben, witte bloedcellen en bloedplaatjes. Zonder antibiotica groeit de vegetatie en bij een lengte van meer dan 2 cm neemt de kans op verwikkelingen toe. Zo kan een stukje van de vegetatie loskomen en via de bloedstroom een infectie op afstand veroorzaken in de hersenen of in de milt. Soms ontstaat er een abces. Anderzijds kan dit besmette deeltje een kleine slagader afsluiten waardoor een hartinfarct, een miltinfarct of een herseninfarct optreedt. Dit wordt embolvorming genoemd. Een embool is een deeltje (dat hier uit microben bestaat) dat met de bloedstroom wordt meegevoerd en een aftakking van een bloedvat afsluit met schade aan een orgaan. Ook nierontsteking, nagelaantasting met splinterbloedingen en huidaantasting met zwarte punten ter hoogte van de huid zijn klassiek voor een lang bestaande onbehandelde bacteriële endocarditis met een traag verloop.

Vooral intraveneuze druggebruikers hebben een verhoogde kans op endocarditis door stafylokokken. De patiënt is erg ziek en heeft hoge koorts. Er is klepdestructie en abcesvorming en de kans op een embool met een besmetting op afstand is groter dan bij endocarditis door streptokokken.

Hoe wordt de diagnose gesteld van endocarditis?

Vooral bij de traag verlopende vorm van endocarditis kan de diagnose moeilijk zijn. Er is geen hoge koorts en de klachten van vermoeidheid, spierpijnen en lage rugpijn zijn vaag. Het vermoeden van een endocarditis wordt met zekerheid bevestigd na uitzetten van een bloedkweek tijdens een koortspiek (hemocultuur). Hierbij worden verschillende bloedstalen afgenomen en in het laboratorium op een voedingsbodem gebracht waar de eventuele microben zullen groeien en geanalyseerd worden. Indien de patiënt voordien antibiotica nam zal het resultaat van de hemocultuur soms normaal zijn.

Waaruit bestaat de behandeling van endocarditis?

Bij endocarditis is het afzonderen van de kiem van belang om het juiste antibioticum te kiezen. Het isoleren van de kiem gebeurt door herhaalde bloedstalen af te nemen die in het laboratorium worden geënt op speciale voedingsbodems (bloedkweek) zodat de microbe na vermenigvuldiging door speciale kleuringen beter geïdentificeerd kan worden. Het is van belang dat er voordien voldoende bloedstalen werden afgenomen om de oorzakelijke kiem te isoleren. Het laboratorium kan ook de gevoeligheid van de kiem voor antibiotica nagaan (antibiogram).

De meeste patiënten met endocarditis genezen na een behandeling met intraveneuze antibiotica die 2 tot 6 weken duurt. Na het verdwijnen van de microbe op de hartklep kan de klep gedeeltelijk beschadigd zijn en een slechte klepwerking vermoeit het hart. Soms raadt de cardioloog een klepreparatie of een klepvervanging aan, op een later tijdstip.

In principe is een operatie niet aan te raden bij een actieve infectie vanwege de kans op besmetting van de nieuwe ingeplante hartklep. Soms werken antibiotica echter onvoldoende zodat de hartchirurg de besmette klep moet verwijderen en een kunstklep plaatst.

Patiënten met een verminderde afweer kunnen een schimmelendocarditis doormaken maar dit is vrij zeldzaam. Een verminderde afweer kan optreden bij een langdurige behandeling met corticoïden, bij kankergezwellen, bij diabetes of bij besmetting door het Aids-virus waardoor de patiënt een besmetting oploopt met kiemen die niet gevaarlijk zijn voor een persoon met een normale afweer.

Schimmels zijn moeilijk te kweken en vergen speciale voedingsbodems zodat de diagnose van endocarditis niet gemakkelijk is. Speciale antibiotica tegen schimmels zijn vandaag ter beschikking en soms is het verwijderen van de besmette klep de enige oplossing.

Hoe kan men endocarditis vermijden?

Een belangrijk aspect is de preventieve behandeling (endocarditisprofylaxe) bij ingrepen van de mondholte. Personen met afwijkende hartkleppen of een mechanische kunstkleppen die bij de tandarts een ingreep ondergaan, moeten vooraf antibiotica nemen. Hierdoor verhindert men dat kiemen die toevallig in de bloedbaan terechtkomen zich vastzetten op de hartkleppen.

Patiënten met bepaalde aangeboren afwijkingen van het hart moeten eveneens antibiotica nemen. Dit is niet het geval bij patiënten met een atriumseptumdefect, met een mitraalklepprolaps zonder klepinsufficiëntie of met een pacemaker.

Men raadt aan om één keer 2 gram amoxicilline te nemen (een penicillinederivaat, te vermijden bij penicillineallergie!) één uur voor alle ingrepen door de tandarts waarbij een bloeding in de mond kan optreden (tandextractie, verwijderen van tandsteen, niet bij tandvulling).

Pericarditis

Wat is pericarditis?

Pericarditis is een ontsteking van het hartvlies. Het hartvlies of het pericard is dubbel en omgeeft het hart als een gesloten zak waarin ongeveer 50 milliliter vocht zit. Hierdoor worden de bewegingen van de hartpomp niet gehinderd door de omgevende organen.

Personen die een griep doormaken met koorts kunnen een virale pericarditis krijgen; meestal gaat het om een Coxsackie- of een Echovirus.

Wat voelt men bij het doormaken van pericarditis?

Er is ademhalingsgebonden pijn ter hoogte van de borststreek die meestal verbetert in een voorovergebogen zittende houding. De pijn kan uitstralen naar de schouders en kan scherp en stekend van karakter zijn.

Bij de hartauscultatie is er soms een typisch wrijfgeruis hoorbaar waarbij de twee pericardbladen ruw geworden zijn door de ontsteking en tegen elkaar schuren. Bij vochtophoping tussen de twee bladen is er geen wrijfgeruis. De vochtophoping is meestal minimaal en overdruk door het vocht op de hartspier is zeldzaam (zie verder).

Is pericarditis gevaarlijk?
Virale pericarditis kan geen hartinfarct veroorzaken en geneest meestal zonder letsels maar kan soms opnieuw optreden of lang aanslepen.

Als behandeling geeft men ontstekingsremmende medicatie, zoals aspirine: 3 keer 1 gram per dag. Dit kan na enkele weken meestal worden verminderd en gestopt.

Wat is een pericarduitstorting?
Dit is een vochtophoping tussen de twee pericardbladen die het hart omgeven. Als het vocht zich traag vormt over het verloop van enkele weken dan is overdruk in het pericard beperkt door het uitrekken van de pericardzak. Snelle vorming van minstens 250 milliliter pericardvocht veroorzaakt overdruk in de pericardzak waardoor de druk rond het hart toeneemt zodat de vulling van de hartholte belemmerd wordt. Hierdoor krijgt de patiënt ademnood en lage bloeddruk. Het dringend verwijderen van het vocht wordt uitgevoerd door het inbrengen van een naald via de huid tot in de pericardholte (punctie). Een andere mogelijkheid is een kleine operatie met het maken van een opening in het pericard (pericardvenster) waarlangs het overtollige vocht kan afvloeien.

Waardoor ontstaat een pericarduitstorting?
Vochtophoping in het pericard bij jonge vrouwen kan het gevolg zijn van een reumatische ziekte (lupus). Chronisch reuma kan ook vochtcollecties geven. Anderzijds zijn er kankers van de luchtwegen, de borst en de klieren die tijdens een uitzaaiingperiode vochtcollectie geven die meestal ernstig is.

Wat is een harttamponade?
Als de pericarduitstorting zo ernstig is dat de vulling van de rechterhelft van het hart in het gedrang komt, dan spreekt men van een harttamponade. Bij normale personen daalt de bloeddruk tijdens het inademen lichtjes doordat de longvaten zich openzetten en er vanuit de longaders minder bloed naar de linkervoorkamer stroomt.

Als de rechterkamer door de vochtcollectie bijna volledig is platgedrukt ontstaat een paradoxale pols. Bij het inademen daalt de systolische bloeddruk meer dan 20 mm Hg doordat de kleine hoeveelheid bloed die naar de linkervoorkamer stroomde nu volledig in de longvaten wordt weerhouden.

Wat is chronische pericarditis?
Constrictieve pericarditis is een voorbeeld van chronische pericarditis. Hierbij is het pericard erg verdikt als een harde schelp door bijvoor-

beeld een doorgemaakte tuberculose of na een openhartoperatie. Dit belemmert uiteraard de werking van het hart. De patiënt heeft meestal last van vochtophoping van de onderste ledematen en een gezwollen lever zoals bij een leverziekte. Een katheterisatie aan de rechterkant van het hart en ook het meten van de druk in de rechterkant van het hart kan de diagnose bevestigen. De behandeling bestaat uit een operatie met het afpellen van deze harde schelp.

Samenvatting

Enkele weken na een streptokokkenangina die niet op tijd met antibiotica werd behandeld kan er zich in sommige gevallen een ontsteking van de hartkleppen voordoen. Dit is acuut gewrichtsreuma. Deze aandoening is een kinderziekte maar jaren later kunnen sommige patiënten last krijgen van kortademigheid door een slechte werking van een hartklep. Door goede medische verzorging en gebruik van antibiotica is deze aandoening in Europa zeldzamer geworden.

Griep kan een ontsteking van de hartspier (myocarditis) veroorzaken. Meestal is de aandoening van voorbijgaande aard zonder hartschade. In zeldzame gevallen ontstaat een blijvende moeheid van de hartspier die misschien te maken heeft met onvoldoende rust tijdens de griepfase. Voldoende rust nemen tijdens een griepinfectie is aangeraden.

Endocarditis is een infectie van de hartkleppen en is een gevaarlijke aandoening. Een aantal voorbeschikkende factoren voor endocarditis zijn aangeboren hartafwijkingen, klepafwijkingen en vroegere klepheelkunde. Personen met voorbeschikkende factoren nemen best antibiotica bij ingrepen waarbij microben in de bloedbaan dreigen terecht te komen. Dit is endocarditisprofylaxe. Niet alleen de meeste behandelingen tijdens een tandartsbezoek maar ook ingrepen in het ziekenhuis maken endocarditisprofylaxe noodzakelijk.

Een pericarditis of een ontsteking van het hartvliesje is een goedaardige aandoening die kan optreden tijdens een virusinfectie. De pijn in de borststreek bij een pericarditis is ademhalingsgebonden.

Een ernstige, snel gevormde vochtophoping in de pericardruimte veroorzaakt kortademigheid en een bloeddrukval. Een pericardtamponade wordt niet behandeld met aspirine maar met een punctie of het aanleggen van een pericardvenster.

6 Alarmsymptomen

Angor pectoris

Hoe krijgt het hart zuurstof en voedingsstoffen?

De kroonslagaders of coronairen die op de hartspier liggen brengen zuurstofrijk bloed aan. De hartspiercellen nemen vrije vetzuren op en door het contact met zuurstof komt de energie vrij die nodig is voor de werking van de hartspier (verbranding). In de linkerkroonslagader is er enkel bloedstroom tijdens de rustfase van de linkerkamer (diastole). Tijdens de uitdrijvingsfase van de linkerkamer (systole) worden de aftakkingen van de linkerkroonslagader die in de hartspier lopen immers platgedrukt. Door de lagere druk in de rechterkamer is de bloedstroom in de rechterkroonslagader constant.

Het zuurstofverbruik van het hart is afhankelijk van de bloeddruk, de hartfrequentie en de kracht waarmee het hart samentrekt.

Wat is angor pectoris?

Angor pectoris of hartkramp is een teken van zuurstofgebrek van de hartspier en treedt op wanneer de aanvoer van zuurstof lager is dan het verbruik. De beklemming die de patiënt in de borststreek ervaart is te vergelijken met een gewicht en kan uitstralen naar de kaak, de linker- of de rechterbovenarm, naar beide armen of ook soms tussen de twee schouderbladen. De last komt geleidelijk op en wijkt na een tiental minuten.

De aanvoer van zuurstof kan gedaald zijn door een tekort aan hemoglobine (een stof in de rode bloedcellen die instaat voor het zuurstoftransport), door een tekort aan zuurstof in de ingeademde lucht of door een verminderde aanvoer van zuurstof vanuit de longen naar het bloed bij patiënten met chronisch longlijden. Een vernauwing van de kroonslagader verhindert een toename van de bloedstoevoer bij inspanning omdat het bloedvat niet kan uitzetten.

Het bloedvat kan ook vernauwen door het samentrekken van zijn gespierde wand zonder dat er een echte vernauwing in het bloedvat zelf is. Hierdoor krijgt de patiënt hartkramp in rust zonder dat er vernauwingen zijn op de kroonslagaders (spastische angor).

Wanneer is angor pectoris gevaarlijk?

Bij vernauwde kroonslagaders is er enkel zuurstoftekort bij ongewone inspanning. Hartkramp bij inspanning die niet voorkomt bij lichte inspanningen is stabiele angor, zonder gevaar voor een hartaanval.

Bij instabiele angor is de hartkramp recent opgekomen, van verlengde duur, met toenemende aanvallen bij lichtere inspanning of zelfs in rust. Deze toestand vergt een onmiddellijke ziekenhuisopname omdat deze kan evolueren naar een acuut infarct.

Wat lokt angor pectoris uit en wat doet men tijdens een hartkramp?

Angor pectoris of hartkramp is meestal inspanningsgebonden en komt gemakkelijker op bij koud weer of na de maaltijd. Soms treedt deze enkel op na een emotie en vandaar dat de diagnose soms moeilijk kan zijn.

De inname van nitroglycerine (een pil onder de tong laten smelten of een spray onder de tong toedienen) kan een angorcrisis na drie minuten doen wijken. Nitroglycerine zet de bloedvaten open en vermindert de zuurstofnood van het hart. Gevoelige personen kunnen een voorbijgaande bloeddrukval hebben of hoofdpijn krijgen. Dit is onschuldig maar het is raadzaam om 5 minuten neer te zitten na inname van het geneesmiddel, zeker bij een eerste inname.

Welke onderzoeken kan de cardioloog voorstellen?

Een persoon die veel last heeft van hartkramp ondergaat tegenwoordig een diagnostische coronariografie om de graad en de plaats van de vernauwingen te bepalen. Bij één of meerdere ernstige vernauwingen kan een ballondilatatie of overbruggingsheelkunde worden voorgesteld.

Vrouwen kunnen angor hebben zonder ernstige vernauwingen op de kroonslagaders. Hier is er zuurstofgebrek van de hartspier doordat de aftakkingen van de kroonslagaders zich niet ontspannen. Een slechte werking van de binnenkant van deze bloedvaten of endotheel wordt endotheliale disfunctie of syndroom X genoemd. Hiervoor kan de cardioloog vaatverwijderende middelen voorschrijven.

Samenvatting

Een ernstige vernauwing van een kroonslagader kan door zuurstoftekort van de hartspier angor pectoris of hartkramp uitlokken. Deze angor kan optreden bij inspanning of in rust. De patiënt ondervindt een beklemming in de borststreek die kan uitstralen naar de hals of de armen en die hooguit tien minuten duurt. De last wijkt sneller na inname van nitroglycerine onder de tong (pil of spray). Bij stabiele angor is de last reeds jarenlang aanwezig en inspanningsgebonden. Als de angor opkomt bij geringe inspanning of in rust en minder snel reageert op nitraten, dan wordt de angor instabiel genoemd. Ook recente herhaalde angor bij de minste inspanning die spontaan overgaat bij iemand die voordien geen last had kan instabiel zijn. Bij instabiele angor is onmiddellijke ziekenhuisopname gewenst om een hartinfarct te vermijden.

Hartinfarct

Hoe ontstaat een hartinfarct?

Als een bloedklonter een kroonslagader volledig afsluit dan krijgt een enkel deel van de hartspier zuurstof en voedingsstoffen (figuur 8). Als de cardioloog het bloedvat binnen de 12 uur opent, dan herstelt de hartspier gedeeltelijk en is de schade beperkt. Hoe sneller de kroonslagader evenwel opnieuw doorgankelijk wordt, hoe kleiner de hartschade en hoe groter de overlevingskans.

Wat voelt de persoon die een hartinfarct doormaakt?

De klachten bij een hartinfarct kunnen zeer uiteenlopend zijn. In het ergste geval heeft men een hevige pijn in het middelste gedeelte van de borstreek, met zweten. De pijn komt op in rust, maar in tegenstelling tot een hartkramp duurt deze langer dan 10 minuten. De inname van nitroglycerine onder de tong (pil of spray) onderbreekt de pijn niet. De patiënt is angstig en ondervindt soms ook een uitstralende pijn tussen de schouderbladen, in de rechter- en/of de linkerarm en soms ook in de maagstreek.

Een hartinfarct veroorzaakt soms ook vage klachten zodat de diagnose wordt gemist op het acute moment. Soms is er alleen lichte schouderpijn links die men aan artrose kan wijten. Andere patiënten hebben tandpijn zonder bijkomende pijn in de borstreek of alleen lichte maagklachten. Soms veroorzaakt een infarct geen klachten; dit is dikwijls het geval bij ouderen of bij patiënten met suikerziekte.

Wat moet men doen bij aanhoudende pijn?

Het onmiddellijk inroepen van medische hulp is van levensbelang. Men kan beroep doen op de huisarts, de dienstdoende dokter of een spoedgevallenafdeling. Eén op drie patiënten met een hartinfarct doet een hartstilstand nog voor de opname in het ziekenhuis. Deze hartstilstand is het gevolg van een kamerfibrillatie. Dit is een ongeordende elektrische activiteit veroorzaakt door zuurstofgebrek in een deel van de hartspier. Hierdoor ontstaat een circulatiestilstand. Na enkele seconden ontstaat bewustzijnsverlies en zonder hartmassage treedt er na vijf minuten onherroepelijke hersenschade op. Indien de persoon in een ziekenhuis is opgenomen wordt de pompwerking van het hart onmiddellijk hersteld door het uitwendig toedienen van een elektrische shock op de borststreek met een defibrillator (zie figuur 9). Een defibrillator bezit twee paddels die de arts op de borstreek plaatst, aan beide zijden van de hartstreek. Bij het activeren van de defibrillator wordt een hoeveelheid vooraf gekozen energie (tot 360 Joules) tussen deze twee paddels vrijgegeven waardoor de ongeordende elektrische kameractiviteit wordt onderbroken zodat het hart opnieuw bloed rondpompt.

Waarom is de sterfte bij een acuut infarct nog 1 op 3?

De pijn is bij de oudere patiënten soms niet heel uitgesproken en goed te verdragen. Dit kan een vals gevoel van veiligheid geven. Ook lichte nachtelijke pijn is niet altijd alarmerend en vaak aarzelt men om de huisarts te storen voor een nachtvisite 'omdat de pijn wellicht vanzelf zal overgaan'. De last is soms te vergelijken met een te zware maag na een overvloedige maaltijd zodat niet meteen aan een hartprobleem wordt gedacht.

Het is dus niet te verwonderen dat het aantal sterfgevallen te wijten aan myocardinfarct de laatste 10 jaar niet veel is gedaald, ondanks de toenemende behandelingsmogelijkheden. Het optreden van de gevaarlijke ritmestoornissen en hartstilstand buiten het ziekenhuis in de eerste uren van het infarct blijven de grootste oorzaak van overlijden.

Waarom moet men zo snel mogelijk naar het ziekenhuis gaan?

Bij een acuut infarct sterft één op drie patiënten plotseling door kamerfibrillatie omdat dit buiten het ziekenhuis meestal fataal is. Een hartinfarct is dus een absoluut spoedgeval. Hoe eerder men in het ziekenhuis is hoe beter. Kamerfibrillatie is zelden fataal in het ziekenhuis doordat het hart met een stroomstoot kan gedefibrilleerd worden. Op de hartbewakingseenheid (figuur 29) wordt het hartritme continu gevolgd op een soort televisiescherm of monitor.

In het ziekenhuis herstelt de cardioloog de doorstroming in de kroonslagader die opgestopt is door een klonter. Dit kan gebeuren door het oplossen van de klonter met medicatie die via de armader wordt toegediend (trombolyse). Een veilig alternatief is het openen van de kroonslagader met een ballonnetje (ballondilatatie). In het laatste geval wordt een afgelaten ballonnetje in de klonter opgeblazen zodat deze tegen de wand van de kroonslagader wordt verbrijzeld. Het stutten van het bloedvat door het inbrengen van een klein veertje of een *stent* is soms noodzakelijk (figuur 36).

Het nadeel van trombolyse is het bloedinggevaar zodat de arts voor sommige patiënten meteen kiest voor een ballondilatatie. Anderzijds is trombolyse 's nachts meestal sneller en gemakkelijker voorhanden dan een ballondilatatie.

Waarom is het belangrijk om een infarct zo snel mogelijk te behandelen?

Door een snelle ziekenhuisopname is de patiënt beschermd tegen gevaarlijke hartritmestoornissen.

Men heeft bestudeerd dat de patiënten die binnen de twaalf uur na het begin van de pijn een behandeling krijgen langer leven. Vermoedelijk is dit door het kleiner infarctlitteken. Indien men er niet in slaagt om het bloedvat te openen in de eerste twaalf uur, dan sterft een deel van de hartspier onherroepelijk af. De grootte van het infarct bepaalt of de patiënt later klachten zal hebben. Op de plaats van het infarct is er dood littekenweefsel waarbij de pompwerking van het hart vermindert. Gelukkig heeft het hart een grote reserve en een klein infarct veroorzaakt zelden late klachten. Een groot infarctlitteken kan de reden zijn van vermoeidheid bij inspanning en hartverzwakking (ook hartfalen of hartdecompensatie genoemd).

Praktische richtlijnen bij pijn op de borst in rust

- De persoon met vroegere inspanningsangor: een tablet of een spray nitroglycerine, zo nodig te herhalen na 10 minuten. Indien blijvende pijn na 20 minuten: verdacht voor een infarct en dadelijk medische hulp inroepen.
- Bij een voordien gezonde persoon: bij verdachte pijn dadelijk medische hulp inroepen.
- Indien de dokter denkt aan een infarct: aspirinedosis zoals voor een griep met een glas water verbetert de overlevingskans.
- Hoe medische hulp vragen? De huisarts, de 100 of de dichtstbijzijnde spoedgevallenafdeling.

Samenvatting

Het hartinfarct is een spoedgeval. De klachten die de patiënt ondervindt zijn niet altijd 'spectaculair' en dit kan een vals gevoel van veiligheid geven. Ondanks de optimale medische zorgen bedraagt de sterfte thuis door een infarct nog steeds één op drie. Bij een acuut infarct is het hart zeer gevoelig voor een hartstilstand door kamerfibrillatie; in het ziekenhuis kan dit onmiddellijk worden verholpen door een defibrillatie. Verder kan de schade van het infarct beperkt worden als de cardioloog binnen de twaalf uur na het begin van de klachten de opgestopte kroonslagader kan openmaken. Dit is mogelijk door het toedienen van een klonteroplossende stof of door een ballondilatatie.

Longoedeem

Wat is een longoedeem?

Longoedeem of 'water op de longen' is een medische urgentie en vergt een onmiddellijke ziekenhuisopname. Door overdruk binnenin de longaders sijpelt er vocht vanuit het bloed in de longblaasjes die hierdoor niet meer kunnen instaan voor het zuurstoftransport van de longen naar het bloed. Het zuurstoftekort in het bloed veroorzaakt kortademigheid en blauwe lippen (cyanose). Platliggen in bed is niet mogelijk en een zittende houding is het meest comfortabel. De patiënt heeft last van koud zweet en hoest rozig schuim op.

Hoe wordt een longoedeem behandeld?

Het toedienen van diureticum via een armader is heel werkzaam. Deze waterafdrijvende medicatie is binnen het kwartier actief en prikkelt de nieren om meer water uit het bloed te filteren.

Ook het toedienen van nitroglycerine onder de tong (pil of spray) is nuttig en kan al thuis gebeuren. Nitroglycerine ontspant de aders en ontlast het hart doordat er minder bloed terugvloeit naar de rechterkamer. Een lagere bloeddruk door het ontspannen van de slagaders is ook gunstig.

Morfine intraveneus versterkt de hartspier en vermindert het onaangename gevoel van ademnood.

Bij bloeddrukval verhogen inotropica de pompwerking van het hart.

Indien het longoedeem niet verbetert met de waterafdrijvende medicatie dan wordt de patiënt vermoeid en slaperig door de grote ademnood. In dit geval kan de ziekenhuisarts beslissen om de patiënt kunstmatig te beademen door een klein buisje in de luchtpijp te plaatsen. De longmachine blaast dan via dit buisje met zuurstof verzadigde lucht in de longen. De patiënt krijgt medicatie om te slapen zodat hij niets voelt. De kunstmatige beademing verbetert snel de algemene toestand en drijft het water van de longen terug in het bloed.

Hoe krijgt men een longoedeem?

Een longoedeem in aansluiting op een verlengde pijn in de borst wijst meestal op een groot infarct en een opstopping van een grote kroonslagader. Een longoedeem enkele maanden na een infarct is het gevolg van het uitzetten van de hartspier en hartverzwakking.

Bij een acuut hartinfarct met tekens van opstopping van een kroonslagader op het elektrocardiogram geeft de cardioloog een klonteroplossende stof via de ader (trombolyse) of blaast hij een ballonnetje op in de kroonslagader (ballondilatatie). Bij een groot infarct met longoedeem en lage bloeddruk gaat de voorkeur uit naar een ballondilatatie.

Wanneer het hartinfarct niet werd behandeld met trombolyse of ballondilatatie dan is de kans op latere hartverzwakking groter. Gelukkig zijn er vandaag speciale geneesmiddelen (inhibitoren van het conversie-enzym of ACE-inhibitoren) die de pompwerking van het hart na het infarct versterken.

Een vernauwing of een lek van de kleppen van de linkerkamer (de aortaklep of de mitraalklep) kan het hart uitputten, met een longoedeem tot gevolg. Indien medicatie niet volstaat, dan kan de cardioloog beslissen om de klep te vervangen of te repareren.

In tegenstelling tot een geleidelijk kleplek kan een plotseling kleplek een hyperacuut longoedeem met bloeddrukval veroorzaken. Het scheuren van één van de spierpijlers waarmee de mitraalklep in de linkerkamer is vastgeankerd, is een spoedgeval voor dringende hartoperatie met klepreparatie of vervanging van de mitraalklep.

Patiënten met klepafwijkingen worden na een tijdje kortademig. Wanneer het bloed niet goed wegvloeit uit de linkerhelft van het hart dan verhoogt de druk in de longcirculatie.

Reumatisch hartlijden veroorzaakt een vernauwing van de mitraalklep (mitraalstenose). Bij een ernstige stenose is de oppervlakte van de klep kleiner dan 1,2 cm^2. Vooral bij een snelle hartslag kan de voorkamer zich niet ledigen in de kamer, met een overvulling van longcirculatie en kortademigheid als gevolg.

Anderzijds vloeit er bij een lek van de mitraalklep (mitraalinsufficiëntie) een deel van het bloedvolume tijdens de uitdrijvingsfase van het hart naar de voorkamer terug. Na lange tijd kan het hart groter worden en verzwakken.

Een vernauwing van de aortaklep (aortastenose) of een lek van de aortaklep (aorta-insufficiëntie) zijn andere voorbeelden die later worden beschreven in hoofdstuk 21.

Ten slotte is een onbehandelde langdurig verhoogde bloeddruk een frequente oorzaak van hartverzwakking en longoedeem.

Samenvatting

Bij een sterk verminderde pompwerking kan de patiënt kortademig zijn in rust door longoedeem. Hierbij is er overdruk in de longen en sijpelt er vocht vanuit het bloed in de longblaasjes. Dit kan voorkomen in de acute fase van het infarct of enkele maanden na een uitgebreid infarct. De inhibitoren van het angiotensine conversie-enzym versterken de pompwerking van het hart na longoedeem. Zij verhinderen ook dat het hart enkele maanden na het hartinfarct uitzet en verzwakt. Verder kunnen klepafwijkingen hartverzwakking en longoedeem veroorzaken. Een plotseling kleplek van de mitraalklep na een hartinfarct veroorzaakt een acuut longoedeem en meestal is een dringende klepreparatie nodig. Bij een lang-

durig kleplek en longoedeem is een operatie niet dringend en wordt de patiënt eerst met medicatie behandeld. Ten slotte is een onbehandelde langdurig verhoogde bloeddruk een frequente oorzaak van hartverzwakking en longoedeem.

---

7 Een syncope

Bij syncope of verlies van het bewustzijn is een grondig cardiologisch onderzoek vereist om de levensbedreigende oorzaken van de banale oorzaken te onderscheiden.

Vagale syncope is de meest frequente oorzaak

Deze vorm komt het meest voor bij jonge mensen. Een vagale syncope wordt in de volksmond een 'appelflauwte' genoemd. Hierbij gaan waarschuwingstekens of prodromen het bewustzijnsverlies vooraf. Deze prodromen zijn het gevolg van een prikkeling van het parasympathisch zenuwstelsel en omvatten onder andere: geeuwen, koud zweet, lichte ongemakken in de maagstreek of stoelgangsnood. Omstanders merken dat de persoon zeer bleek wordt voordat hij het bewustzijn verliest. Tijdens het bewustzijnsverlies is de pols moeilijk te voelen zodat men even ten onrechte kan denken aan een hartstilstand. In tegenstelling tot een hartstilstand komt iemand met een vagale syncope in een liggende houding vlug bij.

Kan men hulp bieden aan de persoon die een vagale syncope doormaakt?

Tijdens het bewustzijnsverlies valt men neer op de grond. In liggende houding krijgt het hart meer bloed uit de onderste ledematen zodat de bloeddruk vanzelf verhoogt en de persoon terug bijkomt. Een omstander kan de benen van de liggende persoon omhoog houden zodat de bloeddruk sneller stijgt.

Indien de persoon die flauwvalt niet onmiddellijk in een horizontale houding komt, dan houdt de bloeddrukval aan. Door het zuurstofgebrek in de hersenen kunnen vervolgens stuiptrekkingen voorkomen, samen met urine- en stoelgangverlies. Deze stuipen kunnen worden verward met epilepsie. Bij een aanval van *grand mal* is er ook steeds tongbeet en hebben de patiënten postkritische verschijnselen zoals hoofdpijn en slaperigheid. Dit is meestal niet zo bij een vagale syncope.

Hoe krijgt men een vagale syncope?

Bij een vagale syncope treedt er naast bloeddrukval ook meestal een vertraging van het hartritme op door prikkeling van het parasympathisch zenuwstelsel.

Deze reactie van het lichaam is een vagale reflex en kan niet door de vrije wil worden beïnvloed.

Bij langdurig rechtstaan wordt een deel bloed aan de grote bloedsomloop onttrokken en blijft het in de aders van de onderste ledematen staan. Hierdoor krijgt de rechterkamer minder bloedvolume en is de hoeveelheid bloed per hartslag lager. Om de bloeddruk op peil te houden stimuleren de orthosympathische zenuwen het hart zodat niet alleen het hartritme maar ook de pompkracht verhoogt. Dit overmatig samentrekken van de hartspier is één van de oorzaken van vagale reflex. Hierbij ontstaat bloeddrukval door een volledige ontspanning van de spiertjes rond de slagaders die normaal instaan voor de regeling van de bloeddruk in het lichaam en soms ook een zeer traag hartritme. Het is ook opvallend dat een persoon met een hartzwakte dit type syncope niet krijgt omdat het hart 'te zwak' is om krachtig samen te trekken.

Welke omstandigheden lokken een vagale syncope uit?

Een vagale syncope treedt meestal op in ongewone situaties zoals na het geven van bloed of bij hevige angst. Het lang rechtstaan in de zon, zonder te bewegen, zoals een soldaat in kaarsrechte houding, is soms voldoende om een syncope uit te lokken net zoals het nemen van een maaltijd met alcohol in een warm restaurant.

Hoe wordt de diagnose gesteld van een vagale syncope en wat is de behandeling?

Een gerichte ondervraging is van het allergrootste belang. Als de syncope werd voorafgegaan door waarschuwingstekens (zweten, bleek worden, maaglast, wazig zicht...) en optreedt in typische omstandigheden, dan is verder onderzoek meestal overbodig. Meestal volstaat het om de uitlokkende situatie die aanleiding geeft tot een syncope te vermijden. Iemand die bijvoorbeeld alleen flauwvalt na langdurig rechtstaan in een warme omgeving of na het drinken van alcohol tijdens een restaurantbezoek, kan gemakkelijk deze situaties vermijden. Ook bij meerdere syncopes is het belangrijk dat men het zelfvertrouwen niet verliest. Als men de waarschuwingstekens herkent dan betekent dit dat de syncope meestal goedaardig is en riskeert men geen verwondingen door een val. De arts kan de persoon dan geruststellen en overtuigen dat er geen onderliggende reden, zoals hartziekte, is. Het geruststellen heeft meestal al een helend effect en kan ervoor zorgen dat de persoon minder syncopes zal doormaken. Zodra er typische waarschuwingstekens optreden moet men onmiddellijk neerliggen om te vermijden dat men het bewustzijn verliest. Ook een voldoende zoutsupplement in de voeding kan bij iemand die niet lijdt aan arteriële hypertensie soms nuttig zijn. Tijdens de zomermaanden is het nemen van voldoende vocht van belang. Patiënten met spataders worden aangeraden steunkousen te dragen.

Voor wie zijn aanvullende onderzoeken noodzakelijk?

Indien een persoon een risicoberoep heeft (zoals piloot, bus- of vrachtwagenchauffeur) dan zijn aanvullende onderzoeken nodig om de diagnose met zekerheid te stellen. Bij afwezigheid van waarschuwingstekens voor het flauwvallen moet de cardioloog een hartritmestoornis uitsluiten als oorzaak en moet de patiënt zich onthouden van risicosituaties om verwondingen zo veel mogelijk te vermijden bij een plotselinge val.

Een kanteltest of een tilttest (figuur 10) kan de diagnose van vagale syncope bevestigen. Hierbij ligt de patiënt horizontaal op een tafel die vervolgens wordt gekanteld tot een hoek van 60° en waarbij de patiënt in een schuine houding staat met de benen naar beneden. Op dat ogenblik verkeert hij in een soort toestand van een 'nagebootste gewichtloosheid' en vloeit er ongeveer 800 milliliter bloed van de bovenste lichaamshelft naar de onderste ledematen. Gezien de patiënt geen spieractiviteit vertoont, blijft het bloed in de onderste ledematen. Indien de patiënt tijdens de test zijn klachten herkent of bij bewusteloosheid, wordt de tafel onmiddellijk horizontaal gelaten zodat de bloeddruk terug stijgt. Tijdens de test is de patiënt vastgegespt op de kanteltafel zodat hij niet voorover kan vallen. De cardioloog volgt de bloeddruk en het hartritme regelmatig op.

Kan men genezen van een vagale syncope?

Het genezend effect van de kanteltest is aangetoond: dezelfde patiënten vallen bij een tweede of een derde test minder gemakkelijk flauw. Enerzijds kan de patiënt minder angstig zijn eens de diagnose is gesteld (een psychologische factor speelt zeker mee in deze aandoening). Anderzijds ontstaat een gewenning van het organisme wanneer dezelfde persoon iedere dag een kanteltest ondergaat. Dit wordt tilttraining genoemd en wordt toegepast in het ziekenhuis. Patiënten die herhaalde syncopes doen en die hierdoor sociale hinder ondervinden door angst voor een volgende aanval of patiënten zonder waarschuwingstekens die verwondingen oplopen bij het vallen komen in aanmerking voor tilttraining.

Als de patiënt na een week niet meer valt tijdens de kanteltest, dan kan hij het ziekenhuis verlaten en thuis verder oefenen. Men raadt hem aan thuis iedere dag 2 keer 20 minuten met de rug tegen de muur te staan. De voeten zijn een halve meter van de muur verwijderd zodat het lichaam in een schuine stand komt en er een hoeveelheid bloed naar de onderste ledematen vloeit. Het herhalen van deze oefeningen blijkt ook doeltreffend bij personen met zeer hinderlijke syncopes en vermijdt meer ingrijpende therapie zoals de plaatsing van een pacemaker. Men moet iedere dag oefenen om een nieuw bewustzijnsverlies te vermijden.

Zijn er geneesmiddelen om de vagale syncope te behandelen?
Geneesmiddelen die hier worden gebruikt om de bloeddruk te doen stijgen zijn meestal afgeleid van aldosterone. Aldosterone is een natuurlijk hormoon dat instaat voor de zout- en waterretentie in ons lichaam.

Anderzijds kan men bij patiënten ook een bètablokker starten. Dit geneesmiddel vertraagt het hartritme en ontspant het hart. Patiënten waarbij vagale prikkeling juist wordt uitgelokt door een krachtige en snelle hartslag kunnen hiermee worden geholpen. Dit lijkt tegenstrijdig aangezien de bètablokkers ook worden toegediend bij hoge bloeddruk.

De inhibitoren van het serotonine worden gebruikt bij depressie en kunnen nuttig zijn, ook indien de patiënt niet depressief is.

Men weet evenwel niet op voorhand welke medicatie geschikt is voor de individuele patiënt.

Is een pacemaker nuttig?
Een pacemaker bestaat uit een metalen doosje dat onder de huid wordt geplaatst (figuur 42). In dit metalen doosje wordt een elektrode of een draad vastgeschroefd die met het andere uiteinde in contact staat met de binnenzijde van het hart. Een pacemaker is een kunstmatige gangmaker die het hart bij een te traag hartritme prikkelt zodat de polsslag nooit te traag wordt (zie hoofdstuk 17). Een pacemakerimplantatie is ingrijpend omdat de pacemakerdoos om de 7 tot 10 jaar (door batterijuitputting) wordt vervangen. Uit studies blijkt dat bij geselecteerde patiënten een pacemaker nuttig is om de frequentie en de ernst van de syncopes te verminderen, syncopes kunnen evenwel nog optreden. Bij een vagale reactie herstelt de pacemaker immers enkel het te traag hartritme en niet de ontspanning van de slagaders zodat slechts een gedeeltelijke correctie van de bloeddrukval mogelijk is.

Wat is orthostatische hypotensie?
Het is de tweede oorzaak van syncope en een frequente oorzaak van vallen bij bejaarden. Orthostatische hypotensie is een daling van de systolische of de diastolische bloeddruk met respectievelijk minstens 20 of 10 mm Hg na twee minuten rechtop staan en voorafgaande liggende houding.

Hoe herkent men orthostatische hypotensie en wat is de oorzaak?

De patiënten hebben last van wazig zicht, duizeligheid en krachteloosheid in de onderste ledematen. In het bijzonder patiënten met een verhoogde bloeddruk zijn gevoelig voor orthostatisme doordat zij bloeddrukverlagende geneesmiddelen nemen. Verder hebben zij een stoornis van de bloeddrukregeling bij houdingsveranderingen. Naast antihypertensiva kunnen ook geneesmiddelen voor angor pectoris, parkinsonisme of depressie aanleiding geven tot bloeddrukval. Het nemen van nitraten onder de tong (spray of pil) bij een angorcrisis is een frequente oorzaak van plotselinge bloeddrukval met bewustzijnsverlies. Nitroglycerine onder de tong neemt men best in een zittende houding.

Oudere patiënten vooral zijn gevoelig voor bloeddrukval, dit heeft te maken met een verminderde dorstreflex en de verminderde reflexen voor bloeddrukregeling bij houdingsveranderingen. Ook bij diabetespatiënten werken deze reflexen niet optimaal.

Enkele richtlijnen om bloeddrukval te vermijden

- Elastische kousen zijn nuttig bij personen met spataders.
- Verbruik van alcohol of overvloedig veel suiker is te vermijden indien bloeddrukval na de maaltijd optreedt.
- Geneesmiddelen tegen een verhoogde bloeddruk kunnen bij koorts of bedlegerigheid in dosis worden verminderd.

Wat is een overgevoeligheid van de sinus caroticus?

Het is een oorzaak van plotselinge syncope. Hierbij komt een reflex op gang vanuit een orgaantje ter hoogte van de halsstreek (sinus caroticus) dicht bij gemeenschappelijke halsslagader (arteria carotis communis) dat normaal instaat voor de bloeddrukregeling. Na het prikkelen van dit orgaantje door bijvoorbeeld een spannende halskraag, door het scheren of door een plotse beweging van de hals wordt het hart zeer traag of stopt het met kloppen (pauze of een asystolie van minstens 3 seconden). In andere gevallen treedt er voornamelijk een bloeddrukval op van minstens 30 mm Hg.

Wat is een carotismassage?

De cardioloog duwt met zijn vinger op de sinus caroticus en registreert een elektrocardiogram. Bij een overgevoelige sinus caroticus treedt een pauze op van minstens 3 seconden en herkent de patiënt zijn duizeligheid van thuis. Alhoewel 5 tot 25 % van de oudere patiënten deze overgevoeligheid vertonen, hebben de meeste geen last en dienen zij enkel een spannende halskraag te vermijden (de meeste patiënten met een overgevoelige sinus caroticus zijn mannen).

Andere oorzaken van bewustzijnsverlies

Bij hartgeruis kan een echocardiografisch onderzoek (figuur 21) het vermoeden van een eventuele aortastenose bevestigen. Een ernstige vernauwing van de aortaklep geeft als frequente klachten: thoracale beklemming bij inspanning, een hartverzwakking met een longoedeem of plotseling bewustzijnsverlies door een tekort aan bloedtoevoer naar de hersenen. De vervanging van de vernauwde klep door een kunstklep is hier de oplossing.

Een overdruk in de longcirculatie, vastgesteld door echocardiografie, kan wijzen op longembolen (zie hoofdstuk 19).

Hartpauzes die langer dan 3 seconden duren zijn een frequente oorzaak van bewustzijnsverlies dat plots optreedt zonder waarschuwingstekens. Holter-monitoring, registratie van het elektrocardiogram gedurende 24 uur, kan aangewezen zijn (figuur 27). Hierbij worden elektroden op de borststreek verbonden met een cassette die met een riem rond het middel wordt vastgemaakt opdat men kan wandelen. Het plaatsen van een pacemaker kan worden overwogen bij hinderlijke pauzes van meer dan 3 seconden door een stoornis van de gangmaker of door een slechte elektrische geleiding tussen de voorkamers en de kamers.

Vooral patiënten met een hartverzwakking kunnen het bewustzijn verliezen bij een ritmestoornis van de voorkamers of de kamers waarbij het hart plots en zeer snel 'op hol' slaat.

In dit verband kan een plotselinge syncope bij iemand met een oud hartinfarct te wijten zijn aan zeer ernstige ritmestoornissen van de hartkamers met gevaar voor plotseling overlijden. De oorzaak van een syncope bij een patiënt met een oud hartinfarct blijft soms onduidelijk wanneer de ritmestoornis niet optreedt tijdens de Holter-monitoring. Hier biedt een elektrofysiologisch onderzoek (figuur 41) nuttige informatie. Bij dit onderzoek worden katheters of buisjes (figuur 40) in het hart geschoven en gaat de cardioloog na of een gevaarlijke ritmestoornis opwekbaar is. Het plaatsen van een inwendige defibrillator (figuur 43) wordt overwogen bij ernstige kamerritmestoornissen.

In zeldzame gevallen zijn ernstige hartritmestoornissen het gevolg van een aangeboren afwijking van de elektrische eigenschappen van de hartspiercellen zelf. Soms betreft het jonge personen die een onverklaard bewustzijnsverlies doormaken dat blijft bestaan na het behandelen met anti-epileptica bij het zogenaamde lange QT-syndroom. Bij het Brugada-syndroom, daarentegen, komen hartritmestoornissen zowel op jonge als op latere leeftijd voor.

Wat is een hartstilstand?

Een hartstilstand ontstaat dikwijls door kamerfibrillatie, dit is een onwillekeurige activiteit van de hartspier met het uitvallen van de pompwerking en is een frequente oorzaak van plotseling overlijden. Een snelle defibrillatie met een uitwendige defibrillator (figuur 9) kan levensreddend zijn maar men moet wachten tot het medisch team ter plaatse is. Zonder cardiopulmonale reanimatie door een omstander of een kennis is de overlevingskans gering. Een onherroepelijke hersenbeschadiging treedt immers op na 6 minuten circulatiestilstand.

Waardoor ontstaat kamerfibrillatie?

Kamerfibrillatie treedt op in de acute fase van een hartinfarct. Dit verklaart waarom medische hulp te laat is bij één patiënt op drie met een hartinfarct. Indien de patiënt met een hartinfarct niet onmiddellijk in het ziekenhuis wordt opgenomen loopt hij grote risico's. De kans op een goede afloop na een episode van kamerfibrillatie buiten het ziekenhuis is slechts 10 %. Na de behandeling van een infarct in het ziekenhuis vermindert de kans op een gevaarlijke ritmestoornis door een verbetering van de zuurstofvoorziening van het hart. Ten tweede herkent de arts in het ziekenhuis onmiddellijk de gevaarlijke hartritmestoornissen en kan hij zo nodig onmiddellijk een defibrillatie uitvoeren.

PRAKTISCH: wat kan men, als omstander, doen bij bewusteloosheid?

- Iemand die neervalt op straat kan men in horizontale houding leggen met een hoogstand van de onderste ledematen.
- Spierschokken komen voor bij een klassieke vagale syncope, een bloeddrukval of grand mal (epilepsie). Men kan een spannende halskraag losmaken en het hoofd wat besprenkelen met koud water. Bij tongbeet probeert men een zakdoek tussen de tanden te brengen.
- Het voelen van de halsslagader is nuttig om een hartstilstand niet te missen. Een zeer trage pols is evenwel mogelijk bij een vagale reactie en uitzonderlijk treedt een hartpauze op die langer dan 30 seconden duurt.
- Bij afwezigheid van een pols en een spontane ademhaling (figuur 11), moet iemand die zich niet met het slachtoffer bezighoudt onmiddellijk de 100 opbellen en een ziekenwagen met dokter vragen. Zelf start men met cardiopulmonale reanimatie.
- Indien men alleen is, wordt steeds eerst de 100 opgebeld voor men cardiopulmonale reanimatie start (figuur 12).
- Klassiek wordt voor een reanimatie het ABC-schema toegepast. Dit betekent eerst 'Airway' of het vrijmaken van de luchtwegen met het uithalen van een vals gebit en het verwijderen van eventueel braak-

sel in de mond. Vervolgens 'Breathing' of het inblazen van lucht in de luchtwegen na een adequate manipulatie van de halsstreek waarbij de kin naar voren en naar boven wordt getild en ten slotte 'Circulation' of het herstellen van de bloedsomloop door een massage van de borststreek. Men herhaalt hierbij afwisselend 5 keer een massage van de borststreek en één keer een beademing. Deze techniek is zeer lastig maar kan levensreddend zijn. Nochtans is het voor omstanders die niet vertrouwd zijn met een cardiopulmonale reanimatie niet gemakkelijk om een mond-op-mondbeademing uit te voeren. Het is al van enig nut om cardiale massage te geven zonder beademing maar massage met beademing verhoogt de overlevingskans. Een praktische cursus is aan te raden voor de familie van hartpatiënten, bijvoorbeeld bij het Rode Kruis.

Samenvatting

Een syncope of bewustzijnsverlies is meestal te wijten aan een vagale syncope. Dit wijst niet op een hartziekte maar is een abnormale reflex, die niet te onderdrukken is door de vrije wil. Door een gesprek kan de cardioloog de diagnose stellen. Het vermijden van de uitlokkende factoren is voldoende. De banale syncope of de vagale syncope wordt meestal maar niet altijd voorafgegaan door alarmsymptomen. Wanneer men deze herkent dan is het nuttig om onmiddellijk plat te liggen. Een doeltreffende behandeling van herhaalde syncopes waarbij de patiënt door de val kwetsuren kan oplopen is de 'tilttraining'. Hierbij probeert men de patiënt te desensibiliseren door de syncope in het begin verschillende malen onder medisch toezicht uit te lokken. Na dagelijks herhalen doet de patiënt na één week ziekenhuisverblijf geen syncopes meer en de patiënt moet thuis verder oefenen.

Bloeddrukval bij het rechtstaan is frequent bij ouderen en houdt meestal verband met de medicatie. Longembolen en een ernstige vernauwing van de aortaklep veroorzaken bewustzijnsverlies en worden opgespoord met een echocardiografie.

Bij een plotselinge syncope denkt de cardioloog aan hartritmestoornissen en wordt een Holter-onderzoek (of een registratie van het hartritme op een cassette) uitgevoerd. Bij een te traag hartritme kan een kunstmatige gangmaker van het hart (pacemaker) aangewezen zijn. Na een doorgemaakt hartinfarct en een plotselinge en onverklaarde syncope kunnen ritmestoornissen van de kamer met een elektrofysiologisch onderzoek worden opgespoord. Soms wordt dan een inwendige defibrillator geplaatst om de patiënt tegen plotseling overlijden te beschermen.

---

8 Ik ben ongerust

Pijn in de borststreek (thoracale pijn)

De huisarts krijgt veel patiënten over de vloer die klagen over thoracale pijn maar in meer dan de helft van de gevallen komt de pijn niet van het hart.

Hoe kan men een hartprobleem herkennen?

Bij hartkramp heeft de patiënt niet zozeer pijn maar eerder last in de borststreek. Hij omschrijft dit als een gewicht of een zwaarte. Het komt geleidelijk op, snoert toe en gaat over. De patiënt ervaart dit in het midden van de borstkas, maar de last straalt soms uit naar de beide bovenarmen of tussen de schouderbladen en komt vooral voor bij inspanning en emotie, bij kou of na een maaltijd. De last gaat meestal vanzelf geleidelijk over na enkele minuten. Na het nemen van nitroglycerine onder de tong (spray of pil) wijkt de last al na drie minuten.

De cardioloog stelt de diagnose van angor pectoris door een gerichte ondervraging.

Hoe kan men een hartinfarct bij een kennis vermoeden?

De last in de borststreek duurt langer dan 20 minuten, is heviger dan bij een angorcrisis en gaat gepaard met zweten, angst en bleekheid. Sommige patiënten ondervinden weinig last en soms is er zelfs helemaal geen borstpijn zodat men niet direct aan een infarct denkt. Het komt frequent voor dat klachten ter hoogte van de linkerschouder of tussen de schouderbladen verkeerdelijk als artrose worden beschouwd. Nog andere patiënten met een hartinfarct ondervinden maaglast met braken wat aan een voedselvergiftiging doet denken.

Hoe stelt men de diagnose van een infarct?

De diagnose van een infarct wordt vermoed door de klachten. Er moet zo snel mogelijk een elektrocardiogram worden afgenomen. Zoals reeds gezegd is een onmiddellijke ziekenhuisopname noodzakelijk en moet men de 100 bellen en een ziekenwagen met dokter vragen. De cardioloog herkent vaak het infarct door het afwijkend elektrocardiogram. Soms is het elektrocardiogram onvoldoende en kan de diagnose worden vastgesteld door een bloedtest waarbij stoffen worden opgespoord die vrijkomen binnen de 6 tot 8 uur na het begin van de pijncrisis. Daarom zal de cardioloog in geval van twijfel in het ziekenhuis de bloedtest na 6 tot 8 uur herhalen en zal de patiënt zo lang in het ziekenhuis blijven.

Is de pijn door een ontsteking van het hartvliesje (pericard) verschillend van een infarct?

Pijn in de borststreek door ontsteking van het hartvliesje gelijkt op de pijn bij een infarct maar verergert tijdens het inademen en is ook houdingsgebonden. Deze aandoening wordt pericarditis genoemd en komt soms voor tijdens een griepepidemie.

Hoe herkent men een longembolie?

Bij een longembolie is een gedeelte van de kleine bloedsomloop onderbroken, meestal door een bloedklonter vanuit de aders van de onderste ledematen (zie hoofdstuk 19). Soms is er pijn bij het inademen. Het ophoesten van bloedfluimen is zeer typisch voor een longembolie maar eerder zeldzaam. Bij een beperkte longembolie zijn de klachten soms niet zo duidelijk en indien er niet op tijd een behandeling wordt ingesteld kan een tweede longembolie ontstaan die erger is.

Bij een groot longembolie wordt het bloed onvoldoende met zuurstof verzadigd en kan de patiënt reeds kortademig zijn in rust, kan hij bloeddrukval hebben of kan de kleine bloedsomloop onderbroken worden waardoor een hartstilstand optreedt.

Wat is een pleuritis?

Een microbe of een virus kan het longvliesje aantasten met een ontsteking van het longvliesje (pleuritis) tot gevolg. Er is ademhalingsgebonden pijn, zoals soms bij longembolie.

Welke andere pijnklachten op de borst zijn niet te wijten aan het hart, en is dit erg?

Hevige onverklaarde pijn in de borst door een aortadissectie is zeer ernstig en een spoedgeval. Bij een dissectie ontstaat een scheurtje in de wand van een slagader. Hierdoor ontstaat een bijkomende opening aan de binnenzijde van het bloedvat waarin het bloed kan stromen en waardoor de normale binnenopening van het bloedvat min of meer wordt platgedrukt zodat de bloedvoorziening van sommige organen soms in het gedrang komt. De scheur kan zich ook uitbreiden over de lengte van het bloedvat naar de buikstreek of tot aan het hart zodat de patiënt verschillende klachten kan krijgen. Naast het gevaar voor orgaanschade (hart, hersenen, ledematen) kan het doorscheuren van de wand van de aorta fataal zijn door een vrije bloeduitstorting in het hartzakje of in de borststreek. De diagnose wordt gesteld door een radiologisch onderzoek (levert een CT-scan op) of door slokdarmechografie (figuur 22). Afhankelijk van de plaats en de uitgebreidheid van de dissectie wordt al dan niet een dringende operatie voorgesteld.

Pijnen door kramp van de slokdarm kan dezelfde last geven als pijn van het hart maar de last komt meestal op in liggende houding doordat de zure maaginhoud in de slokdarm terugloopt. Ook de inname van nitroglycerine onder de tong doet de pijn na enkele minuten wijken zodat de patiënt eerder een hartkramp veronderstelt. Het feit dat de last niet opkomt bij inspanning en niet langer duurt dan 15 minuten is geruststellend.

Andere pijnen zijn niet van lichamelijke oorsprong en te wijten aan nervositas of stress, dit worden atypische pijnen genoemd.

Anderzijds kent men vandaag beter het syndroom van Tietze als een aanhoudende pijn van de kleine gewrichtjes tussen het borstbeen en de ribben. Weer andere pijnen zijn te wijten aan spierproblemen (musculaire pijnen). Deze kunnen voorkomen bij een misvorming van de wervelkolom of een slechte houding waardoor de spieren rond de wervelzuil zich voortdurend in een kramptoestand bevinden. De pijnen beginnen in de rug en stralen uit naar voren en verergeren tijdens het bewegen. De geruststelling van de patiënt is reeds de helft van de genezing. Bij onverklaarde pijnen kan een radiogram van de borstkas en de wervels de misvormingen en de artrose van de gewrichten aantonen.

Door slijtage van de gewrichtsruimte tussen de wervels komt artrose van de wervelkolom op latere leeftijd frequent voor. De wervels vertonen ook typische veranderingen zoals ‘papegaaibekken’ en verkalkte uitsteeksels of osteofyten. Er is geen verband tussen de ernst van de afwijkingen door wervelslijtage en de klachten. Preventieve maatregelen op het werk zijn van belang: het vermijden van overbelasting van de rug door een aangepaste houding in rust en een juiste heftechniek bij het tillen van een gewicht. Ook dieetmaatregelen bij overgewicht zijn nuttig.

Een herpes zoster infectie is een virusinfectie waarbij de blaasjes in gordelvorm aan één kant van het lichaam voorkomen. Omdat de infectie meestal de romp aantast, wordt dit ook gordelroos genoemd. Soms komen de blaasjes voor in het gelaat of ter hoogte van de onderste ledematen. Wanneer de blaasjes opgedroogd zijn kan men last hebben van postzonale pijnen; hierbij voelt de normale huid branderig aan. Om deze zenuwpijnen te vermijden moet de patiënt de herpes zoster tijdig laten behandelen, zodra de eerste blaasjes zichtbaar zijn. De behandeling bestaat uit intraveneuze medicatie en vergt een ziekenhuisopname.

Samenvatting
In tegenstelling tot de druk bij een hartkramp is er bij een hartinfarct meestal pijn die ook langer duurt. Een elektrocardiogram is een goed middel om pijn van het hart van andere borstpijnen te onderscheiden. Bij vermoeden van een hartinfarct is een ziekenhuisopname steeds nodig. Als de diagnose bij aanvang niet helemaal duidelijk is dan kan de cardioloog zes uur na het begin van de pijncrisis een bloedtest uitvoeren om de hartenzymen te bepalen. Hartenzymen zijn stoffen die alleen in de hartspier voorkomen en bij een infarct duurt het enkele uren voordat deze stoffen vanuit de dode hartcellen in het bloed terechtkomen. Andere oorzaken van borstpijnen zijn een klonter in de longen (longembolie) of een ontsteking van het hartzakje (pericarditis). Sommige patiënten zijn onnodig ongerust door artrose en spierpijnen op de borst. Stekende pijn aan de linkerkant van de borststreek en die enkele seconden duurt komt meestal niet van het hart. Deze wandpijnen verergeren bij het bewegen. Soms zijn de pijnen te wijten aan ongerustheid en angst na een doorgemaakt hartinfarct. Een kramp van de slokdarm kan een echte hartkramp nabootsen en reageert ook goed op nitraten onder de tong. Slokdarmkrampen reageren evenwel ook goed op het drinken van water, in tegenstelling met een hartkramp.

Kortademigheid

Hoe wordt de ernst van kortademigheid bij hartverzwakking uitgedrukt?

Kortademigheid kan het gevolg zijn van een hartverzwakking waarbij de hartpomp onvoldoende bloed rondpompt volgens de behoefte van het lichaam. De graad van dyspnoe wordt uitgedrukt in klassen volgens de New York Heart Association. Aldus wordt een internationale schaal gebruikt om spraakverwarring te voorkomen.

- Klasse 1: enkel kortademigheid bij zeer hevige inspanningen, maar snel wandelen op een helling is mogelijk.
- Klasse 2: kortademigheid bij matige inspanningen zoals wandelen op een helling, seksuele betrekkingen, een trap bestijgen met meer dan vijf treden of tuinieren.
- Klasse 3: kortademigheid bij kleine inspanningen zoals aan- en uitkleden, langzaam wandelen of huishoudelijke taken.
- Klasse 4: kortademigheid in rust of bij eten en spreken. Tijdens platte bedrust kan de kortademigheid toenemen omdat het hart meer bloed krijgt vanuit de onderste ledematen.

Kan kortademigheid een teken zijn van een kroonslagadervernauwing?
Sommige patiënten zijn kortademig door zuurstofgebrek van het hart zonder dat ze pijn in de borststreek ondervinden. In dit geval neemt de kortademigheid in de loop der maanden meestal toe. Dit noemt men een angina-equivalent. De patiënt heeft geen echte beklemming in de borststreek maar bij inspanning kan hij niet meer vooruit doordat het hart onvoldoende pompt. Het vaststellen van stille ischemie of zuurstoftekort tijdens de inspanningsproef, zonder begeleidende pijn, is voldoende om de diagnose te stellen.

Welke oorzaken van kortademigheid zijn niet te wijten aan een hartverzwakking?
Door een sedentaire levenswijze en het roken zijn veel mensen kortademig bij inspanning. Dit heeft te maken met een gebrek aan lichamelijke conditie en overgewicht waardoor het hartritme in rust al hoog is en tijdens een inspanning vlug oploopt. Bij overgewicht worden de overtollige kilo's tijdens een inspanning meegedragen en dit vergt extra energie! Meerdere jaren kortademigheid bij inspanning, zonder pijn in de borststreek, kan te wijten zijn aan overgewicht en gaat meestal gepaard met overmatig zweten.

Flebitis met kortademigheid is suggestief voor een longembool. Flebitis is een aderontsteking waarbij dikwijls een kleine klonter wordt gevormd (thromboflebitis). De patiënten die een orthopedische ingreep ondergingen hebben, door immobiliteit na de ingreep, een groter risico van klontervorming in de aders van de onderste ledematen. Een grote klonter kan deels afbreken en meegevoerd worden naar het rechterdeel van het hart en nadien naar de longen. Doordat de klonter zich vastzet in een kleine longslagader wordt een deel van de kleine bloedsomloop in de longen onderbroken (longembolie).

Kortademigheid en longziekten
Dyspnoeklachten zijn frequent bij patiënten die lijden aan CARA (chronische aspecifieke respiratoire aandoeningen). Deze patiënten zijn meestal rokers met een chronische irritatie van de luchtwegen en die hierdoor veel slijmen ophoesten. Er zijn minstens drie luchtweginfecties per jaar en de piepende ademhaling bij plotse temperatuursveranderingen wordt aspecifieke bronchiale reactiviteit genoemd.

Veel patiënten met CARA zijn rokers en hebben onderliggende vernauwingen van de kroonslagaders. Zelf bij ernstige vernauwingen is er niet altijd angor omdat de patiënten door hun gebrekkige longreserve en kortademigheid de inspanning stoppen.

Bloedarmoede en kortademigheid

Kortademigheid bij inspanning kan ook het gevolg zijn van een tekort aan rode bloedcellen of anemie. Deze kan te wijten zijn aan een gebrekkige aanmaak van rode bloedcellen door een overwoekerende bloedziekte zoals leukemie of door ijzergebrek. IJzergebrek treedt dikwijls op bij ongewoon bloedverlies.

Te grote hoeveelheid bloedverlies tijdens de menstruele cyclus veroorzaakt ijzergebrekanemie bij vrouwen. IJzergebrekanemie met bloedverlies in het maagdarmstelsel door een gezwel in de dikke darm of een maagzweer is een ander voorbeeld.

Samenvatting

Kortademigheid kan te wijten zijn aan een hartverzwakking, aan een vernauwing van een kroonslagader of aan een andere oorzaak die niets te maken heeft met een hartziekte. Een longaandoening zoals een klonter in de longen (longembolie) of chronische bronchitis zijn hiervan voorbeelden. Verder zijn overgewicht en een sedentaire levenswijze frequente oorzaken van kortademigheid bij inspanning. Ten slotte vermelden we een tekort aan rode bloedlichaampjes of anemie als oorzaak van kortademigheid.

Hartkloppingen en hartbonzen

Wat zijn hartkloppingen en is dit normaal?

Ons hart klopt ongeveer 70 keer per minuut in rust en versnelt tijdens een inspanning. Hartbonzen is normaal bij een ongewone inspanning. Hartkloppingen zijn een hinderlijk gevoel van hartbonzen die niet altijd optreden bij inspanning. Hartkloppingen kunnen te wijten zijn aan nervositeit of angst en zijn dan onschuldig. Soms is er evenwel een hartritmestoornis waarvoor meestal een aanvullend hartonderzoek noodzakelijk is.

Wat zijn extrasystolen?

Dit zijn overslagen van het hart. Men voelt een korte stilstand of een pauze gevolgd door een krachtige slag. Extrasystolen zijn zeer frequent en komen ook bij jonge personen voor. Indien het hart gezond is dan worden extrasystolen niet behandeld.

Meestal raadt men aan om het gebruik van koffie en thee te verminderen. Verder kan het roken van sigaretten extrasystolen in de hand werken. Alhoewel extrasystolen dikwijls ongerustheid wekken zijn ze zelden gevaarlijk bij personen met een normaal hart. De cardioloog beslist zeer zelden om de extrasystolen met antiarrhytmica te behandelen. Antiarrhytmica zijn geneesmiddelen die de overslagen van de kamer of van de voorkamer zeer goed onderdrukken. Doordat elk geneesmiddel bijwerkingen kan hebben worden deze geneesmiddelen bij voorkeur niet gebruikt bij banale ritmestoornissen.

Wat is een tachycardie en wat is hiervan de oorzaak?

Hartbonzen dat plotseling begint en plotseling stopt en waarbij men een polsslag telt boven de 120 slagen per minuut kan wijzen op een hartritmestoornis. Hierbij klopt het hart veel sneller dan nodig volgens de behoefte van het lichaam. Doordat het hart op hol slaat ondervindt men zeer vervelende hartkloppingen. Bij personen met een normaal hart is het plotselinge hartbonzen meestal het gevolg van een aangeboren extra verbinding tussen de voorkamer en de kamer van het hart. Een normaal hart heeft één elektrische verbinding tussen de voorkamers en de kamers. Deze bestaat uit de atrioventriculaire knoop, de bundel van His- en het Purkinje-systeem (figuur 2). Een extra verbinding tussen de voorkamer en de kamer is aangeboren maar niet altijd erfelijk. De aanvallen van hartkloppingen zijn te wijten aan een cirkelstroom tussen de normale en de extra verbinding en dit wordt ook een cirkeltachycardie genoemd. Hierbij draait de elektrische stroom rond in een dolle cirkel waarbij de hartkamers onnodig snel kloppen.

Hoe onderbreekt men een cirkeltachycardie?

Bepaalde vormen van cirkeltachycardie kunnen stoppen door het drinken van een koud glas water of door het ophouden van de adem en te persen (Valsalva-manoeuvre). Hierdoor wordt de elektrische stroom in de normale verbinding gestopt zodat de cirkelstroom wordt onderbroken. Hetzelfde gebeurt tijdens een carotismassage. Hierbij drukt de patiënt of de arts op de rechter- of de linkerhalsslagader. Na het stoppen van de cirkelstroom wordt het hart opnieuw geprikkeld via de normale weg, waarbij de gangmaker van het hart het commando overneemt.

Welke soorten abnormale verbindingen kunnen er voorkomen tussen de voorkamers en de kamers en zijn er dan steeds hartkloppingen?

Abnormale verbindingen zijn spierbruggetjes tussen de voorkamers en de kamers en komen voor rond de tricuspidaalklep of rond de mitraalklep.

Een extra verbinding kan een deel van de kamer in rusttoestand vroegtijdig prikkelen zonder dat er sprake is van een hartritmestoornis (pre-excitatie). Hierdoor is het elektrocardiogram in rust erg bizar met soms een vals infarctbeeld. Alhoewel een afwijkend elektrocardiogram niet noodzakelijk wijst op een onderliggende hartaandoening kan het aanvragen van een levensverzekering of het uitoefenen van een risicoberoep voor derden (buschauffeur of piloot) voor deze patiënten een probleem zijn.

Personen met een abnormaal elektrocardiogram die lijden aan cirkeltachycardie lijden aan een WPW-syndroom (syndroom van Wolff-Parkinson-White).

Carotismassage of medicatie onderbreken deze hinderlijke aanvallen van tachycardie. Bij meerdere aanvallen van hartkloppingen verplicht de cardioloog de patiënten niet meer om medicatie in te nemen maar kan hij de ritmestoornissen genezen door het verwijderen van deze extra verbinding (radiofrequentieablatie).

Wat is een ontdubbelde atrioventriculaire knoop en waarom zijn er hartkloppingen?

Een speciale vorm van tachycardie die vooral bij vrouwen voorkomt is een AV-nodale tachycardie (AVNT). Deze ontstaat in de AV-knoop zelf die een ontdubbelde geleiding heeft. De hartkloppingen worden gevoeld in de halsstreek en niet ter hoogte van de borst.

Ook hier kan de arts of de patiënt de tachycardie soms stoppen door een massage van de halsslagader. Bij langdurende aanvallen of bij herhaalde crisissen is ook hier een radiofrequentieablatie aangewezen. Medicatie is soms nuttig maar moet continu worden ingenomen. Sommige patiënten verdragen geen medicatie door bloeddrukval.

Wat is een voorkamerfibrillatie?

Snelle en onregelmatige hartkloppingen kunnen te wijten zijn aan een chaotische elektrische activiteit van de voorkamers die niet meer de regelmaat van de gangmaker van het hart volgen. Vooral het onregelmatige karakter geeft hinderlijke kloppingen en door de snelle hartslag wordt men kortademig. Deze ritmestoornis is heel frequent op latere leeftijd maar vooral jongere patiënten voelen hartkloppingen. Bij jongeren gaat voorkamerfibrillatie meestal vanzelf over als deze is uitgelokt door overdreven alcoholinname of vermoeidheid. Bij een eerste aanval is een onmiddellijk raadplegen van een dokter van belang voor het afnemen van een elektrocardiogram om zo de diagnose te stellen.

Wat is een kamertachycardie?

Het op hol slaan van de kamers van het hart noodzaakt steeds een gespecialiseerd cardiologisch advies. Bij een onderliggende hartaandoening is er een risico van bloeddrukval met het ontaarden van de ritmestoornis in kamerfibrilleren waardoor een hartstilstand optreedt. Als de pompwerking van het hart bewaard is, dan voelt men hartkloppingen en meestal duizeligheid. De ritmestoornis kan soms alleen voorkomen tijdens inspanning en de diagnose is soms moeilijk te stellen op het kabinet van de cardioloog. Het is zijn taak om een onderliggende voorbeschikkende hartaandoening uit te sluiten zoals een verdikking van de hartspier (hypertrofe cardiopathie), een afwijking (dysplasie) van de rechterkamer, een hartverzwakking of een oud hartinfarct waarbij dan verder gespecialiseerde onderzoeken nodig zijn.

Kan men een hartritmestoornis hebben zonder hartkloppingen?

Vele ritmestoornissen van de voorkamer of de kamer veroorzaken niet altijd hartkloppingen (zie hoofdstuk 15). Als het hart vermoeid is dan is het immers te zwak om te 'bonzen'. Ook oudere patiënten voelen minder kloppingen en vertonen dikwijls duizeligheid, vermoeidheid of bewusteloosheid.

Samenvatting
Hartkloppingen kunnen te wijten zijn aan stress door het versnellen van het normale hartritme. Bij een gezond hart zijn de overslagen van het hart meestal onschuldig.
Onregelmatige en snelle hartkloppingen komen voor bij voorkamerfibrillatie waarbij steeds doktersadvies noodzakelijk is.
Personen die plotseling regelmatige hartkloppingen in de keel hebben, kunnen een AV-nodale tachycardie hebben. Ook bij het WPW-syndroom heeft de patiënt regelmatige hartkloppingen. Radiofrequentieablatie geneest vandaag de meeste patiënten met hartritmestoornissen (zie hoofdstuk 16).

Oedemen van de onderste ledematen

Oedeem of waterophoping ter hoogte van de onderste ledematen is een veelvoorkomende klacht en kan te wijten zijn aan verschillende oorzaken.

Wat is een slechte bloedcirculatie van de onderste ledematen?

Bij veneuze insufficiëntie pompen de spieren van de onderste ledematen het bloed niet goed naar het hart zodat het bloed zich in de spataders ophoopt. De patiënt ondervindt waterophoping of oedeem ter hoogte van de enkels waar de sokken zich aftekenen in de huid. Dit oedeem verdwijnt na een nacht platliggen. Als voorbeschikkende factoren vermelden wij: zwangerschap zonder het dragen van steunkousen, een rechtstaand beroep, overgewicht en een doorgemaakte diepe veneuze trombose. Als steunkousen niet voldoende zijn kan de arts een kleine dosis diuretica (waterafdrijvende geneesmiddelen) voorschrijven.

Bij een lymfeoedeem is de huid dik en tekenen de sokken zich niet af in de huid. Soms is de aandoening familiaal, soms is een lokale kwetsuur of een doorgemaakte flebitis de oorzaak. Hier is fysiotherapie met lymfedrainage nuttig.

Waterzucht door slechte pompfunctie van het hart

Oedemen kunnen te wijten zijn aan een hartverzwakking (hartfalen). De patiënt kent eerst een gewichtstoename van ongeveer 5 kilogram voordat de waterophoping ter hoogte van de onderste ledematen zichtbaar wordt. Soms kan de gewichtstoename ernstiger zijn, bijvoorbeeld 15 kilogram op enkele weken. In dit laatste geval neemt de cardioloog de patiënt meestal in het ziekenhuis op. Hij schrijft onder andere waterafdrijvende middelen voor zodat de diameter van het hart vermindert waardoor de uitgetrokken hartspier beter samentrekt.

Kan men waterophoping krijgen bij het stoppen van geneesmiddelen om te vermageren?

Bij patiënten die waterafdrijvers nemen om te vermageren kunnen na het stoppen van de behandeling plots in gewicht toenemen door waterophoping. Deze waterophoping is van voorbijgaande aard.

Zijn er andere oorzaken van oedemen van de onderste ledematen?

Patiënten met een verkalking van het hartzakje vertonen hardnekkige oedemen van de onderste ledematen. Patiënten met een cirrose vertonen ook oedemen. Een te laag albuminegehalte in het bloed is een andere oorzaak.

Samenvatting

Oedemen ter hoogte van de enkels zijn meestal te wijten aan een slechte veneuze circulatie en niet te wijten aan hartverzwakking. Door waterophoping bij hartverzwakking kan de patiënt vele kilo's bijkomen en kan het oedeem van de enkels tot de bovenbenen stijgen. Bij hartverzwakking zijn waterafdrijvende medicatie of diuretica nuttig. Bij een veneus oedeem zijn steunkousen nuttig. Bij een lymfeoedeem is lymfedrainage aangewezen.

---

9 Het kabinet van de cardioloog

Wat is cardiologie?

De cardiologie is een deel van de interne geneeskunde en bestudeert de ziekten van het hart. Een cardioloog is dus geen hartchirurg en voert geen hartoperaties uit maar spoort hartafwijkingen op zoals zuurstoftekort, stoornis van het ritme en de geleiding, slechte pompwerking of klepgebrek. Sinds 1978 heeft de cardiologie een enorme vlucht genomen door de ontwikkeling van de ballondilatatie waardoor vernauwingen van de kroonslagaders snel kunnen worden opengemaakt door het inbrengen van slangetjes of katheters in het hart zonder dat de patiënt een algehele verdoving ondergaat of een operatiewonde heeft. Sinds 1991 genezen de cardiologen vele hartritmestoornissen door het onderbreken van het elektrisch circuit dat de ritmestoornis in stand houdt. Dit gebeurt met een katheter die aan de tip wordt opgewarmd (radiofrequentieablatie).

Vandaag onderscheidt men de klinische cardiologie of de niet-interventionele cardiologie van de interventionele cardiologie.

De niet-interventionele cardiologie behelst alle onderzoeken waarbij er geen bloedcontact is (elektrocardiogram, fietstesten en echocardiografie).

De interventionele cardiologie behelst niet alleen de coronariografie en de ballondilatatie maar ook het plaatsen van een hartstimulator en radiofrequentieablatie. Het bestuderen van de ritmestoornissen door het inbrengen van katheters die de elektrische activiteit van het hart opschrijven wordt elektrofysiologie genoemd.

Hoe behandelt de cardioloog zijn patiënt?

Zuurstoftekort van de hartspier veroorzaakt meestal een hartkramp. Een fietstest met een continue registratie van het elektrocardiogram (figuur 17). is een middel om zuurstoftekort aan te tonen. De test kan een hartkramp uitlokken zoals thuis. De inspanningstest is pas betrouwbaar en kan met zekerheid een zuurstoftekort opsporen wanneer de patiënt voldoende inspanning levert waarbij minstens 85 % van de voorspelde hartfrequentie volgens de leeftijd wordt bereikt (voorspelde hartfrequentie = 220 minus de leeftijd). Indien het elektrocardiogram bij belasting normaal is en indien de patiënt geen dagelijkse hartkramp ondervindt, dan kan de cardioloog geneesmiddelen voorschrijven. Dit is meestal medicatie die het hartritme bij inspanning vertraagt (bètablokkers).

Blijvende hartkramp onder medicatie of zeer ernstig zuurstofgebrek bij een eerste fietstest duiden erop dat verder onderzoek door coronariografie (figuur 31) noodzakelijk is. Dit onderzoek van de kroonslagaders van het hart is nuttig om een kritische vernauwing(en) aan te tonen. De uiteindelijke behandeling hangt af van de ernst, de plaats en het aantal vernauwingen. De cardioloog kan de vernauwing openmaken met een ballonnetje. Bij een blijvende vernauwing na de ballondilatatie (figuur 35) kan de cardioloog in gelijktijdig een bijkomend veertje *(stent* figuur 36, 38*)* plaatsen in het bloedvat. De cardioloog brengt de ballon en de *stent* tot in het hart, met behulp van holle katheters die hij onder lokale verdoving via de liesslagader in de bloedvaten schuift. Deze katheters zijn lang en volgen het verloop van de grote lichaamsslagader tot aan het hart. De volgende dag kan de patiënt terug stappen zonder pijn.

Andere cardiologen zijn gespecialiseerd in hartritmestoornissen (elektrofysiologie, figuur 41). Een patiënt met een te traag hartritme kan last krijgen van duizeligheid of bewustzijnsverlies door een verminderde hersendoorbloeding. Na het plaatsen van een pacemaker of een kunstmatige gangmaker van het hart (figuur 42) kan de patiënt terug een normaal leven leiden.

Tijdens een elektrofysiologisch onderzoek bestudeert de cardioloog de hartactiviteit die te snel of te traag kan zijn. Dit onderzoek gebeurt door het inbrengen van katheters (figuur 40) in het hart die elektrische signalen vanuit de hartholtes kunnen opmeten.

Het op hol slaan van het hart of het versnellen zonder reden wordt tachycardie genoemd. Soms is de tachycardie te wijten aan een extra zenuw in het hart, die door radiofrequentieablatie kan worden uitgeschakeld. Bij deze ingreep onder lokale verdoving brengt de elektrofysioloog een katheter in het hart die aan de tip wordt opgewarmd tot minstens 50 °C.

Ten slotte kunnen een deel van de aangeboren hartafwijkingen zoals een opening in het tussenschot van de beide voorkamers (atriumseptumdefect, open ovaal venster) door de interventiecardioloog worden behandeld. Via de kathetertechniek kan men in vele gevallen de opening tussen de beide voorkamers sluiten door het plaatsen van een parapluutje dat wordt geopend en in het tussenschot opgespannen.

Hoe kan men beelden maken van het hart?

Het in beeld brengen van het hart (cardiale beeldvorming) kan eenvoudig door echocardiografie of ultratonenonderzoek (figuur 21). Het ultrageluid is volkomen onschadelijk voor het organisme, dezelfde beeldtechniek wordt overigens ook tijdens de zwangerschap gebruikt.

De cardioloog bekijkt de pompwerking van de rechter- en de linkerkamer en kan een verzwakking van het hart of een oud hartinfarct gemakkelijk in beeld brengen. Bij het meten van de snelheid van de bloedstroom in het hart (doppleronderzoek, figuur 18) kan hij de klepwerking nakijken. Een recente ontwikkeling is de kleurendoppler (figuur 19) waarbij de bloedstroom zichtbaar is in kleur. De kleurendoppler is zeer waardevol bij het opsporen van aangeboren hartafwijkingen en laat toe om klepgebreken dadelijk aan te tonen.

Dobutamine is een geneesmiddel dat de hartspier sneller en krachtiger doet kloppen en zijn zuurstofverbruik sterkt verhoogt. Een normale hartspierbeweging in rust die vermindert tijdens dobutamine-echografie (figuur 21) is te wijten aan zuurstofgebrek van het hart.

Net zoals bij dobutamine-echografie kan scintigrafie van het hart bij inspanning (figuur 23, 24) ook beter de graad van zuurstoftekort beoordelen. Tijdens de piekinspanning dient de cardioloog via een ader een licht radioactieve stof (isotoop) toe die door de hartcellen wordt opgenomen. Bij een of meerdere vernauwingen van de kroonslagaders krijgen delen van de hartspier minder bloed (en daardoor minder isotoop). Na de fietstest gaat de patiënt onder een speciale camera die kleurbeelden genereert van het hart. Het onderzoek stelt de patiënt aan een zekere stralingsbelasting bloot zodat de test niet geschikt is voor zwangere personen. De hoeveelheid radioactiviteit is klein en zonder gevaar.

Bij het nemen van een PET-scan (door Positron Emission Tomografie, figuur 25) wordt radioactief gemerkte glucose door de hartcellen opgenomen. De cardioloog kan hiermee de levensvatbaarheid van een deel van de hartspier nagaan voor hij over een eventuele overbruggingsoperatie beslist. Het onderzoek heeft zijn waarde bij een uitgesproken hartverzwakking en na een uitgebreid hartinfarct.

De beelden verkregen door scintigrafie en de PET-scan worden gemaakt en nagekeken op de dienst nucleaire geneeskunde.

Het gebruik van de Nucleaire Magnetische Resonantietechniek (NMR-tomografie) is het specialisme van de radiologen op de dienst radiologie. In tegenstelling tot computertomografie (die CT-scans levert) kan men door gebruik van nucleaire magnetische resonantie in meerdere vlakken sneden maken en is de informatie fijner. NMR-tomografie van het hart is nuttig voor het opsporen van aangeboren hartafwijkingen of eerder zeldzame hartaandoeningen. De coronariografie blijft momenteel nog steeds de gouden standaard om kroonslagadervernauwingen op te sporen.

Anamnese (ondervraging)

Een zorgvuldige ondervraging is van het allergrootste belang om tot een juiste diagnose te komen. Deze ondervraging vergt tijd en ervaring. De ene patiënt heeft meer tijd nodig dan de andere om zijn klachten juist te verwoorden. Bij minder relevante informatie probeert de arts de ondervraging bij te sturen om snel tot een diagnose te komen. Het is in een klimaat van vertrouwen dat deze informatie wordt uitgewisseld. Een goede anamnese vanwege de patiënt en de arts spaart veel onnodige onderzoeken uit.

Atheromatose in de familie voor de leeftijd van 60 jaar kan wijzen op een erfelijke voorbeschiktheid. Een persoon met een erfelijke familiale belasting heeft veel meer kans op een hartziekte vooral indien hij nog andere risicofactoren heeft zoals roken, verhoogde bloeddruk en diabetes.

Hartauscultatie en klinisch onderzoek

Wat zijn harttonen?

De harttonen worden beluisterd met een stethoscoop. Bij elke pompslag van het hart zijn er twee tonen hoorbaar. De eerste toon aan het begin van de uitdrijvingsfase van bloed uit het hart komt overeen met het sluiten van de mitraalklep en de tricuspidaalklep, de tweede toon komt overeen met het einde van de uitdrijvingsfase van bloed uit het hart en het sluiten van de pulmonaalklep en de aortaklep.

Indien de cardioloog een bijkomende toon hoort dan kan dit wijzen op een afwijking van het hart. Een derde toon komt voor bij hartzwakte maar kan bij jonge personen nog normaal zijn. Een vierde toon komt voor bij verhoogde bloeddruk of verstijving van de hartspier.

Wat is hartgeruis?

Hartgeruis bij een jong kind is vaak de aanleiding om een cardioloog te raadplegen. De meeste types hartgeruis bij kinderen zijn gelukkig onschuldig. Het geruis dat dan te horen is met de stethoscoop is meestal te wijten aan de bloedstroom over de normale kleppen. Doordat de wand van de borstkas bij kinderen zeer dun is kan de arts dit geruis horen. Dit is een normaal geruis of een fysiologisch geruis en uiteraard onschuldig.

Bij een klepvernauwing kan de bloedstroom versnellen. Hierdoor kan de arts een hartgeruis horen ter hoogte van de borstwand. Een vernauwing van de aortaklep veroorzaakt bijvoorbeeld een geruis dat uitstraalt tot in de halsstreek.

Bij een kleplek hoort de cardioloog ook een geruis. Zo is een geruis bij een lek van de mitraalklep hoorbaar in zijligging op de linkerkant en straalt het uit naar de linkeroksel.

Geruis of abnormale tonen zijn soms te wijten aan aangeboren hartafwijkingen. Een ontdubbelde tweede toon zonder variatie van de ademhaling kan wijzen op een atriumseptumdefect. Hierbij vloeit er een overmaat aan bloed door de longvaten omdat het zuurstofrijke bloed van de linkervoorkamer terug naar de rechtervoorkamer vloeit en vandaar opnieuw naar de longen.

Een continu geruis onder het sleutelbeen links wijst op een open ductus Botalli. Voor de geboorte, wanneer de longen nog niet ontplooid zijn, leidt de ductus Botalli het bloed van de longslagader naar de lichaamsslagader. Na de geboorte sluit de ductus zich en stroomt het bloed van de longslagader in de longcirculatie en van daar naar de linkervoorkamer. Als de ductus na de geboorte openblijft dan komt een deel zuurstofarm bloed van de longslagader in de aorta.

Wat is het hartritme?

Het hartritme of de hartslag is het aantal keer per minuut dat het hart bloed wegpompt. Men kan dit tellen aan de pols. Het ritme is normaal regelmatig. Extrasystolen of overslagen zijn haperingen in deze regelmaat, een volledig onregelmatige hartslag komt voor bij een voorkamerfibrillatie.

Onderzoekt de cardioloog nog andere lichaamsdelen?

Slagaders

Naast het beluisteren van de harttonen voert de cardioloog ook een algemeen lichamelijk onderzoek uit waarbij hij de toestand van de slagaders onderzoekt die bloed sturen naar de benen, naar de hersenen en naar de beide armen. Bij een vernauwing van deze slagaders is de kans ook groter op kroonslagadervernauwing bij borstpijn.

Het luisteren met de stethoscoop ter hoogte van de halsstreek, de liezen en de buikstreek is nuttig om geruis op te sporen. De luidheid van het geruis stemt evenwel niet altijd overeen met de ernst van de vernauwing van een bloedvat, zo is het geruis minder luid wanneer het bloedvat bijna is dichtgeslibd.

De arts neemt de bloeddruk (figuur 13) steeds aan de beide armen want een bloeddrukverschil wijst op een vernauwing van een sleutelbeenarterie.

Indien de slagaders in de lies niet te voelen zijn, dan wijst dit op een ernstige vernauwing van de grote buikslagader. Niet alleen kramp in de benen maar ook lage rugpijn bij het stappen of impotentie komen dan voor doordat de bloedtoevoer in het kleine bekken en de onderbenen onvoldoende is.

Halsstreek

Het nakijken van de venen in de hals is nuttig om de graad van vulling van het veneus systeem te beoordelen. De halsvenen staan in verbinding met de rechtervoorkamer. Om de druk in de halsvenen te beoordelen ligt de patiënt horizontaal op de onderzoekstafel waarbij de romp en het hoofd een hoek van 45° maken met de onderste ledematen.

Onderste ledematen

Het uitsijpelen van water uit de bloedbaan in de lichaamsweefsels veroorzaakt oedemen. Oedemen kunnen te wijten zijn aan een overvulling van het vaatstelsel. Een van de oorzaken is een onvoldoende pompwerking van het hart of hartfalen waarbij de patiënt op korte tijd meerdere kilo's kan bijkomen. Meestal verschijnen de oedemen het eerst op de plaats waar de druk in de bloedvaten door de zwaartekracht het hoogst is. Bij normaal rondlopen verschijnen oedemen ter hoogte van de onderste ledematen, bij langdurige bedrust ter hoogte van de rug. Oedemen ter hoogte van de onderste ledematen zonder hartzwakte zijn het gevolg van een slechte circulatie in de aders van de onderste ledematen door bijvoorbeeld spataders of een gezwel in het kleine bekken dat drukt op de grote lichaamsader in de buik.

Buikstreek

De rand van de lever kan men normaal niet voelen tenzij de hand tijdens het inademen van de patiënt onder de rechterkant van de ribbenboog glijdt. Indien de lever vergroot is dan voelt men de rand van de lever gemakkelijk en het aantal centimeter onder het ribbenrooster is een maat voor de leververgroting. Soms zetten de halsvenen enkel op na het uitoefenen van een lichte druk op de buikstreek. Deze positieve hepato-jugulaire reflux is meestal een teken van hartzwakte en waterophoping.

Waarom onderzoekt de cardioloog de longen?

Afwezigheid van ademgeruis kan te wijten zijn aan een vochtuitstorting rond de longen door hartverzwakking van de rechterkamer. Bij verzwakking van de linkerkamer met wateroverlast op de longen is het ademgeruis hoorbaar maar abnormaal.

Wijst een opzetting van de halsvenen op een hartverzwakking?
Gestuwde halsvenen zijn niet altijd het gevolg van een hartverzwakking maar wijzen meestal op een onderliggende afwijking van het hart of de bloedvaten tenzij bij patiënten met chronisch longlijden.

Opzetting van de halsvenen komt voor bij een vena cava superior syndroom door overdruk in de bovenste lichaamsader zonder overdruk in het hart. De bovenste lichaamsader kan bijvoorbeeld verstopt zijn (trombose) na het plaatsen van meerdere pacemakersondes of door een groot klierenpakket dat de ader van buitenaf toedrukt. De afvoer van het bloed van de hersenen en de bovenste ledematen naar de rechterkant van het hart is hierdoor belemmerd.

Belangrijke vochtophoping in het hartzakje (pericarduitstorting) met opzetting van de halsvenen is een ander voorbeeld.

Preoperatief cardiaal onderzoek

Het nut van het preoperatief cardiaal onderzoek

Voor de meeste patiënten die een operatie ondergaan is voordien geen bijzonder hartonderzoek noodzakelijk. De huisarts is de geschikte persoon om bij valide patiënten door gerichte ondervraging en een klinisch onderzoek voor de ingreep het cardiaal risico te bepalen. Enkel deze patiënten waarbij niet gekende hartklachten worden vermoed dienen een cardioloog te raadplegen, en ook gekende hartpatiënten. Bij deze laatste is een korte controle van belang om de hartmedicatie eventueel aan te passen voor de operatie.

De anesthesist die de patiënt onder algehele narcose brengt is verantwoordelijk voor een continue controle van de pols, de bloeddruk en de functie van de hersenen tijdens de narcose. De narcose veroorzaakt een te hoge of een te lage bloeddruk en bloedverlies tijdens de operatie geeft bloeddrukval. De toestand van het hart moet goed zijn zodat de anesthesist de bloeddrukschommelingen gemakkelijk kan corrigeren door het toedienen van medicatie of vocht.

Angor pectoris bij de minste inspanning verhoogt de kans op een hartinfarct tijdens of na de ingreep doordat de doorbloeding van de kroonslagaders bij bloeddrukval vermindert. De cardioloog wenst dan meestal bijkomende hartonderzoeken zoals een coronariografie of een film van de kroonslagaders tenzij de ingreep zeer dringend is.

Patiënten met een slechte hartfunctie die tekens vertonen van overvulling door hartverzwakking of hartfalen krijgen vooraf vochtafdrijvende medicatie toegediend en de cardioloog kan de anesthesist inlichten over de graad van hartverzwakking zodat specifieke voorzorgen kunnen worden getroffen.

Wat is endocarditisprofylaxe?

Patiënten met hartgeruis door een slecht werkende klep of door een aangeboren hartafwijking worden antibiotica toegediend bij welbepaalde ingrepen ter hoogte van de mond, de luchtwegen, de genitaliën en de darmen (dit is endocarditis-profylaxe). 'Profylaxe' duidt op een maatregel om een bepaalde ziekte te voorkomen en 'endocarditis' is meestal een verwikkeling of een complicatie bij welbepaalde ingrepen waarbij bacteriën in de bloedbaan terechtkomen. Lekkende of vernauwde kleppen hebben geen glad oppervlak en zijn onregelmatig van vorm zodat zij meer vatbaar zijn voor infecties. In normale omstandigheden ruimen onze witte bloedcellen de enkele microben op die toevallig in de bloedbaan komen. Bij personen met zieke kleppen kleven de microben sneller op de hartkleppen. Doordat één microbe zich snel vermenigvuldigt ontstaat snel een hoopje microben die zich door een korstje van bloedplaatjes afschermen van de witte bloedcellen. Op deze manier ontstaat een infectie van de hartklep of endocarditis. Om dit te voorkomen stelt de cardioloog antibiotica voor bij risicopatiënten die bepaalde tand-, maagdarm-, gynaecologische of urologische ingrepen of onderzoeken ondergaan.

Welke operaties houden het grootste risico in voor het hart?

Operaties met een laag risico zijn oppervlakkige operaties zoals ingrepen aan de borst of aan de ogen.

Ingrepen aan de halsslagaders, heupoperaties en ook blaas- en prostaatoperaties houden een middelgroot risico in.

Het cardiaal risico is het grootst bij operaties aan de grote buikslagader (aorta), de slagaders van de benen en de dringende grote operaties.

Het risico voor het hart tijdens een operatie staat in verband met het bloedverlies en de bloeddrukschommelingen.

Hoe spoort de cardioloog het zuurstoftekort op van de hartspier?

Personen die weinig fysieke inspanning verrichten en waarbij een operatie van middelgroot cardiaal risico is gepland krijgen bijkomende testen, ook wanneer ze geen hartklachten hebben. Patiënten op latere leeftijd nemen immers weinig beweging en kunnen 'stille' vernauwingen hebben met het risico van een hartinfarct bij een belasting van het hart door de operatie. Hoge leeftijd alleen is een risicofactor voor kroonslagadervernauwing (mannen vanaf de leeftijd van 65 en vrouwen vanaf de leeftijd van 75 jaar).

Een fietsproef (figuur 17) is op latere leeftijd niet altijd mogelijk door heup- of knieproblemen of doordat men niet gewoon is om te fietsen. Een fietsproef kan met zekerheid ernstige vernauwingen op de kroonslagaders uitsluiten wanneer de patiënt 85 % van zijn maximale theoretische hartfrequentie kan fietsen zonder pijn in de borststreek met een normaal elektrocardiogram. Indien de persoon onvoldoende kan fietsen dan heeft de inspanningsproef op de fiets weinig waarde.

In dit laatste geval is een dobutamine-echografie (figuur 21) van het hart een oplossing. Bij dit onderzoek wordt dobutamine toegediend in een ader van de arm zodat het hartritme versnelt. De cardioloog onderzoekt het hart door het nemen van een elektrocardiogram en door echografie. Dobutamine is een geneesmiddel dat de pompwerking en de hartfrequentie verhoogt en hierdoor ook het zuurstofverbruik van de hartspier. Bij het minste teken van zuurstoftekort van het hart wordt de proef onderbroken. Tekens van zuurstoftekort van het hart zijn, in chronologische volgorde: het uitvallen van de pompfunctie van een gebied van het hart, het verschijnen van een afwijking op het elektrocardiogram, het optreden van angor pectoris.

Indien deze veranderingen al optreden bij een geringe belasting dan is een operatief ingrijpen medisch niet verantwoord. Men spreekt dan van een cardiale contra-indicatie voor de ingreep. Eventueel zal dan een verdere cardiale oppuntstelling gebeuren door een coronariografie.

Een andere manier om het hart op de proef te stellen is het toedienen van persantine of adenosine die specifiek de kroonslagaders openzetten. Nadien dient de arts een isotoop toe dat zich afzet in de hartspier (een isotoop is een licht radioactieve stof die volgens zijn samenstelling bepaalde organen zal kleuren die met een speciale camera op de dienst nucleaire geneeskunde worden gefilmd, figuur 23, 24). Vernauwde kroonslagaders zetten zich niet goed open na toediening van persantine waardoor dit gedeelte van het hart dat door de vernauwde kroonslagader wordt bevloeid minder intensief kleurt op het beeldmateriaal.

Wat stelt de cardioloog voor bij hartverzwakking of klepprobleem?

Bij cardiaal zwaar belaste patiënten met een klepgebrek of een hartverzwakking probeert de anesthesist plotselinge bloeddrukschommelingen tijdens de operatie te vermijden. In functie van het hartdebiet en de bloeddruk in de rechter- en de linkerhelft van het hart past hij voortdurend de hoeveelheid vocht en medicatie aan.

Welke behandeling stelt de cardioloog in om het cardiaal risico voor een operatie te verminderen?

Patiënten die een dringende operatie ondergaan met een verhoogd cardiaal risico worden door de anesthesist bewaakt: hij meet de bloeddruk aan beide zijden van het hart door het inbrengen van een Swan-Ganz-katheter voor de kleine circulatie en van een slagaderkatheter voor de grote circulatie.

Een niet dringende operatie kan door de cardioloog worden uitgesteld om de toestand van de patiënt op cardiaal vlak te stabiliseren. Dit kan gebeuren door het toedienen van waterafdrijvende geneesmiddelen bij patiënten met hartzwakte of door het uitvoeren van een ballondilatatie bij een kritische kroonslagadervernauwing. Bij meerdere vernauwingen kan een coronaire overbruggingsoperatie gewettigd zijn indien de geplande operatie een zware belasting is voor het hart.

Elektrocardiografie

Hoe komt het dat er in het hart elektrische activiteit is?

De sinusknoop (zie figuur 2) of de gangmaker van het hart bestaat uit een groepje automatische cellen die 70 keer per minuut een prikkel afgeven. Na de depolarisatie van de cellen rond de sinusknoop wordt eerst de rechter- en nadien de linkervoorkamer geprikkeld. Door de elektrische prikkel trekken de voorkamers samen aan het einde van de diastole waarbij het bloed van de voorkamers naar de kamers wordt gestuwd. Na de depolarisatie van beide voorkamers komen de elektrische prikkels samen in de atrioventriculaire knoop of AV-knoop. Hier wordt de elektrische activiteit uit de voorkamers afgeremd zodat het bloed voldoende tijd heeft om beide kamers te vullen voordat deze elektrisch geprikkeld worden. De prikkel geleidt verder vanuit de AV-knoop naar de His-bundel, de rechter- en de linkerbundeltak (die in het tussenschot tussen de twee kamers lopen) om te eindigen in het Purkinje-systeem dat uit hartspiercellen bestaat die zorgen voor de prikkeling van de rechter- en de linkerkamer.

Zeer snel na de depolarisatie van de hartcellen volgt een repolarisatie waarbij de geprikkelde cellen terug in rusttoestand keren.

Hoe wordt een cel geprikkeld?

In rust is de binnenzijde van de cel negatief tegenover de buitenzijde. Na prikkeling van de hartspiercel volgt een depolarisatie waarbij positief geladen deeltjes over de celmembraan van buiten naar binnen stromen waardoor de binnenzijde van de cel positief wordt. Bij de repolarisatie komt de cel terug in rusttoestand.

Wat is een elektrocardiogram?

Elektrocardiografie (figuur 14) is de registratie van de elektrische activiteit van de hartspier, een techniek die al 100 jaar oud is. Dit levert een elektrocardiogram op.

De gelijktijdige depolarisatie van de hartspiercellen veroorzaakt potentiaalverschillen die, ter hoogte van de huid, door elektrocardiografie worden opgemeten.

Op een strook papier die aan 25 mm per seconde loopt wordt een horizontale lijn opgetekend. De lijn wordt onderbroken door de elektrische hartactiviteit, voorgesteld door golven en complexen (figuur 15).

Het elektrocardiogram (figuur 16) heeft dus twaalf afleidingen waarbij de potentialen worden opgeschreven in zes perifere en zes precordiale afleidingen.

Wat is een P-golf, een QRS-complex en een T-golf? (figuur 15)
Een P-golf en het QRS-complex zijn deflecties die overeenkomen met de depolarisatie of de elektrische prikkeling van respectievelijk de voorkamers en de kamers. De repolarisatie van de voorkamers en van de kamers, waarbij de hartcellen uit geactiveerde toestand in rusttoestand gaan, komt overeen met de T-golf. Brede Q-golven kunnen wijzen op een doorgemaakt hartinfarct.

De delen van het elektrocardiogram tussen de bovengenoemde deflecties zijn de segmenten. Normaal zijn de segmenten iso-elektrisch, dit betekent dat zij op de basislijn liggen. Door de analyse van het ST-segment kan de cardioloog zuurstofgebrek van het hart zien. Zo wijst een depressie van het ST-segment tijdens de inspanning op een zuurstofgebrek van het hart tijdens inspanning. Bij verlengde pijn in de borst in rust wijst een ST-depressie of een ST-elevatie (dit is een uitwijking van het ST-segment onder of boven de basislijn) meestal op een hartinfarct.

Wat kan de cardioloog afleiden uit het rustelektrocardiogram?

Een rustelektrocardiogram wordt afgenomen bij patiënten met verlengde pijn in de borststreek in rust en kan een hartinfarct aantonen. Een infarct met een elevatie van het ST-segment (figuur 28) vergt een andere behandeling dan een infarct zonder elevatie van het ST-segment. Bij ST-elevatie maakt de cardioloog de kroonslagader zo snel mogelijk open door ballondilatatie of door het toedienen van een trombolyse. Een infarct zonder ST-elevatie wordt gestabiliseerd met plaatjesremmende medicatie en bloedverdunners. Coronariografie gebeurt achteraf.

Stoornissen in het hartritme kunnen door het nemen van een elektrocardiogram precies worden achterhaald.

Een te traag hartritme, onder de 60 slagen per minuut of bradycardie, kan te wijten zijn aan een stoornis van de gangmaker van het hart. Anderzijds kan de elektrische geleiding tussen de voorkamer en de kamer zwak zijn. Totaal AV-blok is een volledige onderbreking van de elektrische geleiding tussen de voorkamers en de kamers waardoor de prikkeling van de kamers te traag is. Dit veroorzaakt meestal een uitgesproken polsvertraging met duizeligheid of kortstondig bewustzijnsverlies. Uitgesproken bradycardie of AV-blok met polsvertraging wordt door de plaatsing van een pacemaker behandeld.

Een te snel hartritme boven de 100 slagen per minuut of een tachycardie kan te wijten zijn aan een ritmestoornis van de voorkamer of van de kamer. Door zorgvuldige analyse van het elektrocardiogram kan de cardioloog meestal de plaats en het mechanisme van de ritmestoornis achterhalen en dus een optimale behandeling instellen.

Hoe wordt een elektrocardiogram afgenomen?

De patiënt ligt in een ontspannen houding. Spierspanning veroorzaakt afwijkingen op het 'filmpje' of artefacten die waardeloos zijn. De huid wordt vooraf gereinigd en soms licht afgeschuurd. Aldus is het contact tussen de huid en de elektroden optimaal en worden storingen vermeden.

Wat zegt het rustelektrocardiogram niet?

Een rustelektrocardiogram zegt ons niets over de activiteit van het hart tijdens een inspanning en is dus geen goede test om na te gaan of de patiënt een vernauwing heeft ter hoogte van de kroonslagaders van het hart.

Inspanningsproef op de fiets of op de loopband (figuur 17)

Welke veiligheidsvoorschriften worden in acht genomen?

- De inspanningsproef wordt enkel uitgevoerd in het bijzijn van de cardioloog.
- Er wordt een stilstaande fiets gebruikt, met mogelijkheid van toenemende belasting van de pedalen (figuur 17).
- De registratie van het hartritme verloopt continue.
- Een bloeddrukmeter.
- Een defibrillator (figuur 9).
  Dit is een toestel waarmee de cardioloog een elektrische shock geeft bij eventuele hartstilstand, uitgelokt door ernstig zuurstoftekort van de hartspier. Dit kan voorvallen bij een vernauwing van de oorsprong van de linkerkroonslagader (hoofdstam) of bij meerdere ernstige vernauwingen.
- Een elektrocardiografietoestel.

Voorbereiding voor de proef

- De patiënt draagt lichte kledij.
- De borststreek is vrij voor het plaatsen van de elektroden. Borstharen worden soms weggeschoren opdat de elektroden goed zouden blijven kleven.
- Nuchter zijn hoeft niet maar kort voor de test een zware maaltijd nemen is te vermijden.
- Medicatie die het hartritme vertraagt wordt enkele dagen voordien gestopt indien de cardioloog zuurstoftekort van het hart wil aantonen maar mag bij een controle meestal verder worden genomen.
- Een verdikking van de linkerkamer, een volledige bundeltakblok links en de inname van digitalis maken de interpretatie van het elektrocardiogram tijdens de inspanning moeilijk.

Het verloop van de inspanningsproef

- De graad van belasting voor de patiënt is uitgedrukt in aantal Watt. Het meest gebruikte protocol is een belasting van 25 of 50 Watt bij de start, afhankelijk van de fysieke conditie van de patiënt, gevolgd door een verhoging van 25 Watt per minuut.
- Tijdens de fietsproef wordt een bloeddrukmeting en een elektrocardiogram om de minuut herhaald.
- Er is een continue monitoring van het hartritme opdat de patiënt in alle veiligheid kan fietsen.
- Het is normaal dat de hartfrequentie en de bloeddruk tijdens de inspanning stijgen. De maximale hartfrequentie wordt berekend als volgt: 220 min de leeftijd in jaren. Deze maximale hartfrequentie wordt zelden bereikt tijdens een fietstest.
- Tekens van zuurstoftekort zijn pijn ter hoogte van de borststreek, ter hoogte van de armen of de tanden maar ook hartritmestoornissen, bloeddrukval of depressie van het ST-segment. Bij tekens van zuurstoftekort zal de cardioloog de inspanningsproef onmiddellijk onderbreken.
- De patiënt kan de inspanning ook staken bij moeheid in de benen of bij kortademigheid.

De waarde van de inspanningsproef bij het opsporen van zuurstoftekort van het hart

- De sensitiviteit en de specificiteit van een gewone inspanningstest zijn beperkt.
- De sensitiviteit of de gevoeligheid van de fietstest ligt rond de 60 %. Dit betekent dat 40 patiënten op 100 met een normale fietsproef toch ernstige vernauwingen hebben aan de kroonslagaders.

- De specificiteit van een onderzoek is de kans dat een positieve test ook daadwerkelijk te wijten is aan zuurstofgebrek. De specificiteit van de fietsproef ligt rond de 80 %. Premenopauzale vrouwen zonder risicofactoren hebben soms een vals negatieve test.

De voorspellende waarde van de inspanningsproef
- Het is aangetoond dat patiënten die een normale volwaardige inspanningstest kunnen leveren een kleiner risico hebben op cardiaal overlijden vergeleken met patiënten die dat niet kunnen.
- De voorspellende waarde van de fietsproef voor een hartinfarct is eerder gering. Een normale fietsproef op dag 1 betekent dus niet dat men op dag 2 geen hartinfarct kan doormaken.

Contra-indicaties voor de inspanningsproef
- Ongecontroleerde verhoogde bloeddruk.
- Een ernstige vernauwing aan de aortaklep is geen absolute contra-indicatie bij een klachtenvrije patiënt.
- Een ernstige verzwakking van het hart met tekens van waterretentie of oedeem.
- Angor pectoris in rust.

Voorwaarden
- De patiënt moet een voldoende inspanning kunnen leveren tot 85 % van de maximale hartfrequentie volgens de leeftijd. Dit is niet altijd mogelijk bij patiënten met artrose van de onderste ledematen of de heupen.
- Een rustelektrocardiogram met een gestoord ST-segment is onbetrouwbaar voor het nagaan van zuurstoftekort bij inspanning. Dit kan voorkomen in de volgende gevallen: een pacemaker in de rechterkamer die werkt in rust, een vergroting van de linkerkamer, de inname van digitalis, een volledige bundeltakblok links.
- Een goede interpretatie van het elektrocardiogram tijdens inspanning is belangrijk om stille ischemie op te sporen. Stille ischemie is zuurstoftekort van het hart zonder dat de patiënt pijn heeft en betekent niet noodzakelijk dat de toestand niet ernstig is. Kortademigheid zonder pijn met afwijkingen op het elektrocardiogram tijdens de inspanning wordt een angina pectoris equivalent genoemd.

Echocardiografie

Worden er stralen gebruikt bij een echografie?

De echocardiografie (echografie van het hart) is een ultratonenonderzoek zonder stralingsbelasting.

Tweedimensionale beelden zijn afbeeldingen van het hart waarbij de ultratonenbundel het hart in één snedevlak doorkruist. Het hart kan schematisch worden voorgesteld als een afgeknotte kegel met de punt naar linksonder en de basis naar achteren gekeerd. De cardioloog bekijkt dan een snedevlak van deze 'kegel' in de lange of de korte as.

De M-modus bekijkt de beweging van een structuur in de tijd op een lijn die het tweedimensionale beeld doorkruist. Zo wordt elk deel van de hartspier in kaart gebracht. Nieuwe technieken zullen ons in de nabije toekomst in staat stellen om, tijdens een routineonderzoek, een snelle driedimensionale reconstructie van het hart uit te voeren.

Bij een doppleronderzoek (figuur 18) worden evenmin stralen gebruikt. Met deze ultrasonische methode wordt de snelheid van het bloed gemeten en door het meten van snelheden kan de inwendige druk worden afgeleid zonder het inbrengen van een katheter.

Welke toepassingen kent men vandaag in de cardiologie door de echografie?

- Een studie van de rustfase van het hart of de klassieke echocardiografie.
- Een studie van het hart tijdens een inspanning op een speciale fiets waarbij een echografie wordt gemaakt (inspanningsechocardiografie, figuur 20).
- Het toedienen van dobutamine via een ader waardoor het hart wordt versneld en de pompwerking van alle delen van het hart wordt nagekeken (dobutamine-echografie, figuur 21).
- Bij slokdarmechografie (figuur 22) van het hart wordt een speciale echografiesonde in de slokdarm gebracht om precies de functie van de mitraalklep te bestuderen en eventuele klonters in de voorkamers van het hart beter te bestuderen. Gezien de mitraalklep en de linkervoorkamer achteraan liggen, kan een sonde die op de buitenkant van het lichaam is geplaatst, gericht op het hart, deze structuren niet goed in kaart brengen.

Hoe verloopt een routine-echocardiografie?

- De patiënt hoeft niet nuchter te zijn voor een routine-echocardiografie. De cardioloog plaatst een sonde ter hoogte van de borststreek om het hart in beeld te brengen.
- Zijligging op de linkerkant wordt verkozen omdat het hart dan gekanteld ligt; hierdoor is de afstand tussen het hart en de echografiesonde kleiner. De interpositie van lucht in de longen is storend voor de echografiebundel en geeft slechte beelden.
- De ultrageluiden worden weerkaatst door de lucht in de longen en de onderzoeker moet een goed venster vinden, dit wil zeggen een

plaats waar de sonde een goed beeld weergeeft van het hart. Dit is meestal ter hoogte van de vierde intercostaalruimte links naast het borstbeen of ter hoogte van het hartpunt.

De metingen tijdens een routine-echocardiografie

- De berekening van de ejectiefractie van de linkerkamer is normaal 60 %, dit is het gedeelte bloed van de linkerkamer dat tijdens de contractie van de linkerkamer in de aorta wordt gestuwd.
- Het opsporen van littekens van de hartspier na een doorgemaakt hartinfarct.
- De diameter van het hart aan het einde van de vullingfase van het hart (einddiastolische diameter) en de diameter van het hart aan het einde van de uitdrijvingsfase van het hart (eindsystolische diameter) bij een verzwakking van het hart.
- De dikte van de hartspier.
- De beweeglijkheid van de kleppen en eventuele verkalkingen.
- De weerslag van een lekkende klep op de hartwerking.

Wat is het doppleronderzoek van het hart (figuur 18)?

Het doppleronderzoek laat toe om snelheden van het bloed over de kleppen te meten en de normale functie ervan na te gaan. Indien een klep vernauwd is (stenose) dan zal de snelheid over de klep toenemen omdat het debiet of de hoeveelheid bloed die in de buis stroomt constant is. Ook de graad van een kleplek kan worden nagegaan door de hoeveelheid bloed dat terugstroomt of de intensiteit van het dopplersignaal.

Anderzijds is er een gekend verband tussen de snelheid van het bloed over een klep en het drukverval over de klep. Dit laat ons toe om het drukverschil over de vernauwde klep te berekenen met een echografietoestel zonder een katheter in het bloedvat te brengen. Ook de druk in de longslagader kan worden berekend door een doppler van een kleine lekstroom ter hoogte van de tricuspidaalklep (of de kleine hoeveelheid bloed die tijdens de systole van de rechterkamer terugstroomt over de tricuspidaalklep naar de rechtervoorkamer).

Wat is een kleurendoppler en wat is zijn toepassing (figuur 19)?

De kleurendoppler berekent de snelheid van het bloed in het hart en zet deze om in een kleurcode.

De kleur wordt bepaald door de richting en de snelheid van de bloedstroom. Het bloed dat stroomt in de richting van de sonde is rood en het bloed dat wegstroomt van de sonde is blauw.

De bloedstroom in het hart is te vergelijken met stromend water door een buis en deze stroom is laminair. Dit betekent dat de snelheid van het bloed aan de randen van de buis dezelfde is als in het midden van de buis. Deze laminaire *flow* wordt voorgesteld als een egaal rode of blauwe kleur. Indien er een mozaïek verschijnt dan wijst dit op een turbulentie door bijvoorbeeld een vernauwing.

Vooral de graad van een kleplek kan in één oogopslag worden nagekeken door de hoeveelheid bloed die terugstroomt. De graad van het lek wordt uitgedrukt in een veelvoud van een aantal vierden. Een lek van 1/4 is miniem, een lek van 2/4 is matig, een lek van 3/4 is ernstig en een lek van 4/4 is massief. Men kan insufficiëntie of lekken van de aortaklep, de mitraalklep en de tricuspidaalklep nagaan. Een beperkt lek van de pulmonaalklep is klassiek en wijst niet op ziekte. Ook bij aangeboren hartafwijkingen is de kleurendoppler zeer handig om een abnormale bloedstroom aan te tonen en de juiste diagnose te stellen. Vroeger was hiervoor steeds een hartkatheterisatie nodig met drukmetingen en analyse van bloedstalen op verschillende plaatsen in de rechterhelft van het hart. Door het bepalen van de zuurstofsprong kan men vermoeden waar het defect zich bevindt. Bij het atriumseptumdefect en een ventrikelseptumdefect is namelijk een vermenging van zuurstofrijk bloed van de linkerhelft van het hart met de rechterhelft van het hart en ontstaat er een plotselinge toename van het zuurstofgehalte in de rechtervoorkamer of in de rechterkamer. Het debiet of de hoeveelheid bloed die per minuut in de longcirculatie stroomt is dan ook groter dan in de lichaamscirculatie. De verhouding van het longdebiet tegenover het lichaamsdebiet of de shunt bepaalt de ernst van de aangeboren hartafwijking. Indien de verhouding van het debiet van de longcirculatie tegenover de lichaamscirculatie groter is dan 1.5, dan is de shunt significant.

Wanneer is de echocardiografie niet geschikt?

Als de patiënt weinig echogeen is, dan is de echografie niet geschikt om de hartfunctie te bestuderen en ook het nut van de kleurendoppler om een kleplek op te sporen is gering. De beeldkwaliteit van het beeld is zwak, ondanks alle inspanningen van de onderzoeker. Om een goed beeld te hebben met een echografie dienen de uitgezonden ultratonen ook te worden weerkaatst door het hart. Bij overgewicht gaat er veel ultrageluid verloren en is de beeldkwaliteit zwak. Dit is ook het geval bij chronische longpatiënten wanneer de longen meer lucht bevatten dan normaal zodat de stralenbundel wordt teruggekaatst. Nochtans kan de arts in de meeste gevallen toch een globale indruk krijgen van de werking van het hart en de kleppen.

Echocardiografie tijdens inspanning (figuur 20)

Voordeel van het onderzoek
- Geen stralingsbelasting.
- Gevoeliger test om een zuurstofgebrek van het hart op te sporen in vergelijking met het inspanningselektrocardiogram.
- Zeer snelle informatie omdat men het hart ziet bewegen tijdens de inspanning.

Schikking van het onderzoek
- De inspanning wordt door de patiënt tijdens een fietstest zelf geleverd.
- De patiënt is in halfliggende houding en op de linkerzijde gekeerd.
- De onderzoeker bevindt zich aan de linkerzijde van de patiënt en voert een echocardiogram uit tijdens de opeenvolgende fases van de proef.

Het nadeel van de techniek
- Men moet 85 % van zijn maximale theoretische hartfrequentie bereiken om betrouwbaar te zijn. Dit is soms onmogelijk bij heel dikke patiënten met artrose van de knie.
- Een halfliggende houding aannemen is voor oudere personen soms moeilijk.

Samenvatting

De cardioloog voert geen hartoperatie uit maar is onderlegd in het opsporen van zuurstoftekort, afwijkingen van het ritme en van de kleppen van het hart. De cardioloog beoordeelt of pijn in de borststreek bij een patiënt werkelijk het gevolg is van een onderliggende hartaandoening. Ook de patiënten die geen klachten hebben en bij wie een operatie is gepland raadplegen de cardioloog. Hij verklaart de patiënt op cardiaal vlak geschikt voor de operatie door een preoperatief cardiaal onderzoek.

Tijdens de raadpleging kan de cardioloog al een goed overzicht krijgen door gerichte ondervraging, een klinisch onderzoek, een elektrocardiogram en een echocardiogram. Het elektrocardiogram en het echocardiogram in rust geven de cardioloog geen informatie over eventueel zuurstoftekort van het hart. Bij een persoon die nooit een hartinfarct doormaakte is het elektrocardiogram in rust normaal. Een normaal elektrocardiogram en een normale pompfunctie van de hartspier in rust betekenen niet dat er geen vernauwingen zijn op de kroonslagaders van het hart. Om dit aan te tonen is een inspanningsproef nuttig.

Een normaal elektrocardiogram en een echocardiogram in rust kunnen afwijkend zijn tijdens inspanning door zuurstoftekort van de hartspier. Zuurstof-

tekort bij inspanning wordt gekenmerkt door een daling van het ST-segment op de elektrocardiogram en een verminderde contractie van een deel van de hartspier op het echocardiogram. Zuurstoftekort van de hartspier tijdens inspanning wijst op een of meerdere kroonslagadervernauwingen.

10 Cardiale oppuntstelling in het hospitaalmilieu

Cardiale scintigrafie tijdens een inspanningsproef

Wat is scintigrafie (figuur 23, 24)?

Cardiale scintigrafie is een onderzoek dat wordt uitgevoerd op de dienst nucleaire geneeskunde. Hierbij wordt een isotoop zoals thallium-201 of technetium-99m via intraveneuze weg toegediend. Een isotoop zendt een hoeveelheid radioactiviteit uit maar de hoeveelheid is zo klein dat dit niet gevaarlijk is voor de patiënt. Het isotoop passeert eerst het rechterdeel van het hart en de longen en vandaar gaat het grootste deel naar de linkerkamer die het isotoop in lichaamscirculatie naar de kroonslagaders pompt. Deze laatste splitsen zich in kleine aftakkingen die in de hartspier lopen en die het isotoop vervoeren tot aan de hartspiercellen. Enkel de hartspiercellen nemen thallium of technetium op in rust of tijdens een inspanning zodat de intensiteit van de radioactieve kleuring overeenkomt met de doorbloeding van de hartspier.

De patiënt krijgt de intraveneuze injectie met het isotoop tijdens maximale inspanning op de fiets. Alle delen van het hart worden normaal gelijk gekleurd weergegeven. Bij een vernauwing op één van de kroonslagaders is het kleurenbeeld van een deel van het hart tijdens de piekinspanning anders doordat de vernauwde kroonslagader zich minder goed openzet.

Nadien wordt het isotoop in rust toegediend en dit nieuwe beeld wordt vergeleken met de opname tijdens inspanning.

Hoe verloopt het onderzoek?

De patiënt ligt onmiddellijk na de inspanning onder een speciale camera (figuur 23) en er worden beelden gemaakt.

Normaal zet het isotoop zich in dezelfde intensiteit in het hart af. De kleuring is dan intens en egaal (figuur 24).

Bij een inspanningstest met een vernauwing op een kroonslagader ziet de cardioloog een defect. Dit is een zone die minder kleur vertoont doordat de vernauwde kroonslagader zich tijdens de inspanning niet goed openzet.

Indien er tijdens de inspanning helemaal geen kleuring is, dan is er sprake van amputatie. Dit wijst meestal op een zeer ernstige vernauwing of op een infarct.

De zone van verminderde activiteit in een gedeelte van het hart kan te wijten zijn aan een verminderde doorbloeding of kan te wijten zijn aan attenuatie wanneer organen tussen de camera en het hart het beeld verzwakken (dit wijst niet op een verminderde doorbloeding).

Waarom wordt er na een inspanningstest de dag nadien een rustopname van het hart gemaakt?

De verminderde kleuring kan te wijten zijn aan interpositie van eigen lichaamsweefsel en niet aan een verminderde opname door het hart. Bij interpositie van weefsel is de kleuring tijdens de rustopname en tijdens de inspanning identiek.

Anderzijds kan er tijdens de inspanningsfase een verminderde kleuring zijn die volledig normaliseert tijdens de rustfase. Dit wijst op zuurstofgebrek van het hart.

Het niet kleuren van een deel van het hart op het beeldmateriaal tijdens een inspanning (amputatie) met een volledige normalisatie tijdens de rustfase wijst op extreem zuurstoftekort.

Wat is het voordeel van cardiale scintigrafie tegenover de gewone inspanningstest?

In vergelijking met een gewone fietsproef heeft scintigrafie een grotere gevoeligheid of sensitiviteit.

Bij inspanningsangor door een vernauwing van de circumflexarterie is het elektrocardiogram tijdens inspanning zelden afwijkend. De beelden door inspanningsscintigrafie tonen hier evenwel een verminderde kleuring van de zijwand en de achterwand van de hartspier. Het is nuttig om de plaats van zuurstofgebrek aan te tonen voor men tot coronariografie overgaat.

Anderzijds heeft de patiënt met een afwijkend elektrocardiogram tijdens inspanning niet altijd pijn in de borst. Ofwel is er werkelijk zuurstoftekort van het hart (stille ischemie) ofwel heeft de persoon een normaal hart en is de test vals positief. Ook hier is inspanningsscintigrafie nuttig om de diagnose van stille ischemie te bevestigen.

De specificiteit van scintigrafie is ook beter dan die van een gewone inspanningselektrocardiogram. Veel patiënten zonder hartklachten hebben een afwijkend elektrocardiogram tijdens inspanning; deze test is vals positief omdat het hart normaal is. Andere afwijkingen op het inspanningselektrocardiogram zijn moeilijk te beoordelen omdat het rustelektrocardiogram afwijkend is door bijvoorbeeld een verdikking van de hartspier (aspecifieke repolarisatiestoornissen). In al deze gevallen is inspanningsscintigrafie nuttig om met zekerheid een vernauwing aan de kroonslagaders uit te sluiten.

Scintigrafie is bovendien een kwantitatieve proef en gaat de uitgebreidheid van het zuurstoftekort na bij inspanningsangor. Verschillende zones van verminderde kleuring wijzen op een aantasting van meerdere kroonslagaders of op een vernauwing van een kroonslagader aan zijn oorsprong. Uitgebreid zuurstoftekort bij inspanning noodzaakt sneller een coronariografie om de vernauwingen in beeld te brengen en efficiënt te behandelen met een ballondilatatie of een overbruggingsoperatie.

Wat zijn de nadelen en de beperkingen van een isotopenonderzoek?

- De test is alleen waardevol wanneer de patiënt voldoende kan fietsen en minstens 85 % van zijn maximale theoretische hartfrequentie bereikt. Deze graad van belasting is moeilijk voor de patiënten met artrose van de onderste ledematen of hoogbejaarde patiënten. De leeftijd in jaren min 220 is de maximale theoretische hartfrequentie volgens de leeftijd.
- Er is een zekere graad van stralingsbelasting.
- Bij de patiënten die een lage kans hebben op kroonslagadervernauwing is de kans van een vals positief resultaat groter.
- De kostprijs van het onderzoek is hoger dan een fietsproef.

Cardiale scintigrafie met persantine of adenosine

Oudere personen met gebrek aan spierkracht of met artrose van de heupen en de knieën kunnen onvoldoende fietsen. Het toedienen van vaatverwijdende medicatie (persantine of adenosine) is hier een alternatief om het hart op de proef te stellen. Deze vaatverwijdende medicatie zet de kroonslagaders van het hart open net zoals bij een gewone inspanning. Een kroonslagader met een vernauwing zet zich niet goed uit en dus is er minder kleuring op het beeldmateriaal van de hartzone die bloed krijgt van de vernauwde kroonslagader, na de injectie van het isotoop. De patiënt die persantine krijgt mag de ochtend van het onderzoek geen thee of koffie drinken. Patiënten met astma krijgen beter geen persantinetest aangezien persantine een astmacrisis kan uitlokken. Om de werking van persantine snel ongedaan te maken (bijvoorbeeld bij hevige pijn in de borst) kan de arts theophylline toedienen. Als de patiënt theophylline inneemt voor een longziekte heeft de test weinig waarde.

Samenvatting
Cardiale scintigrafie maakt gebruikt van een isotoop, dit is een licht radioactieve stof die niet gevaarlijk is voor de patiënt. Het onderzoek bekijkt de doorbloeding van de hartspier en spoort dus vernauwingen van de kroonslagaders op. Tijdens de inspanning verdeelt een isotoop zich normaal gezien egaal over de hartspier. Na de inspanning neemt de patiënt onder een speciale camera plaats. Wanneer de patiënt geen hartafwijking vertoont zijn de beelden gelijk in kleurintensiteit. Het deel van het hart dat zonder zuurstof valt bij inspanning is minder doorbloed door de vernauwde kroonslagader. Een verminderde kleuring is in dit geval te wijten aan de lagere afzetting van het isotoop in dat gebied. De beelden tijdens inspanning worden vergeleken met een rustopname. Bij zeer ernstig zuurstoftekort is er een amputatie van een deel van de hartspier tijdens de inspanning met een volledige herverdeling van de kleurstof tijdens de rustopname.
Indien de patiënt niet kan fietsen dan kan de cardioloog persantine toedienen via de aders waardoor de kroonslagaders zich openzetten. De scintigrafiebeelden na het toedienen van persantine worden vergeleken met de rustbeelden.

Dobutamine-echocardiografie (figuur 21)

Het ultratonenonderzoek van het hart, of echocardiografie, bekijkt de spierwerking in rust maar dit geeft geen informatie over eventueel zuurstofgebrek bij inspanning.

Met dobutamine-echocardiografie bekijkt de cardioloog of er een toename is van de spierkracht van de hartwand tijdens inspanning.

Echografie toont hoe de hartspier tijdens de uitdrijvingsfase samentrekt. Dit is te zien door een verdikking van de wand van de hartspier. Het eerste teken van zuurstoftekort van de hartspier is het 'achterblijven' van een deel van de hartspierwand. Dit houdt in dat de wand nog normaal verdikt maar dat hij later reageert dan het gezonde gedeelte. Bij toenemend zuurstoftekort trekt de wand minder samen (hypokinesie) en ten slotte valt de werking helemaal uit (akinesie).

Dobutamine is een geneesmiddel dat wordt toegediend op de afdeling intensieve zorgen bij de patiënten met hartverzwakking. Bij een dobutamine-echocardiografie dient de cardioloog een kleine dosis van dit geneesmiddel toe via een infuus in de arm. Dobutamine versnelt de polsslag en versterkt de hartslag en hierdoor stijgt het zuurstofverbruik. De dosis dobutamine wordt geleidelijk opgevoerd tot aan een maximale dosis van 40 microgram per kilogram per minuut. De polsslag stijgt tijdens de proef en dobutamine wordt gestopt eens de maximale hartfrequentie volgens de leeftijd is bereikt. Het maximale aantal hartslagen per minuut voor een patiënt wordt berekend door van 220 de leeftijd in jaren af te trekken. Indien de hartslag onvoldoende is gestegen na 40 microgram dobutamine dan dient de cardioloog 1 milligram atropine toe.

Voordelen van het onderzoek

- Nuttig wanneer de patiënt niet voldoende kan fietsen.
- Nuttig wanneer het rustelektrocardiogram niet te beoordelen is op zuurstoftekort, zoals bij een volledige linkerbundeltakblok, inname van digoxine, pacemakerstimulatie.
- Er is geen stralingsbelasting voor de patiënt.
- Het risico van een hartinfarct of een hartritmestoornis is klein en even groot als bij een gewone fietstest.
- De patiënt hoeft zelf geen lichamelijke inspanning uit te voeren.

Uitvoering

- Tijdens de gewone raadpleging cardiologie.
- Slechts een lichte maaltijd is toegelaten om misselijkheid tijdens het onderzoek te voorkomen.
- Inname van medicatie die het hartritme vertraagt wordt enkele dagen voordien gestopt.

Voorzorgen en voorwaarden

- Controle van de bloeddruk en het elektrocardiogram. De proef wordt onderbroken zodra de patiënt angor heeft. Dobutamine is snel uitgewerkt zodat het hartritme vanzelf daalt. Zo nodig kan een intraveneuze injectie met een bètablokker de patiënt sneller pijnvrij maken.
- Ervaring vanwege de onderzoeker is vereist om de verandering van de samentrekking van een gedeelte van de hartspier op een correcte manier te bepalen.
- De patiënt moet voldoende echogeen zijn om alle delen van de hartwand te zien. Bij ernstig overgewicht zijn de echografiebeelden meestal slecht. Bij patiënten met een ernstige longziekte kan de onderzoeker een beter beeld van het hart krijgen door de sonde ter hoogte van de maagstreek te plaatsen.

Wanneer vraagt de cardioloog een dobutamine-onderzoek?
Een andere toepassing is het opsporen van de levensvatbaarheid van de hartspier na een hartinfarct. Hierbij gaat de cardioloog na of dit deel van de hartspier dat wordt bevloeid door een afgesloten bloedvat nog leefbare cellen bevat. Als het hartinfarct een volledig litteken heeft veroorzaakt, dan is een herstelling van de bloedtoevoer van het gebied van weinig nut omdat alle cellen afgestorven zijn.

Wanneer het litteken na een infarct onvolledig is wordt het akinetische gedeelte na een lage dosis dobutamine hypokinetisch en dit wijst op levensvatbaarheid. Een gebied dat levensvatbaar is en dat niet meer samentrekt kan deels herstellen wanneer de bloedtoevoer is hersteld door ballondilatatie of door een overbruggingsoperatie. Een vergelijkbare situatie is een 'verlamming' van een deel van de hartspier door een ernstige vernauwing van één of meerdere kroonslagaders zonder dat er een hartinfarct is opgetreden (in het Engelse vakjargon: *stunning*). Deze *stunning* wordt verklaard door herhaalde episodes van zuurstofgebrek. Een verbetering van de kracht van de hartspier na een lage dosis dobutamine wijst dan op levensvatbaarheid. Zo weet de cardioloog dat revascularisatie van het hart of het herstellen van de doorbloeding in de vernauwde kroonslagaders, de hartspier zal versterken en de patiënt kan helpen.

Bij een hibernatie van de hartspier trekt het hart niet goed samen door het verlaagd metabolisme; dit is te vergelijken met de winterslaap van een dier. Dit komt voor bij ernstige progressieve vernauwingen van de kroonslagaders waarbij het hart zichzelf beschermt door zijn zuurstofverbruik te verminderen en een hartinfarct of ernstig zuurstoftekort wordt vermeden. Ook hier kan een lage dosis dobutamine de spierkracht van het hart verbeteren zodat de cardioloog weet dat er nog leefbare spiercellen zijn en dat het herstellen van de bloedvoorziening van het hart zinvol is.

Samenvatting

Dobutamine stimuleert de hartspier en verhoogt het zuurstofverbruik van de hartspier. Het onderzoek is nuttig om zuurstofgebrek van de hartspier op te sporen en heeft het voordeel dat er geen stralingsbelasting is voor de patiënt. Voor het onderzoek moet de patiënt voldoende echogeen zijn; patiënten met ernstig overgewicht zijn geen goede kandidaten.

Naast het opsporen van zuurstoftekort kan de dobutamine-echografie resterende overlevende cellen opsporen in de zone van een hartinfarct.

Slokdarmechocardiografie

Wat is slokdarmechocardiografie? (figuur 22)

In tegenstelling tot gewone echocardiografie bevindt de sonde zich niet op de borststreek maar in de slokdarm. De cardioloog schuift een buisje van een duim breed tot in de slokdarm en op de tip van dit buisje bevindt zich de sonde die ultrageluiden uitzendt en opvangt.

Dit buisje heeft een lengte van ongeveer 60 cm. De tip van de buis kan via een kleine hendel van buitenaf worden gebogen. De sonde kan draaien in een vlak van 180° door de bediening van een wieltje naast de hendel. Zo kan de cardioloog alle vlakken van het hart bestuderen. De techniek wordt *multi-plane*-echografie genoemd. Het uiteinde van het buisje bestaat uit een verbindingsstuk waardoor de echografiesonde op dezelfde beeldmachine kan worden aangesloten die gebruikt wordt bij transthoracale echocardiografie.

Aangezien de slokdarm tegen de achterzijde van het hart ligt kan de echosonde op enkele centimeter van het hart heel mooi beeldmateriaal geven van de mitraalklep, de linkervoorkamer en de linkerkamer, de aortaklep en de longslagader.

Voorbereiding van het onderzoek

- Infuus in ader van de arm om een licht kalmeermiddel toe te dienen en om zo nodig tijdens het onderzoek een zoutoplossing in te spuiten.
- Verdoven van de keel met xylocaïnespray.

Is het onderzoek onaangenaam?

- De cardioloog duwt met twee vingers de achterkant van de tong van de patiënt naar beneden en glijdt nadien de sonde achteraan in de keel.
- Het is normaal dat de patiënt tijdens het inbrengen van de sonde lichte braakneigingen heeft maar deze gaan vlug over na diep inademen door de neus.
- Het is van belang dat men slikt wanneer de tip van de sonde zich achteraan in de keel bevindt zodat de sonde vanzelf in de slokdarm glijdt.
- Tijdens het onderzoek is het beter niet te slikken omdat het speeksel door de verdoving van de keel in de luchtpijp kan lopen en hoesten het onderzoek belemmert.

Wanneer is het onderzoek aangewezen? Indicaties van slokdarmechocardiografie.

- Het aantonen van bloedklonters in de linkervoorkamer kan enkel door slokdarmechocardiografie en niet met een gewone echocardiografie. Bloedklonters in de linkervoorkamer komen vaak voor bij een voorkamerfibrillatie.
- Bij het opsporen van een infectie van de hartkleppen of endocarditis is slokdarmechocardiografie het beste onderzoek. Een vegetatie die kleiner is dan 1 cm wordt bij gewone echocardiografie gemist.

- Bij kunstmatig beademde patiënten op de afdeling intensieve zorgen is de beeldkwaliteit door gewone echocardiografie matig. De ingeblazen lucht vormt een luchtvenster tussen het hart en de borststreek waardoor de ultrageluiden van de sonde op de borststreek worden weerkaatst. Slokdarmechocardiografie is hier een oplossing en geeft niet alleen nauwkeurige beelden maar is ook niet belastend voor de patiënt.
- De controle van het resultaat na een klepreparatie is een andere toepassing. Indien de hartchirurg een reparatie of een plastiek uitvoert aan de mitraalklep vraagt hij de cardioloog om het resultaat tijdens de operatie te beoordelen.
- Bij een patiënt met een hartzwakte die een zware ingreep ondergaat waarbij bloedverlies optreedt is een nauwkeurige bewaking van het hart van belang. Door slokdarmechocardiografie kan de anesthesist de werking van het hart zien en de vulling van het hart beoordelen tijdens de operatie. Zo kan hij beter de vochtbalans en de medicatie aanpassen naar gelang de noden van de patiënt.
- Bij vermoeden van een scheur in de thoracale aorta wordt de sonde tot in de maag gebracht en van het hart weggedraaid. Bij het terugtrekken van de sonde kan de thoracale aorta tot aan de aortaboog worden bestudeerd.
- Bij patiënten met een verlamming door zuurstoftekort van de hersenen wordt een vernauwing van een halsslagader of een te hoge bloeddruk behandeld. Indien de arts geen onderliggende aandoening vindt, vraagt hij slokdarmechocardiografie aan om een opening tussen de rechter- en de linkervoorkamer op te sporen. Het tussenschot tussen de twee voorkamers is na de geboorte meestal volledig dicht. In 15 % van de gevallen is er evenwel een plooi ter hoogte van het foramen ovale dat opengaat bij overdruk. Aldus kan een kleine bloedklonter vanuit de aders een slagader opstoppen (paradoxaal embool). Een open foramen ovale kan ook de oorzaak zijn van een voorbijgaande verlamming (TIA) zonder dat de arts een klonter ziet. De opening is inderdaad meestal klein en wordt enkel duidelijk opgemerkt door het inspuiten van een zoutoplossing in de ader van een arm. Deze oplossing wordt ook contrast genoemd en is zichtbaar als kleine belletjes. Indien de patiënt perst gaan er enkele belletjes door de toenemende druk in de rechtervoorkamer naar de linkervoorkamer omdat het foramen even opengaat. Deze patiënten worden vandaag behandeld met een klein parapluutje dat in opgevouwen vorm op een katheter is gemonteerd en door het foramen wordt geduwd, waar het zich ontplooit als een lapje stof.

Voorzorgsmaatregelen voor slokdarmechocardiografie

- Een goede medewerking van de patiënt is van belang voor het goede verloop van het onderzoek.
- De patiënt moet minstens zes uur volledig nuchter zijn en mag twee uur na het onderzoek niet eten of drinken (omdat zijn keel nog verdoofd is).
- Tijdens het onderzoek krijgt de patiënt een kleine dosis kalmeermiddel; het besturen van de wagen onmiddellijk na het onderzoek is niet aangeraden.
- Bij een vroeger vastgestelde afwijking van de slokdarm moet men vooraf de cardioloog verwittigen. De sonde voor transoesofagale echocardiografie wordt namelijk 'blind' in de slokdarm geplaatst, zonder dat er camerazicht is zoals bij een gastroscopie. Er is dus risico van het kwetsen van de slokdarm.

Samenvatting

Bij slokdarmechocardiografie wordt de sonde niet op de borststreek geplaatst maar in de slokdarm. Het onderzoek toont de structuren aan de achterzijde van het hart die niet goed zichtbaar zijn bij transthoracale echocardiografie. De patiënt moet nuchter zijn en krijgt een licht kalmeermiddel. Het onderzoek geeft uitstekende beelden van de mitraalklep en de voorkamers. De slokdarmechocardiografie kent vele toepassingen zoals het beoordelen van een plastiek aan de mitraalklep tijdens een hartoperatie, het nakijken van klonters in de voorkamers bij patiënten met een TIA en het uitsluiten van een dissectie van de aorta.

Coronariografie

Wat is coronariografie?

Coronariografie is het vastleggen op film van de kroonslagaders van het hart (figuur 33, 34). De coronairen of de kroonslagaders omgeven het hart als een kroon (figuur 3, 30). Zoals eerder uitgelegd is atheromatose van de kroonslagaders één van de hoofdoorzaken van een hartinfarct en enkel door coronariografie kan de cardioloog precies weten waar de vernauwingen zich bevinden. Coronariografie is geen operatie maar een onderzoek waarbij de cardioloog met een prikje de liesstreek lokaal verdooft (figuur 32). Het onderzoek is volledig pijnloos en duurt ongeveer 20 minuten. Na dit onderzoek kan de cardioloog de patiënt beter behandelen en kan hij oordelen of de behandeling van de hartpatiënt door medicatie alleen nog voldoende is. Vernauwingen die zeer ernstig zijn en die de patiënt blootstellen aan het risico van een hartinfarct worden best behandeld met een overbruggingsoperatie of een ballondilatatie.

Coronariografie is dus niet noodzakelijk bij een persoon met weinig frequente stabiele inspanningsangor die onder medicatie een normale belastingsproef kan afleggen en waarbij de pompfunctie van de linkerkamer bewaard is.

De behandeling van kroonslagadervernauwing heeft vier doelstellingen

- Verlengen van de levensverwachting van de patiënt met ernstige kroonslagadervernauwing door het vermijden van een hartinfarct en de verbetering van de pompfunctie van de linkerkamer.
- Verbeteren van de levenskwaliteit van de patiënt met stabiele inspanningsangor.
- Opnieuw opnemen van een actief beroepsleven na een doorgemaakt infarct door aangepaste cardiale revalidatie.
- Vermijden van een nieuwe vernauwing door een aangepaste levenswijze en een secundaire preventie.

Wanneer wordt coronariografie aangevraagd?

- Na een hartinfarct met angor pectoris in rust of angor bij een geringe belasting.
- Bij onstabiele angor met angorcrisissen in rust, verlengde angor of toenemende aanvallen bij een voordien stabiele angor.
- Bij inspanningsangor zonder effect van medicatie met een beperking van de inspanningscapaciteit van een actieve persoon.
- Bij angor pectoris met kortademigheid in rust door waterophoping in de longen (longoedeem). Dit wijst doorgaans op een ernstig meervatslijden of een aantasting van de oorsprong van de linkercoronair (hoofdstam en/of de linker arteria descendens en/of de circumflex).
- Bij stabiele angor pectoris bij een persoon die een beroep uitoefent waardoor het leven van anderen in gevaar zou komen (buschauffeurs, piloten etc).

Wanneer moet de cardioloog coronariografie uitstellen of vermijden?

- Bij recente inname van bloedverdunners of metformine (medicatie tegen suikerziekte).
- Bij verminderde nierwerking bij een patiënt die voordien geen speciale voorbereiding kreeg (voldoende vochttoevoer, toediening van acetylcysteïne) omdat contraststof een belasting is voor de nieren.

- Bij eerdere allergie op jodiumhoudende contraststof bij een patiënt die voordien geen speciale voorbereiding kreeg (cortisone, antihistaminica).
- Indien de patiënt geen medewerking verleent.
- Bij een patiënt die niet kan platliggen door hoestbuien of een hartverzwakking.
- De kans op een verwikkeling is groter bij een patiënt die ouder is dan 75 jaar, bij een slechte functie van de linkerkamer, bij vernauwing van meerdere kroonslagaders, bij diabetes en bij overgewicht.

Welke zijn de mogelijke verwikkelingen bij coronariografie?

Ernstige problemen komen voor in minder dan 5 gevallen op 1000 onderzoeken.

- Onderhuidse bloeding in de lies noodzaken soms transfusie of een kleine operatie (verwijderen van de onderhuidse bloedklonters en het hechten van het aangeprikte bloedvat).
- Zuurstoftekort ter hoogte van de hersenen of blokkade van de nieren komt voor als een klein stukje cholesterol aan de binnenzijde van het bloedvat loskomt bij de passage van de katheter. De bloedstroom voert dit cholesteroldeeltje mee dat zich dan stroomafwaarts in de hersenen of de nieren vastzet.
- De contraststof trekt water uit het bloed aan, zoals een zoutoplossing, en bij patiënten met een ernstige hartverzwakking kan een longoedeem voorkomen.
- Een zeer ernstige vernauwing aan de oorsprong van een grote kroonslagader kan tijdens het onderzoek dichtvallen, met hartstilstand tot gevolg.
- Allergische reacties zijn banaal of ernstig. Bij een vroegere allergische reactie wordt de patiënt enkele dagen voor het onderzoek goed voorbereid door het nemen van antihistaminica en cortisone.
  - minder ernstige reacties: roodheid van de huid en jeuk.
  - ernstige allergische reacties kunnen optreden na vroegere minder ernstige reacties: astma-aanval, ernstige bloeddrukval of anafylactische shock.

Wanneer is coronariografie levensreddend?

Op film vastleggen van de toestand van de kroonslagaders is levensreddend wanneer een patiënt met ernstige hartklachten niet goed reageert op medicatie en een groot hartinfarct dreigt door te maken. Dit zijn patiënten met:

- Blijvende rustangor onder medicatie en bedrust.
- Stabiele angor en een vermoeden van een ernstige vernauwing aan de oorsprong van de linkerkroonslagader, hetzij op de linkerhoofd-

stam zelf, hetzij juist na zijn afsplitsing ter hoogte van de anterior descendens links of de arteria circumflex.
- Een slechte pompfunctie van de linkerkamer en tekens van zuurstoftekort op de hartspier.

In deze gevallen zal een revascularisatie (het opnieuw geven van voldoende bloed aan het hart) de overlevingskans verbeteren of het risico van een hartinfarct verminderen. Deze revascularisatie kan percutaan zijn (letterlijk door de huid door het inbrengen van een katheter via de lies naar het hart met een ballondilatatie en een *stenting* van de vernauwing) of kan gebeuren via een open hartoperatie met een insnede het borstbeen (sternotomie). De plaats, het aantal en het aspect van de vernauwing (in een bocht of in een afsplitsing van een bloedvat, kort of lang) bepalen het type revascularisatie. In bepaalde gevallen zijn een hartoperatie en een ballondilatatie evenwaardig, en wordt rekening gehouden met de voorkeur van de patiënt.

Voorbereiding van het onderzoek
- De patiënt moet 12 uur voor het onderzoek nuchter zijn.
- De verpleegster plaatst een buisje in de ader van de arm waarin een traag lopende fysiologische zoutoplossing druppelt. Zo nodig dient de cardioloog tijdens het onderzoek via dit buisje medicatie toe.
- De ochtend van het onderzoek scheert de verpleegster de liesstreek zodat de ontsmetting van de huid in de lies optimaal is en er geen risico is van inwendige infectie van de bloedvaten door een huidmicrobe.

De plaats van het onderzoek
De coronariografie wordt uitgevoerd in de katheterisatiezaal (figuur 31). Hier staat een patiëntentafel opgesteld en een draaibare röntgenbuis met een beeldversterker voor scopie en filmopname. Filmbeelden van de kroonslagaders zijn noodzakelijk om de toestand nadien te bekijken maar een filmrol is vandaag uit de tijd. Tegenwoordig verkiezen de artsen videocassettes of digitale beelden.

In de katheterisatiezaal staan ook veel monitoren voor de controle van de bloeddruk, het elektrocardiogram en de ademhaling van de patiënt tijdens het onderzoek. Zuurstof kan via een neusbril of een masker worden toegediend en ook alle materiaal voor reanimatie is voorhanden, waaronder een uitwendige defibrillator om een stroomstoot te geven op de borststreek bij een hartstilstand door kamerfibrillatie en materiaal voor kunstmatige beademing via een buisje dat wordt ingebracht in de luchtpijp. Verder nog medicatie tegen lage hartslag en te lage bloeddruk waaronder adrenaline, atropine, noradrenaline, dopamine, dobutamine.

Praktische aspecten voor het onderzoek

- De patiënt heeft een operatiehemd aan en gaat op de tafel liggen.
- Sieraden op de borststreek zijn verboden aangezien zij de röntgenstralen tegenhouden en een zwarte vlek op de scopie en de film geven.
- De verpleegster plaatst elektroden op de borststreek om het hartritme te volgen en eventueel kan zij ook een kleine gummiclip op de vinger plaatsen om het zuurstofgehalte in het bloed te volgen bij een patiënt met ademnood.
- De cardioloog volgt de bloeddruk niet met een manchet maar met de katheter die zich in de slagader bevindt. De druk wordt gemeten door een speciale drukleiding en het cijfer is onmiddellijk op de monitor af te lezen, samen met het elektrocardiogram en de eventuele zuurstofsaturatie van het bloed.
- Eerst wordt de liesstreek ontsmet met isobetadine of met een ander product indien de patiënt allergisch is aan jodium.
- De patiënt houdt zijn handen naast zich om de steriele zone in de lies niet te besmetten. Vervolgens worden er steriele lakens rond de ontsmette zone gelegd opdat de cardioloog volstrekt steriel zou kunnen werken.

Het onderzoek zelf

- De cardioloog verdooft de huid van de arm of de lies plaatselijk met een kleine prik.
- Hij prikt met een dikkere naald in de slagader van het been of de arteria femoralis. De punt van de naald zit in het bloedvat wanneer er rood spuitend slagaderbloed komt. Nu plaatst de arts een metalen soepele draad door de naald tot in de slagader. Na het uittrekken van de naald schuift hij een plastic buisje of *sheath* over de draad die op zijn beurt wordt teruggetrokken. Deze techniek wordt de Seldinger-techniek genoemd. Door dit plastic buisje schuift de arts vervolgens een soepele en plooibare voerdraad van de buikaorta tot in de aorta ascendens. Deze voerdraad geleidt de stijvere katheters naar de kroonslagaders zodat de binnenwand van de grote lichaamsslagader niet wordt gekwetst.
- Bij de Sones-techniek komt de cardioloog via de rechterarmarterie in de sleutelbeenarterie en nadien in de aorta ascendens. Na het vrijmaken van de armarterie via een kleine incisie in de huid brengt de arts het bloedvat aan de huidoppervlakte en maakt hij met een schaartje een klein gaatje in de slagader waardoor hij de

stijve Sones-katheter schuift. Met deze katheter maakt hij een film van de kroonslagaders en de linkerkamer.
Patiënten die ernstige vernauwingen van de slagaders van de onderste ledematen hebben kunnen tegenwoordig ook een ballondilatatie ondergaan via de armarterie door de Seldinger-techniek.

- Na het plaatsen van de katheters in de opening van de kroonslagaders spuit de arts contraststof in. Contraststof houdt de X-stralen tegen zodat de bloedvaten van het hart wit oplichten en de rest van de film zwart is. De filmbeelden worden verwerkt en later opnieuw bekeken (radiocinematografie). Bij videobeelden en digitale beelden keert de kleur om en wordt contraststof zwart waardoor de analyse van de beelden gemakkelijker is.

Welke beelden maakt de cardioloog tijdens de coronariografie?

- De rechterkroonslagader *(Right Coronary Artery)* of RCA (figuur 33) bevloeit het rechterdeel van het hart en zijn eindtakken bevloeien de onderkant en een deel van de achterkant van het hart. De linkerkroonslagader splitst zich in een Cx *(Circumflex artery)* en een LAD *(Left Anterior Descending artery) (figuur 34)*. De LAD bevloeit de voorzijde van het linkerdeel van het hart en het tussenschot van het hart (septale takken), geeft enkele zijtakken of diagonaaltakken af en eindigt ter hoogte van het hartpunt (apex van het hart). De Cx draait naar de linkerzijkant van het hart en geeft laterale zijtakken af om te eindigen aan de achterkant van de kamers.
- Men spreekt van een dominante rechterkroonslagader indien de Cx klein is en de RCA bijna de volledige achterkant van het hart bevloeit.
- Na het vaststellen van een eventuele vernauwing kunnen vaatverwijdende middelen (nitraten) in het bloedvat worden ingespoten om uit te maken of de vernauwing is veroorzaakt door een spasme (of het samentrekken van de spiertjes rond het bloedvat) of door een echt atheroom (een afzetting van kalk en cholesterol).
- Met een speciale katheter *(pig-tail)* maakt de cardioloog een film van de werking van de linkerkamer. Hij kan de pompwerking van het hart beoordelen doordat de contraststof de hartboorden goed aflijnt tijdens de rustfase en de uitdrijvingsfase van het bloed en beoordeelt een eventuele hartverzwakking of een oud infarctlitteken. Het inspuiten van contrast in de linkerkamer veroorzaakt een voorbijgaand warmtegevoel. Een aneurysma van de linkerkamer is een verzwakking van een deel van de wand na een doorgemaakt infarct waarbij het litteken tijdens uitdrijvingsfase uitpuilt door de toenemende druk in de linkerkamer. Een groot aneurysma kan scheuren

of de haard zijn van bloedklonters. Een verkalkt aneurysma dat niet scheurt kan ook ernstige hartritmestoornissen uitlokken.

Drukmetingen

- Bij een uitgesproken hartzwakte verhoogt de contraststof de druk aan het einde van de uitdrijvingsfase van de linkerkamer. Een te hoge einddiastolische linkerventrikeldruk kan longoedeem uitlokken.
- Met de ingebrachte katheters wordt de arteriële bloeddruk continu gevolgd op een monitor. Een uitgesproken drukdaling bij het terugtrekken van de katheter uit de linkerkamer naar de aorta kan wijzen op een vernauwing van de aortaklep; een drukdaling in de kroonslagader wijst op een ernstige vernauwing aan de oorsprong van het bloedvat.

Nazorg

Zodra het buisje of de *sheath* uit de liesslagader is verwijderd duwt de dokter of een helper nog een tijdje boven het gaatje van de liesslagader om een onderhuidse bloeduitstorting te voorkomen. Door de grotere druk is een arteriële bloeding moeilijker te stelpen dan een veneuze en afhankelijk van de dikte van de sheath duwt men gedurende 10 tot 15 minuten op de lies. De buitenste diameter van de buisjes en de katheters worden uitgedrukt in French en één French komt overeen met 0.33 mm (meestal een 6 French of een diameter van 2 mm). Met een spannend verband rond het been houdt de patiënt nadien nog zes uur bedrust in een ziekenhuiskamer.

Na het verwijderen van de Sones-katheter trekt de arts aan de twee touwtjes die in een lus rond de armslagader liggen om bloedverlies te beperken en hecht hij het insteekgaatje in de slagader met een haarfijn draadje.

Rechter hartkatheterisatie

Wat is een rechter hartkatheterisatie?

Bij een coronariografie prikt de cardioloog in de slagader en maakt hij een film van de kroonslagaders en de linkerkamer. Bij een rechter hartkatheterisatie prikt de cardioloog in een ader en onderzoekt hij de druk in het rechterdeel van het hart en de longslagaders en kan hij het hartdebiet bepalen.

Wanneer is dit onderzoek nodig?

- Bij langzame hartverzwakking door een klepgebrek.
- Bij plotse hartverzwakking na een hartinfarct.

- Bij een aangeboren hartafwijking en waarbij wordt nagegaan of er overgang is van bloed tussen de beide harthelften.

Techniek

- De toegangsweg kan de lies zijn (vena femoralis), de gemeenschappelijke halsader (vena jugularis) of een ader onder het sleutelbeen (vena subclavia).
- Via de Seldinger-techniek plaatst de cardioloog een Swan-Ganz-katheter die voorzien is van openingen voor drukmeting en een opblaasbaar ballonnetje.
- Door het opblazen van het ballonnetje kan hij de katheter sturen tot voorbij de grote longslagader tot het ballonnetje in een kleine aftakking klemt. Deze druk gemeten op de tip van de katheter in het afgesloten bloedvat is normaal lager dan 15 mm Hg. Deze druk wordt de capillaire wiggedruk en is identiek aan de druk in de linkervoorkamer.

Het belang van een rechter hartkatheterisatie

- Enkel een katheterisatie van de rechterkant van het hart geeft informatie over de druk in de linkervoorkamer en bij patiënten met een slechte pompwerking is de centraal veneuze druk gemeten in de jugularisader geen goede maat voor de vullingstoestand van het hart. Indien de capillaire wiggedruk hoger is dan 20 mm Hg dan er gevaar voor longoedeem waarbij vocht onder druk vanuit de kleine longvaten in de longblaasjes sijpelt. Bij longoedeem heeft de patiënt hevige ademnood en hoest hij rozig schuim.
- De normale druk in de longcirculatie is één vijfde van de druk in de systeemcirculatie en bij verhoogde druk in de rechterhelft van het hart spreekt men van pulmonale hypertensie.
  Bij postcapillaire pulmonale arteriële hypertensie is de pompkracht van de linkerkamer verminderd en is de capillaire wiggedruk verhoogd.
  Longziekten zoals chronische bronchitis met een emfyseem tasten de longblaasjes aan en doordat een deel van de longcirculatie is vernield stijgt de druk in de longvaten. Hier is er precapillaire arteriële hypertensie zonder verhoogde capillaire wiggedruk.
- De diagnose van een constrictieve pericarditis is moeilijk te stellen zonder een katheterisatie van de rechterkant van het hart. Het hartzakje is verhard en omgeeft het hart als een harde schelp. De patiënt heeft meestal last van waterophoping of oedeem ter hoogte van de onderste ledematen en leverzwelling en toch is het hart ondervuld. Bij een rechter hartkatheterisatie vindt de cardioloog gelijke verhoogde drukken in de voorkamers en de kamers aan het

einde van de ontspanningsfase (diastole). Een operatie met het afpellen van de harde schelp rond het hart is de voorkeursbehandeling.

Samenvatting
Hartkatheterisatie is een onderzoek waarbij de cardioloog buisjes of katheters in de rechter- of de linkerhelft van het hart plaatst. Tijdens een hartkatheterisatie meet de cardioloog de druk in het hart, bepaalt hij het hartdebiet en maakt hij een film van de kroonslagaders en de hartkamers. Vele vernauwingen op de kroonslagaders worden vandaag behandeld met een dilatatie (door een ballon en eventueel een stent).
Voor een katheterisatie wordt uitgevoerd, wordt steeds bloed afgenomen voor onder andere een controle van de bloedstolling en de nierfunctie. De patiënt mag niet kortademig zijn in rust en moet nuchter zijn. Bij een vroegere allergie aan contraststof is een speciale voorbereiding nodig.
Bij vernauwingen van de slagaders van de onderste ledematen kan de toegang via de liesslagaders moeilijk zijn en verloopt het onderzoek soms via de arm. Bij patiënten met suikerziekte wordt metformine minstens 48 uur voor een contrastonderzoek gestaakt om nevenwerkingen te vermijden.

11 Behandeling van een (dreigend) hartinfarct

Acute coronaire aandoeningen

Acute coronaire aandoeningen zijn spoedgevallen in de cardiologie die een onmiddellijke ziekenhuisopname vergen voor een aangepaste behandeling. Men onderscheidt verschillende ziektebeelden:

De instabiele angor

Dit is bijvoorbeeld een hartkramp van recente datum die opkomt bij geringe inspanning of in rust bij een persoon die voordien nooit klachten had.

Anderzijds kan een voordien stabiele angor minder snel reageren op de inname van een nitraat onder de tong, neemt het aantal crisissen toe of komt de angor op bij zeer lichte inspanningen.

Rustangor met afwijkingen van het ST-segment op het elektrocardiogram is ernstig. In het ergste geval is het troponinegehalte in het bloed enkele uren na de pijn gestegen. Hier is reeds een kleine beschadiging opgetreden van de hartspier zonder dat er echt sprake is van een hartinfarct. Troponine is een stof die alleen in de hartspiercellen voorkomt. De positieve troponinetest wijst op de vrijzetting van troponine in het bloed doordat enkele hartspiercellen afgestorven zijn, zonder dat er sprake is van een hartinfarct.

Het hartinfarct

Deze aandoening veroorzaakt een aanhoudende pijn in de borst maar ouderen of diabetespatiënten hebben soms geen pijn; dit is een stil infarct. De hartspiercellen sterven af en reeds zes uur na het begin van de klachten komt een deel van de inhoud van de cellen in de bloedbaan vrij. Creatinekinase of CK is één van de eerste spierenzymen die uit de hartspiercellen vrijkomen. Gezien creatinekinase ook voorkomt in de spiercellen kan het enzymgehalte in het bloed na een fysieke inspanning stijgen zonder dat er sprake is van een hartinfarct. Er zijn 3 isoenzymen voor creatinekinase. Deze bestaan uit een M en een B gedeelte. Het aandeel van het MM iso-enzym is in alle weefsels het grootst. Het BB iso-enzym bevindt zich daarentegen vooral in de hersenen en de darmen. Het MB iso-enzym is ten slotte het meest specifiek voor de hartspier.

Als de verhouding CK-MB over CK hoger is dan 6 procent dan wijst dit op een hartinfarct.

Het subendocardiaal infarct is een hartinfarct dat zich tot deze hartspiercellen beperkt die net onder het endocard liggen. Het endocard is het binnenste cellaagje dat het bloed in het hart scheidt van de hartspier. Het myocard of de hartspier zelf is omgeven door een buitenste laag of pericard dat bestaat uit een dubbel vliesje dat is omgeplooid. Bij een subendocardiaal infarct sterft slechts de binnenste spierschil af omdat dit deel het meest gevoelig is voor zuurstoftekort.

Het transmuraal infarct of het Q- golfinfarct (figuur 28, 30)

Dit is een infarct dat de volledige dikte van de hartspier treft met een typische elevatie van het ST-segment op het elektrocardiogram tijdens de eerste uren van het infarct. Zonder behandeling sterft een deel van de hartspier twaalf uur na af, de elevatie van het ST-segment verdwijnt en de nieuwe Q-golven zijn te wijten aan het infarctlitteken.

Het onderscheid tussen een subendocardiaal infarct en een Q-golfinfarct heeft weinig belang voor de levensverwachting van de patiënt aangezien beide aandoeningen even ernstig zijn.

De diagnose van een infarct wordt vermoed door de klachten van de patiënt en het elektrocardiogram. Bij twijfel kan een echografie van het hart nuttig zijn. De uitslagen van de bloedtest en van de verhouding van de CK-MB enzymen worden niet afgewacht omdat een snelle behandeling van levensbelang is.

Het elektrocardiogram bij een hartinfarct is van belang voor de arts om de juiste behandeling te kiezen.

Bij een hartinfarct met een elevatie van het ST-segment (figuur 28) is er een verstopping van een kroonslagader die de arts zo snel mogelijk terug open wil om de schade van een deel van de hartspier te vermijden. De kroonslagader kan worden opengemaakt door het toedienen van een klonteroplossende stof of door een spoeddilatatie met een ballon en/of *stent*.

Bij een hartinfarct zonder elevatie van het ST-segment stabiliseert de arts het hart met onder andere geneesmiddelen die inwerken op de bloedplaatjes en de bloedstolling. Een eventuele coronariografie kan dan later worden gepland.

De behandeling van acute coronaire aandoeningen op de dienst hartbewaking

Een op drie patiënten met een acuut infarct bereikt het ziekenhuis niet op tijd doordat plotseling een hartstilstand optreedt door een ongeordende elektrische activiteit van de kamers (kamer- of ventrikelfibrillatie). Bij onmiddellijke opname op de dienst hartbewaking (figuur 31) is de patiënt onder permanente controle en wordt zijn hartritme op een monitor gevolgd. Bij een ventrikelfibrillatie kan een ervaren verpleegkundige het hart defibrilleren.

In de dienst hartbewaking krijgt elke patiënt een aparte box (figuur 29). Dit is een speciale kamer met een monitor voor het hartritme en de mogelijkheid van zuurstoftoediening via masker of kunstmatige beademing voor de meest kritisch zieke patiënten. Elke patiënt krijgt elektroden op de borststreek waaraan kabeltjes vasthangen die verbonden zijn met een monitor op de kamer. Een centrale monitor die de grootte heeft van een televisiescherm brengt in het centraal bureau van de hartbewaking alle monitoren van de kamers opnieuw in beeld. De bewaking van het hartritme van elke patiënt gebeurt automatisch na het instellen van het alarm van de monitor. Hierbij gaat een waarschuwingstoon af bij een te traag of een te snel hartritme.

Naar gelang de noodzaak kan men bij de patiënt ook andere parameters volgen zoals de bloeddruk en het zuurstofgehalte in het bloed. Het meten van de bloeddruk en de hoeveelheid zuurstof in het bloed is mogelijk door respectievelijk een automatisch opblaasbare armmanchet en een vingerclip. Het resultaat van de metingen wordt dan samen met het elektrocardiogram weergegeven op de monitor in de kamer van de patiënt en vandaar naar het centrale scherm in het centraal bureau.

De bloeddruk in de slagaders kan worden gemeten met een katheter in de slagader van de pols of de lies. Een drukleiding verbindt de katheter met de monitor die dan per hartslag de curve van de bloeddruk weergeeft. Indien nodig kan de cardioloog op dezelfde manier de druk in het rechterdeel van het hart en het hartdebiet volgen na het plaatsen van Swan-Ganz-katheter via de halsader tot in de longslagader.

Fatale ritmestoornissen zoals een kamerfibrilleren doen zich vaak voor in de eerste uren van een hartinfarct en worden gestopt door een externe defibrillatie. Het toedienen van een elektroshock bij een kamerfibrillatie wordt niet gevoeld omdat de patiënt bewusteloos is. Een defibrillator is een elektrisch oplaadbaar toestel dat 360 joules energie afgeeft tussen twee geïsoleerde metalen paddels die de cardioloog op borst aanbrengt (figuur 9). Nadat voldoende stroom de hartspier heeft geprikkeld wordt de ongeordende elektrische activiteit onderbroken en is het hart gedefibrilleerd. Hierdoor klopt het hart opnieuw en herstelt de bloeddruk zodat de patiënt bijkomt.

Wat voelt men bij een hartinfarct en waarom is een hartinfarct gevaarlijk?

Doet een hartinfarct altijd pijn?

In tegenstelling tot een hartkramp die werd omschreven als een last of een druk doet een hartinfarct meestal pijn en kan dit gepaard gaan met zweten en braken. De pijn houdt langer dan 20 minuten aan en wijkt niet volledig na inname van nitraten ('kraker') onder de tong. Soms straalt zij uit naar de tanden, de schouderbladen, de arm of de maagstreek. In andere gevallen doet het hartinfarct geen pijn en treedt een tijdelijk bewustzijnsverlies op door een te traag hartritme. Vooral oudere personen hebben dikwijls geen pijn bij een hartinfarct en zijn kortademig door een longoedeem en hartverzwakking.

Hoe ontstaat een hartinfarct (figuur 8, 30)?

Een hartinfarct is het gevolg van een onderbreking van een deel van de bloedvoorziening van de hartspier door een klonter van bloedplaatjes die de kroonslagader volledig afsluit. Deze klonter vormt zich als een korstje op een wondje aan de binnenzijde van de kroonslagader. Dit wondje ontstaat door een scheurtje of een onderbreking van de binnenbekleding van het bloedvat. De binnenkant van het bloedvat wordt kwetsbaar door de afzetting van zachte cholesterolpartikels onder het endotheel. Deze broze kroonslagaderwand die zich in allerlei bochten plooit tijdens de contractie- en de ontspanningsfase kan dan aan de binnenzijde gemakkelijk scheuren. De onderbreking van het gladde laagje endotheel prikkelt de bloedplaatjes en de stollingsfactoren in het bloed. In een eerste fase is er een witte klonter of een witte trombus van de bloedplaatjes die nadien wordt verstevigd met fibrinedraden, aangemaakt uit de geprikkelde stollingsfactor fibrinogeen. Dit is te vergelijken met gewapend beton, waarbij staaldraden (fibrine) het beton (de witte trombus) sterker maken. De fibrinedraden houden de rode bloedcellen als een zeef tegen waardoor de klonter rood van kleur wordt (rode trombus).

Hevige klontervorming bij een grote scheur sluit de binnenkant van het bloedvat volledig af en veroorzaakt een hartinfarct. Langzame klontervorming bij een kleinere scheur sluit de kroonslagader gedeeltelijk af en veroorzaakt instabiele angor. Bij instabiele angor treedt beklemming op in rust of bij de minste inspanning, dit wijkt meestal na tien minuten.

Waarom zijn instabiele angor en hartinfarct spoedgevallen?

De klontervorming in de kroonslagader is een spoedgeval en bij volledige afsluiting van het bloedvat is er een hartinfarct dat het hart aan ritmestoornissen blootstelt. Vandaag overlijdt nog één op drie patiënten met een hartinfarct thuis door een hartstilstand.

Deze hartstilstand door kamerfibrillatie ontstaat meestal door een overslag van de hartkamer of een kamerextrasystole. Bij een gezonde persoon zijn overslagen onschuldig maar bij een hartinfarct veroorzaakt deze overslag soms een volledig chaotische elektrische hartactiviteit met het onmiddellijk stilvallen van de pompfunctie. Bij een hartstilstand is de hersencirculatie onderbroken en treedt er na 6 minuten reeds onherroepelijke hersenschade op. Een kamerfibrillatie op de afdeling intensieve zorgen wordt onmiddellijk behandeld door een externe defibrillatie. Bij een kamerfibrillatie buiten het ziekenhuis moet men onmiddellijk de dienst 100 opbellen. Het onmiddellijk starten van hartmassage en kunstmatige ademhaling is levensreddend.

Hoe kan men kunstmatige beademing aanleren (figuur 11, 12)?
Het klassieke ABC-schema is gemakkelijk aan te leren en kan mensenlevens redden! De A staat voor *airway* of 'ademwegen vrijmaken', de B staat voor *breathing* of het 'toepassen van mond-op-mondbeademing' en de C staat voor *circulation* of 'uitwendige compressie van de borstkas' met beide handen waardoor het bloed van de borststreek naar de hersenen wordt gestuwd. Met een efficiënte externe hartmassage loopt de systolische bloeddruk op tot 50 mm Hg; dit is genoeg om de hersencellen enkele minuten langer in leven te houden. Bij een hartstilstand thuis of op straat, zonder efficiënte hartmassage, is de overlevingskans slechts 10 %, ook bij de onmiddellijke interventie van een medisch urgentieteam. Bij een hartstilstand sterven onze hersencellen immers al na 6 minuten af en de tijd tussen het telefoontje naar de 100 en de aankomst ter plaatse is meestal meer dan 6 minuten. Zelfs wanneer velen vandaag mond-op-mondbeademing bij een onbekende op straat niet toepassen uit schrik voor een besmettelijke ziekte, verbetert hartmassage alleen ook al de overlevingskans van de patiënt.

Hoe wordt een hartinfarct vandaag behandeld?

Waarom is snelheid bij een hartinfarct levensreddend?
In de eerste plaats is het van belang dat de persoon met verdachte klachten op tijd medische hulp inroept. Het gebeurt maar al te vaak dat de patiënt de klachten van een hartinfarct kent maar dat hij niet kan geloven dat de last van zijn hart komt omdat hij voordien niets voelde. Het is des te meer verraderlijk omdat de intensiteit van de pijn van een hartinfarct sterk wisselt. Het gebeurt vaak dat de patiënt te laat in het ziekenhuis aankomt omdat hij de last eerst toeschreef aan artrose van de linkerarm, maagoprispingen of tandpijn.

Een snelle opname in een ziekenhuis beschermt de patiënt niet alleen tegen fatale hartritmestoornissen maar laat de cardioloog ook toe om het infarct binnen de zes uur na het begin van de pijn te behandelen. Dit is ideaal. Hoe sneller het afgesloten bloedvat opengaat, hoe kleiner de hartschade en hoe beter de levensverwachting. Het openmaken van het afgesloten bloedvat twaalf uur na het begin van het hartinfarct biedt minder winst aangezien een deel van de hartspier dan is afgestorven, met latere littekenvorming.

Praktische aspecten voor de familie bij een persoon met vermoeden van een hartinfarct.

Indien de persoon met gekende angorklachten pijn heeft in de borststreek en deze pijn niet volledig wijkt na de inname van nitraten dan moet hij onmiddellijk een dokter opbellen. Personen met een beklemming in de borststreek die langer aanhoudt dan 20 minuten of die gepaard gaat met misselijkheid, kortademigheid of dreigend bewustzijnsverlies moeten de huisarts opbellen of een dienstdoende dokter die snel een elektrocardiogram kan maken. Verdachte klachten en zeker een afwijkend rustelektrocardiogram noodzaken een spoedopname. Bij een hartinfarct belt men de 100 op en vraagt men een ziekenwagen met dokter opdat de patiënt onder toezicht naar het ziekenhuis kan worden gevoerd. De huisarts geeft nooit intramusculaire injecties voor pijnstilling gezien het risico van bloeding tijdens een behandeling met klonteroplossende medicatie.

De inname van 500 milligram aspirine redt levens door de remming van de werking van de bloedplaatjes die de klonter in de kroonslagader vormen.

Ideaal gaat het bloedvat binnen de zes uur na het begin van de pijncrisis open om hartschade te beperken. Een behandeling tussen de zes en de twaalf uur na het begin van de hartcrisis is mogelijk maar na 12 uur biedt een behandeling minder winst.

Hoe stelt de cardioloog een hartinfarct vast?

Het elektrocardiogram is doorslaggevend voor de diagnose en de verdere behandeling. Bij elevatie van het ST-segment (figuur 28) wordt trombolyse toegediend of wordt een spoeddilatatie van de kroonslagader gepland. Bij depressie van het ST-segment stabiliseert de arts de toestand van de patiënt met medicatie die inwerkt op de bloedstolling en de bloedplaatjes. Een eventueel kroonslagaderonderzoek wordt op een later tijdstip gepland.

Hoe wordt een hartinfarct behandeld?

Om het bloedvat open te maken beschikt men vandaag over twee methodes. Enerzijds kan de cardioloog beslissen om intraveneuze medicatie toe te dienen die de klonter in de kroonslagader oplost. Deze behandeling wordt trombolyse genoemd (*trombus* = klonter, *lysis* = het oplossen). Deze geneesmiddelen zijn zeer krachtig en herstellen de doorbloeding volledig bij 60 % van de patiënten.

Het nadeel van de behandeling is het risico van bloeding. Maagbloedingen bij een ongekende maagzweer en hersenbloedingen zijn gevreesde verwikkelingen. De kans op een hersenbloeding is ongeveer 0,5 % en meer bij oudere patiënten of patiënten met verhoogde bloeddruk. In volgende gevallen is een trombolyse niet aangewezen: bij een recente heelkundige ingreep, na een langdurige hartmassage, bij inname van bloedverdunners, bij een vroegere hersenbloeding en bij een bloeddruk die ondanks medicatie hoog blijft (systolisch boven 180 mm Hg of diastolisch boven 110 mm Hg). Bij een persoon die een intramusculaire injectie heeft gekregen of een persoon die bijvoorbeeld enkele dagen voordien een val heeft doorgemaakt met lichte kneuzingen, kunnen na een trombolyse uitgebreide inwendige bloeduitstortingen ontstaan die soms bloedtransfusie noodzaken maar die gelukkig zelden levensbedreigend zijn.

Trombolyse vergt minder ervaren personeel in vergelijking met een ballondilatatie. Trombolyse kan ook in de ziekenwagen gebeuren; dit betekent een aanzienlijke tijdwinst. Hoe sneller de behandeling wordt gestart, hoe groter de kans dat het bloedvat opengaat en hoe kleiner de schade van het hartinfarct. Om het tijdsverlies tussen de aankomst in het ziekenhuis en het starten van een trombolyse op de dienst hartbewaking te beperken kan de behandeling in de ziekenwagen worden gestart. Het tijdsverlies heeft wellicht te maken met de drukte van de spoedgevallendienst en de moeilijkheid om, zonder elektrocardiogram, de toestand van een patiënt met pijn in de borststreek te bepalen. Het is te begrijpen dat de eerste zorgen in de afdeling spoedgevallen gaan naar de patiënt met een hevig bloedende vingerwonde als de toestand van de infarctpatiënt 'schijnbaar' stabiel is. Dit verklaart onder andere waarom *'De 'time to needle'*, het tijdstip tussen de opname van de administratieve gegevens in het ziekenhuis en het tijdstip van de trombolyse bedraagt meestal 45 minuten. De trombolyse aan huis of in de ziekenwagen betekent ongetwijfeld een tijdswinst maar het risico van een verkeerde diagnose is groter zodat een deel van de patiënten met pijn in de borststreek onnodig een zware behandeling krijgt. Anderzijds gaat er in België meestal weinig tijd verloren met het transport van de patiënt.

De reperfusie is het moment dat de bloedstroom in de kroonslagader zich herstelt; dit gaat meestal gepaard met veranderingen van het hartritme. Bij een infarct van de onderwand wordt het ritme soms heel traag waardoor bloeddrukval optreedt waarvoor specifieke medicatie nodig is. Bij een reperfusie van een voorwandinfarct is er meestal een kortdurend automatisch kamerritme dat meestal goed wordt verdragen. Sinds de veralgemeende toepassing van trombolyse komt kamerfibrillatie in het ziekenhuis minder voor dan vroeger omdat de duur van zuurstofnood van het hart wordt beperkt.

Het referentieproduct voor trombolyse is tissue plasminogeen activator (t-PA), een product dat specifiek op de klonter van het hart inwerkt en de rest van de bloedstolling weinig verstoort. De dosis voor een doelmatige trombolyse is in functie van het gewicht en na een bolus volgt een versnelde infusie over 30 minuten en een restinfusie gedurende één uur. De trombolyse is niet steeds doelmatig en is het meest efficiënt wanneer deze wordt toegediend kort na het begin van het hartinfarct. Men schat dat bij 60 % van de patiënten het opgestopte bloedvat opengaat en de schade van de hartspier wordt beperkt. Het verdwijnen van de pijn en een duidelijke vermindering van elevatie in het ST-segment zijn suggestief voor het opengaan van de kroonslagader.

Vanaf het zesde uur na het begin van een niet behandeld infarct komen de hartspierenzymen in het bloed vrij. Spierenzymen zijn stoffen die zich bevinden in de cellen van het hart en die worden vrijgegeven nadat de cellen afsterven. Een geslaagde trombolyse geeft een vroegtijdige piek van spierenzymen door het uitwassen van de inhoud van de dode cellen in het infarctgebied. De bepaling van de piekwaarde van de spierenzymen noodzaakt verscheidene bloedtesten en geeft een idee van de grootte van het hartinfarct en de doeltreffendheid van de trombolyse.

Bij een contra-indicatie voor een trombolyse of mogelijkheid van hartkatheterisatie is de onmiddellijke ballondilatatie van het opgestopte bloedvat een alternatief. Hierbij maakt de cardioloog eerst een film van de kroonslagaders van het hart door het inspuiten van contraststof (coronariografie) (figuur 32). Het opgestopte bloedvat maakt hij vervolgens met een ballonnetje open. Deze ingreep noemt men PTCA (percutane transluminele coronaire angioplastiek) (figuur 35). Om de PTCA uit te voeren schuift de cardioloog een klein draadje in het opgestopte bloedvat en over dit draadje schuift hij nadien een katheter met een gemerkt ballonnetje in afgelaten toestand. Als het merkteken van de ballon zich ter hoogte van de klonter bevindt, opent de cardioloog de ballon opdat de klonter tegen de wand wordt verbrijzeld. Door de ballondilatatie wordt niet alleen de klonter maar ook de vernauwing van de kroonslagader meteen behandeld. Het voordeel van de ballondilatatie is de zekerheid van reperfusie. Men heeft meer dan 95 % kans om het bloedvat goed open te maken zodat de schade aan de hartspier beperkt is. De ballondilatatie voor het acute infarct heeft een enorme opgang gemaakt sinds het algemeen gebruik van de *stent (figuur 36, 38)*. Een *stent* is een opgevouwen metalen veertje dat op een ballonnetje is gemonteerd en bij het opblazen van dit ballonnetje wordt geopend zodat het bloedvat op de plaats van de vernauwing wordt ondersteund. Een scheurtje van de wand van de kroonslagader is immers niet altijd te vermijden wanneer de verkalkte vernauwing niet meteen is gecorrigeerd en de druk in de ballon boven de 10 atmosfeer wordt opgedreven. Bij een grote scheur klapt het bloedvat met een diameter tussen 1,5 en 4 mm dikte volledig dicht door een losliggende flap of doordat de scheur zich over de lengte van het bloedvat (dissectie) voortzet. In beide gevallen is het plaatsen van een *stent* vandaag een oplossing maar vroeger onderging de patiënt hiervoor een dringende hartoperatie.

Het nadeel van de onmiddellijke ballondilatatie voor een infarct is de noodzaak voor beschikbaar personeel en artsen die dag en nacht paraat moeten zijn. De techniek is elegant en vermijdt het risico van fatale hersenbloeding. Voldoende ervaring en voldoende training van de interventiecardioloog blijven noodzakelijk.

Anderzijds kan het infarctlitteken na een urgente kroonslagaderdilatatie groot zijn, ook al heeft de cardioloog het bloedvat snel opengemaakt. Dit is dan te wijten aan gebrekkige bloeddoorstroming in de hartspier zelf door de vrijzetting van stoffen tijdens het hartinfarct.

Trombolyse geeft slechts een goede reperfusie in 60 % van de gevallen. Bij blijvende pijn en een gestoord elektrocardiogram met een elevatie van het ST-segment kan de cardioloog beslissen om onmiddellijk nadien een ballondilatatie uit te voeren. Dit wordt een 'reddingsballondilatatie' of rescue-PTCA genoemd.

Soms kan de cardioloog de twee methoden samen gebruiken. Om geen tijd te verliezen start hij met een halve dosis trombolyticum in de dienst spoedgevallen en na het overbrengen naar het katheterisatielabo controleert hij de kroonslagader van de patiënt. Als het bloedvat nog niet open is dan voert hij een ballondilatatie (met eventueel *stenting*) uit. De meeste trombolytica hebben een korte werkingsduur zodat het risico van bloeding bij een urgente ballondilatatie of bij een urgente heelkundige overbruggingsoperatie beperkt is.

De cardiogene shock

Hierbij pompt het hart te weinig bloed rond en krijgen de organen onvoldoende voedingsstoffen en zuurstof zodat verzuring in de weefsels ontstaat. Bij een cardiogene shock is de systolische bloeddruk onder de 85 mm Hg, het hartdebiet lager dan 2 liter/min/m^2 lichaamsoppervlakte en is de vullingdruk van de linkervoorkamer hoog. Door de slechte doorbloeding van de nieren en de lever treedt een langzame 'vergiftiging' op van het lichaam met ophoping van de eigen afvalstoffen. Ondanks de nieuwste technieken van ballondilatatie of een urgente overbruggingsoperatie blijft de kans op overlijden bij een cardiogene shock nog zeer hoog. Het vroegtijdig herkennen van het ziektebeeld (ook indien de bloeddruk nog normaal is) door de meting van het hartdebiet met een Swan-Ganz-katheter is van groot belang om dadelijk een intra-aortische ballonpomp te plaatsen. Bij shockpatiënten en een hartinfarct is dit van primordiaal belang, nog voordat de cardioloog een behandeling kiest om het bloedvat open te maken. Een intra-aortische ballonpomp wordt in de aorta geplaatst, enkele centimeter onder de aftakking van de linkersleutelbeenarterie. Tijdens de ontspanningsfase van het hart blaast een uitwendige machine de ballon op en hierdoor stijgt de druk in de kroonslagaders. Aldus heeft het hart meer bloed en zuurstof en verhoogt de kans op overleving bij overbrugging of ballondilatatie.

Dringende kroonslagaderoverbruggingen (coronaire bypasschirurgie)

Een openhartoperatie tijdens een acuut infarct wordt bijna niet meer uitgevoerd aangezien de bloedklonter in de kroonslagader meestal kan worden opgegeven met medicatie of een ballondilatatie. Het opnieuw dichtklappen van het bloedvat tijdens de dilatatie is geen probleem doordat een *stent* de wand van het bloedvat kan stutten.

Volgende gevallen vergen dringende overbruggingsheelkunde

- Een vernauwing aan de oorsprong van de linkerkroonslagader (hoofdstam) bij een onstabiele patiënt.
- Een massief lek van de mitraalklep door een infarct van een spierpijler (ruptuur van de papilspier).
- Een opening in het spiertussenschot van de twee kamers waarbij een deel bloed uit de linker- naar de rechterkamer gaat in plaats van in de aorta (ventrikelseptumdefect of VSD).
- Een infarct verwikkeld met een shock waarbij de vernauwingen niet te behandelen zijn met een ballondilatatie.
- Een vernauwing aan de oorsprong van een grote kroonslagader waarbij een ballondilatatie technisch moeilijk is.

De zorgen na het hartinfarct

De zorgen na het toedienen van klonteroplossende stoffen (trombolyse)

Na een behandeling met trombolyse houdt de patiënt enige tijd bedrust en wordt hij met medicatie nabehandeld, waaronder bloedverdunners, aspirine, bètablokkers, inhibitoren van het conversie-enzym (ACE-inhibitoren, zie verder hoofdstuk 22). Als de toestand stabiel is mag hij na een dag opzitten in de zetel. Indien er 3 dagen na opname geen hartverzwakking of spontane pijn optreedt dan kan hij naar een gewone kamer. Een Holter-registratie van het hartritme schrijft het hartritme gedurende 24 uur op een cassette om eventuele late hartritmestoornissen aan te tonen. Met de echocardiografie evalueert de cardioloog de pompfunctie van het hart. De vijfde dag na het infarct voert de patiënt een inspanningsproef uit en bij angor of zuurstoftekort is een coronariografie wenselijk voordat de patiënt het ziekenhuis verlaat. Inspanningsgebonden pijn na een succesvolle behandeling van een infarct met een klonteroplossende stof kan te wijten zijn aan een restvernauwing in een bloedvat.

De cardioloog beslist om na het infarct meteen een coronariografie uit te voeren bij vermoeden van een blijvende opstopping van de kroonslagader. Met dit onderzoek kan de meest geschikte behandeling voor de individuele patiënt worden bepaald (ballondilatatie en *stenting*, heelkundige revascularisatie of een medische behandeling).

Wanneer moet de patiënt langer op de dienst hartbewaking verblijven?

Wanneer de trombolyse niet slaagt of bij een te late behandeling kunnen zich bijkomende problemen voordoen waardoor de patiënt langer dan 3 dagen op de dienst hartbewaking zal verblijven en waarbij steeds een coronariografie wordt uitgevoerd indien de algehele toestand van de patiënt het toelaat. We vermelden:

- Een longoedeem door slechte pompwerking en een uitgebreide hartbeschadiging.
- Een gedeeltelijke ruptuur van de papilspier met een lek van de mitraalklep.
- Ritmestoornissen zoals een fibrillatie van de voorkamer waarbij het hartritme te snel en onregelmatig is en er bloeddrukval optreedt.
- Nieuwe pijn in de borststreek.

De zorgen na een uitgevoerde ballondilatatie tijdens het acute infarct

Het voordeel van een acute ballondilatatie (met of zonder *stent*) is de zekerheid dat het opgestopte bloedvat na de ingreep openblijft en het feit dat de patiënt daags nadien meestal al naar een gewone kamer kan. Bovendien heeft de cardioloog bijkomende informatie over eventuele andere vernauwingen. De patiënt is dan in het begin beter geïnformeerd over een verdere behandeling. Deze kan bestaan uit medicatie alleen, uit een ballondilatatie van een ander bloedvat in een volgende periode of uit een overbruggingsoperatie bij meerdere kritische vernauwingen. Voor men een overbruggingsoperatie zal plannen, wacht men meestal 6 weken om het hart te laten recupereren tenzij de patiënt blijvende rustangor heeft.

Thuiszorg na een infarct en raadgevingen aan de familie

- Het is normaal dat de persoon die een infarct heeft doorgemaakt gedurende enkele weken vermoeid is. Deze vermoeidheid is meestal niet het gevolg van een slechte werking van het hart maar te verklaren door de psychische weerslag na het hartinfarct. Soms heeft de vermoeidheid te maken met een depressie door de onverwachte opname, de werkonderbreking en de noodgedwongen rookstop.
- De patiënt kan nog pijn ondervinden in de borststreek maar deze verschilt van de infarctpijn. Deze pijn kan banale spierpijn zijn maar de patiënt kan ook angstig zijn en schrik hebben voor een nieuw infarct. Raadpleeg de huisarts om zeker te zijn dat alles normaal is; de geruststelling is belangrijk.
- Voor enkele jaren was iedereen die een hartinfarct doormaakte definitief werkonbekwaam. Vandaag is dit gelukkig niet zo omdat een vroegtijdige behandeling in het ziekenhuis de hartbeschadiging tot een minimum beperkt. Vandaag stelt de cardioloog bovendien bij actieve mensen steeds een volledige revascularisatie voor. Dit kan door eventuele restende vernauwingen te behandelen met een ballondilatatie of met een overbruggingsheelkunde zodat het hart terug 'als nieuw is'.
- De behandelende cardioloog en de fysiotherapeut zullen beslissen welke inspanningen de patiënt in zijn dagelijkse omgeving mag leveren. Het inlichten van de familie van de patiënt is belangrijk om overdreven bescherming te vermijden.
- Het is de bedoeling dat de persoon, in de mate van het mogelijke, de normale werkactiviteit van voordien oppakt. Na minstens één maand rusten kan de patiënt met een infarct zonder verwikkelingen en een goed cardiaal resultaat professioneel terug aan de slag.

Het is de taak van de behandelende cardioloog om te oordelen of de patiënt hetzelfde werk van vroeger nog aankan. Het blijven uitoefenen van beroepen zoals piloot, buschauffeur, conducteur of vrachtwagenbestuurder is enkel mogelijk indien het hart bij inspanning geen zuurstofgebrek vertoont en de beschadiging van de hartspier na het infarct beperkt is. Het is van belang de werkhervatting tijdig te bespreken met de cardioloog, de geneesheer van het ziekenfonds en de arbeidsgeneesheer opdat eventuele maatregelen op tijd kunnen worden getroffen.

- Richtlijnen voor het dieet zijn niet alleen van belang voor de patiënt maar voor heel het gezin. De gezinsleden kunnen de patiënt aanmoedigen om te stoppen met roken en dragen alvast hun steentje bij door niet te roken in het bijzijn van de patiënt. Lichaamsbeweging en vermagering verdienen ook extra aandacht.
- Seksuele betrekkingen na een infarct zijn toegelaten; de graad van belasting voor het hart is lager dan een doorgedreven fietsproef in het kabinet van de cardioloog.
- Vliegtuigreizen zijn toegelaten voor zover het infarct zonder verwikkelingen was. Na een recent longoedeem is het, gedurende een periode van 3 maanden, niet aangewezen om het vliegtuig te nemen.

Samenvatting

Acute coronaire aandoeningen zijn spoedgevallen in de cardiologie en omvatten een reeks ziektebeelden waarbij een scheurtje ontstaat aan de binnenzijde van een kroonslagader. Dit scheurtje is te wijten aan een broosheid van de wand door de afzetting van cholesterol, zonder dat er voordien noodzakelijk een ernstige kroonslagadervernauwing was. De patiënt kan een eenmalige voorbijgaande pijncrisis hebben in rust of een aanhoudende pijn zonder dat hij voordien klachten had. Een onmiddellijke ziekenhuisopname is vereist om de klontervorming te stoppen door het toedienen van bloedverdunnende medicatie. In tegenstelling tot een instabiele angor is het bloedvat bij een hartinfarct volledig opgestopt door een klonter. Bij een hartinfarct riskeert de patiënt een hartstilstand aan huis door ventrikelfibrillatie. Het oplossen van de klonter door trombolyse of een urgente ballondilatatie zijn vandaag twee behandelingen van een hartinfarct. Het openmaken van het bloedvat in de eerste zes uur na het begin van de klachten verbetert de levensverwachting van de patiënt op lange termijn.

12 De behandeling van een patient met inspanningsangor

Klassificatie van angor

Zoals reeds besproken kan een hartinfarct het eerste teken zijn van een onderliggende kroonslagadervernauwing.

Andere patiënten met een kroonslagadervernauwing hebben beklemming in de borststreek bij inspanning of inspanningsangor. Angor is een drukkend of nijpend gevoel in de borststreek dat soms uitstraalt naar de armen en de hals. De last kan soms tien minuten aanhouden en komt geleidelijk op. Tijdens de aanval zweet de patiënt meestal en moet hij zijn inspanning stoppen. Langdurige klachten die niet toenemen in frequentie of intensiteit wijzen op een stabiele angor. Patiënten met een stabiele angor weten welke inspanningen zij aankunnen zonder pijn te krijgen. De classificatie van angor is bepaald door de mate van inspanningsbeperking.
Klasse 1-angor is angor bij doorgedreven inspanningen, maar die geen echte belemmering vormt bij de dagelijkse activiteiten.
Klasse 2-angor is angor bij fysieke inspanningen die wel een belemmering vormt in het dagelijks leven, zoals bij het beklimmen van twee verdiepingen.
Klasse 3-angor is angor bij minieme inspanningen, zoals bij het verrichten van huishoudelijke taken.
Klasse 4-angor is angor die opkomt in rust. Deze vorm vergt een onmiddellijke ziekenhuisopname.

Raadgevingen bij inspanningsangor

- Koude wind en bergop gaan lokken angor uit. Wie tijdens de wintermaanden buiten gaat kleedt zich goed aan. Tijdens de zomermaanden kunnen patiënten last krijgen bij het wandelen door de koelafdeling van een warenhuis of bij plotse temperatuurverschillen in een ruimte met airconditioning.
- Fysieke activiteit kort na de maaltijd betekent een extra belasting voor het hart. Het is niet aan te raden om te zwemmen kort na de maaltijd.
- De beklemming in de borststreek komt meestal geleidelijk op. Het is van groot belang dat men dan onmiddellijk een nitraat inneemt

onder de tong (pil of spray) om de crisis te onderbreken. Bij langdurige beklemming zijn de nitraten niet meer zo doeltreffend.
- Soms kan het ook nuttig zijn om preventief een nitraat in te nemen. Indien een patiënt weet dat hij bij het bestijgen van een helling last krijgt in de borststreek, dan kan hij 5 minuten voordat hij het huis verlaat een snelwerkend nitraat onder de tong innemen. Meestal helpt dit om een pijncrisis te vermijden.

Medische behandeling van angor pectoris

Angor pectoris ontstaat indien de zuurstofbehoefte van de hartspier groter is dan de zuurstofaanvoer. De zuurstofbehoefte van het hart is afhankelijk van de hartfrequentie (of de hoeveelheid hartslagen per minuut, ook de polsslag genoemd), de bloeddruk en de kracht bij elke contractie of de samentrekking van het hart.

De medicatie die wordt voorgeschreven heeft een invloed op deze elementen en zal het zuurstofverbruik van het hart bij een gegeven inspanning beperken.

Nitraten

- Werking:

Nitraten geven een vasodilatatie, dit betekent dat zowel de aders als de slagaders zich ontspannen.
De vermindering van de voorbelasting ontlast het hart omdat er minder bloed in het rechterdeel van het hart komt doordat het bloedreservoir in de aders groter wordt. De nitraten verminderen ook de nabelasting en verlagen de weerstand waartegen het hart het bloed wegpompt in de lichaamscirculatie. Nitraten kunnen vooral bij een eerste inname de bloeddruk sterk verlagen waardoor de patiënt soms ijlhoofdig wordt of zelfs kortstondig het bewustzijn verliest.

- Hoe in te nemen?

Een pil of een spray met nitraten onder de tong verlicht een typische angoraanval na 3 minuten (kortwerkende nitraten). Kortwerkende nitraten kunnen vooral bij een eerste inname de bloeddruk sterk verlagen. Om dit te vermijden neemt men nitraten onder de tong best in een zittende houding.
Bij een algemene malaise zonder pijn in de borststreek mag men geen nitraten onder de tong nemen. Een malaise is niet steeds het gevolg van een angorcrisis, maar is meestal het gevolg van een bloeddrukval die nog kan toenemen na de inname van een nitraat met bewustzijnsverlies of een syncope als gevolg.

Kortwerkende nitraten geven nooit gewenning, ook niet bij meerdere innamen per dag. Gewenning betekent dat een bepaalde hoeveelheid ingenomen medicatie na herhaalde toediening niet meer zo efficiënt is doordat ons lichaam zich heeft aangepast aan de dosis.

- Nitraten in pilvorm om door te slikken veroorzaken minder bloeddrukval aangezien de opname in het lichaam trager is (orale nitraten). De inname van orale nitraten 2 tot 3 keer per dag werkt preventief en vermijdt een nieuwe angorcrisis. Door de onderbreking tijdens de nacht is er geen gewenning.
- Een kleefpleister op de huid met nitraten (nitraatpleister) werkt preventief en ook tijdens de nacht. Om gewenning te voorkomen laat men de pleister 6 uur per 24 uur af.

Bètablokkers

- Werking:
  - Deze medicatie vertraagt het hartritme, vermindert de contractiekracht van het hart, vermindert de nabelasting en is heel doeltreffend bij de behandeling van angor pectoris.

- Hoe in te nemen?
  - Eén of twee keer per dag, in pilvorm. Het is normaal dat de pols in rust daalt tot tussen de 55 en de 60 slagen per minuut.

- Wanneer zijn bètablokkers niet geschikt?
  - Ernstig astma.
  - Doorbloedingsstoornissen van de onderste ledematen door een vernauwing van een slagader met krampen van de onderste ledematen tijdens het wandelen (claudicatio).

- Voorzorgen bij diabetespatiënten.

Bètablokkers kunnen de tekens van een te laag bloedsuikergehalte zoals beven en hartkloppingen verbergen zodat de persoon zich niet bewust is dat hij suiker moet nemen. In zeldzame gevallen kan hierdoor een diabetescoma ontstaan. Wanneer de patiënt niet meer bewust is kan enkel een inspuiting met glucagon, door de huisgenoten, de patiënt wakker maken.

Calciumantagonisten

- Werking
  - De medicatie verwijdt zowel de aders als de slagaders. De vermindering van de bloedtoevoer naar de rechterkamer en de lagere druk waartegen de linkerkamer moet pompen ontlasten de hartspier.

- Hoe innemen?
  - Een inname één keer per dag is voldoende voor de moderne preparaten met langdurige werking. Er is geen gevaar voor bloeddrukval bij de inname van een product met langdurige werking.

Ballondilatatie of percutane transluminele coronaire angioplastiek (PTCA) voor inspanningsangor.

Techniek:

Deze is identiek als bij een coronariografie.

Materiaal:

De cardioloog schuift een geleidingskatheter tot aan de oorsprong van de rechtse of de linkse arteria coronaria. Nadien schuift hij door deze geleidingskatheter een fijne voerdraad in de kroonslagader tot voorbij de vernauwing.

Een ballonnetje in afgelaten toestand is gemonteerd op een holle katheter en schuift over de voerdraad die dienst doet als een rail (figuur 35). Het ballonnetje is aan de twee uiteinden gemerkt opdat de cardioloog, terwijl hij de ingreep op een scherm volgt, de plaats van de ballon zou kunnen zien. De diameter van de ballon is vooraf gekozen volgens de diameter van het bloedvat, van 1.5 mm voor de kleinste kroonslagaders, tot 4 mm voor de grote kroonslagader. Ook de lengte van de ballon wordt vooraf gekozen volgens de lengte van de vernauwing (van minder dan 10 tot 40 mm). De cardioloog blaast de ballon op met een pompje dat verbonden is met de katheter en de binnenzijde van de ballon. De harde vernauwing in de kroonslagader wordt 'open geblazen' wanneer het ballonnetje zich opent en de druk in de ballon geleidelijk wordt opgevoerd tot soms meer dan 10 keer de luchtdruk (10 atmosfeer). Tijdens het opblazen komt er ook contraststof in de ballon. Wanneer de ballon geen mooie bolle vorm aanneemt dan weet de cardioloog dat de vernauwing nog niet is opgegeven en verhoogt hij de druk.

Het resultaat na een ballondilatatie kan onvoldoende zijn door een restvernauwing. Dit komt omdat het bloedvat opnieuw vernauwt doordat de opengetrokken wand terugveert wanneer de ballon is afgelaten.

Sommige vernauwingen zijn heel hard en vergen een abnormaal grotere druk tijdens de dilatatie. Aan de binnenzijde van het bloedvat vergroot de kans dan op een scheur die zich kan voortzetten over de lengte van de kroonslagader (dissectie).

In beide gevallen is het noodzakelijk om de binnenzijde van het bloedvat te stutten met een metalen endoprothese of een *stent*. Dit is een veertje met een vooraf gekozen lengte en diameter, dat in opgeplooide vorm is vastgemaakt op een afgelaten ballon (figuur 36, 38). De ballon en de *stent* worden dan over een voerdraad geschoven. Na het opblazen van het ballonnetje plooit de *stent* zich open in de restvernauwing of de scheur en staat het bloedvat mooi open. Sinds het algemeen gebruik van de *stent* kan de cardioloog ook moeilijker vernauwingen behandelen zonder gevaar voor een spoedoperatie.

Welke patiënten komen in aanmerking voor coronaire ballondilatatie?

Het aantal vernauwde kroonslagaders en de plaats van de vernauwing zijn van belang (figuur 37, 38, 39). Bij een hoofdstamletsel of vernauwingen op de drie kroonslagaders kiest de cardioloog meteen voor een heelkundige ingreep. Als een ballondilatatie technisch niet te moeilijk en te riskant is, dan wordt deze verkozen boven een operatie, zeker wanneer het aantal vernauwingen beperkt is en wanneer de persoon niet bejaard is. Vooral bochtige en verkalkte vernauwingen of vernauwingen die zich uitbreiden in een grote aftakking lenen zich minder goed voor een dilatatie. Een dilatatie van deze moeilijke letsels is gevaarlijker omdat het bloedvat plots kan dichtklappen bij een dissectie van de wand.

Na een ballondilatatie wordt de patiënt klachtenvrij en kan hij een deel van zijn medicatie stoppen. Tegenwoordig kan de cardioloog meerdere letsels behandelen door meerdere dilataties in een periode van enkele maanden. Opeenvolgende dilatatie van meerdere letsels tijdens een zelfde ingreep verlengt de duur van de procedure en verhoogt de hoeveelheid toegediende contraststof. Bij patiënten met een verminderde reserve kan te veel contrast ineens een acute tijdelijke uitval van de nieren veroorzaken. De dilatatie van het meest kritische letsel in een eerste tijd is dan een oplossing.

Wat zijn de voordelen van een ballondilatatie tegenover een heelkundige kroonslagaderoverbrugging?

- Snel ziekenhuisontslag en snelle werkhervatting.
- Minimale littekens (een geleidingskatheter heeft een buitendiameter van 6 French of ongeveer 2 mm en wordt ingebracht via de lies, in de arteria femoralis).

- Uitstel van een overbruggingsoperatie. Coronaire heelkunde was voor de komst van de angioplastiek de enige manier om patiënten angorvrij te krijgen. Indien dezelfde patiënt op latere leeftijd een tweede overbruggingsoperatie moet ondergaan dan is dit voor de chirurg technisch moeilijker door de vergroeiingen op het hart.

Wat is het nadeel van een ballondilatatie?

In de eerste 6 maanden na een geslaagde ballondilatatie is het mogelijk dat de angorklachten terugkomen. Dit is meestal het gevolg van een nieuwe vernauwing op de plaats van de dilatatie (restenose). De restenose is het gevolg van een littekenvorming aan de binnenzijde van het bloedvat door een overdreven aangroei van het bindweefsel juist onder het endotheel (initima-hyperplasie).

Men schat dat ongeveer één patiënt op drie een restenose heeft na een geslaagde ballondilatatie. Om een restenose te vermijden moet de effectieve diameter van de gedilateerde vernauwing initieel zo groot mogelijk zijn. Indien de vernauwing niet goed is opengemaakt vergroot de kans op restenose aanzienlijk en kan de cardioloog voor een onmiddellijke *stent*implantatie beslissen.

De kans op een restenose na een *stent*implantatie (figuur 37, 38, 39) is kleiner door de grotere diameter na de dilatatie van het bloedvat en het feit dat de wand van het bloedvat goed gestut is. Men vermijdt evenwel om bij iedereen in eerste instantie een *stent* te plaatsen aangezien de kans op een restenose in de *stent* ongeveer 20 % bedraagt. De in-*stent*restenose is zeer vervelend omdat een nieuwe dilatatie niet altijd mogelijk is en enkel een overbruggingsoperatie dan nog helpt. Recent zijn nieuwe technieken ontwikkeld om de littekenvorming tegen te gaan zoals de intracoronaire radiotherapie en *stents* die bedekt zijn met een film van littekenremmende stoffen. De rapilysine*stent* vermindert het risico van een restenose maar het nadeel is zijn hoge kostprijs (niet terugbetaald).

Patiënten met suikerziekte die een ballondilatatie en een *stent*implantie ondergaan zijn zeer gevoelig voor restenose van het opengemaakte bloedvat. Omdat restenose van de *stent* moeilijk te behandelen is wordt bij deze patiënten de voorkeur gegeven aan coronaire overbruggingen.

Praktische richtlijnen na een ballondilatatie voor inspanningsangor

- Aspirine voor iedereen.
- Bij een *stent*implantatie schrijft de cardioloog ticlopidine voor, gedurende 1 maand. Ticlopidine verhindert de klontervorming in de *stent*. Na 14 dagen neemt de huisarts bloed af; dit is vereist om te

zien of de medicatie geen abnormale bloedreactie heeft veroorzaakt.

- Bij vroegere nevenwerkingen op ticlopidine kan de cardioloog clopidogel voorstellen.
- In de eerste maand na een ballondilatatie of het plaatsen van een *stent* moet de patiënt onmiddellijk naar de dienst spoedgevallen komen bij pijn in de borststreek die langer dan 20 minuten duurt. Een trombose van de *stent* onder medicatie is dan mogelijk en een nieuwe dilatatie is aangewezen.
- Een eventuele restenose ontstaat in de eerste 6 maanden. De patiënt kan soms opnieuw de hartklachten van voordien ondervinden ofwel is het elektrocardiogram bij inspanning afwijkend. Een nieuwe coronariografie kan dan nuttig zijn om tot een nieuwe ballondilatatie of een *stent*implantatie over te gaan.

Samenvatting

Inspanningsangor is meestal het gevolg van een vernauwing op de kroonslagaders. Hierdoor is de toename van de doorbloeding van een deel van de hartspier bij inspanning verminderd waardoor hartkramp ontstaat. Invaliderende angor of zuurstofgebrek van de hartspier bij geringe inspanning noodzaken een onderzoek van de kroonslagaders met het oog op een dilatatie van de vernauwing. Bij een ballondilatatie is de kans op restenose 30 % in de eerste 6 maanden en soms kan dan een stent*implantatie aangewezen zijn. De kans op restenose is groter wanneer het onmiddellijke resultaat na de ballondilatatie onvoldoende is zodat de cardioloog soms meteen een* stent *plaatst. De restenose van de* stent *is zeer moeilijk te behandelen en bij meerdere kroonslagadervernauwingen kan onmiddellijke kroonslagaderoverbrugging een goede oplossing zijn. Patiënten met suikerziekte hebben een grotere kans op restenose en krijgen bij meerdere vernauwingen beter kroonslagaderoverbruggingen.*

13 Coronaire bypasschirurgie (CABG)

CABG staat voor *coronary artery bypass grafting.*

Coronaire bypasschirurgie of het aanleggen van overbruggingen op de kroonslagaders is een operatie die wordt voorgesteld bij valide patiënten met ernstige vernauwingen op één of meerdere kroonslagaders van het hart, en die niet in aanmerking komen voor een behandeling met geneesmiddelen of een ballondilatatie.

Coronaire bypasschirurgie helpt de patiënten met inspanningsangor zodat ongeveer 85 % van de patiënten nadien zonder medicatie klachtenvrij is. Bovendien verbetert de operatie de levenskwaliteit van de patiënt die terug alle inspanningen aankan zonder hierbij aan zijn hart te denken.

In tegenstelling tot de PTCA (percutane transluminele coronaire angioplastiek) heeft de chirurg geen probleem met eventuele restenose op de plaats waar de overbrugging werd genaaid. Toch moet de patiënt, net zoals na een ballondilatatie of een hartinfarct, een goede secundaire preventie volgen om de vorming van nieuwe vernauwingen van de overbruggingen of van de bestaande kroonslagaders te vermijden. Maatregelen voor secundaire preventie worden besproken in hoofdstuk 14.

Techniek van de coronaire bypasschirurgie

De techniek staat sinds 30 jaar op punt. De chirurg werkt niet alleen in de operatiekamer. De anesthesist is verantwoordelijk voor een goede bloeddruk en een goede ademhalingsfunctie van de patiënt tijdens de ingreep. De instrumentist geeft de instrumenten aan en een assistent-chirurg helpt de chirurg om de operatie zo vlot mogelijk te laten verlopen. Tijdens de operatie legt de chirurg het hart stil en zuigt een pomp het bloed in het hart weg opdat er zo weinig mogelijk bloed in het operatieveld zou zijn. Een hart-longmachine pompt zuurstofrijk bloed naar de hersenen en de andere organen. De bediening van de hart-longmachine (figuur 45) is de taak van een verpleger of verpleegster die een speciale opleiding volgde.

Wat is de taak van de anesthesist?

De anesthesist plaatst eerst enkele buisjes om zowel de druk in de slagaders als de druk in de rechterhelft van het hart te volgen. De Swan-

Ganz-katheter schuift hij door een buisje in de hals of onder het sleutelbeen tot in de grote bovenste lichaamsader en vandaar tot in de longslagader. Met een katheter in de arterie radialis volgt de anesthesist de arteriële bloeddruk op het beeldscherm. Men voelt enkel de prik van de verdoving, het plaatsen van de katheters is pijnloos.

Na het toedienen van verdovingsstof valt de patiënt in slaap en plaatst de anesthesist een buisje in de luchtpijp. Nu kan de kunstmatige ventilatie worden gestart. Een machine blaast lucht met een positieve druk door dit buisje waarbij een diepe slaap en de spierontspannende medicatie verhinderen dat de patiënt 'tegenademt'.

Wat doet de hart-longmachine tijdens de operatie?

Bij coronaire bypasschirurgie is er volledige circulatiestilstand. De hart-longmachine (figuur 45) verzadigt het aderlijke bloed vanuit de rechtervoorkamer met zuurstof en pompt dit zuurstofrijke bloed in de aorta zodat de hersenen en de andere organen van zuurstof en voedingsstoffen worden voorzien. De hart-longmachine is dus een uitwendige pomp die instaat voor de uitwendige of extracorporele circulatie.

Hoe wordt het hart stilgelegd?

De chirurg plaatst een canule in de rechtervoorkamer en een canule in de aorta (figuur 45). De canules verbinden de bloedsomloop van de patiënt met de hart-longmachine.

De canulatie van de aorta gebeurt na het afklemmen van de aorta boven de kroonslagaders zodat er geen bloed in het hart terugvloeit.

Omdat de steekjes van de anastomose (de plaats van de overbrugging) zo fijn zijn werkt de hartchirurg graag op een hart dat niet beweegt en vermijdt hij bloed in zijn operatieveld. Hiervoor is de cardioplegieoplossing geschikt. Deze vloeistof die rijk is aan kalium wordt in de hartspier gespoten ter hoogte van de kroonslagaders (anterograde cardioplegie) of ter hoogte van de ader die het zuurstofarme bloed van de kroonslagaders opvangt en die uitmondt in de rechtervoorkamer (retrograde cardioplegie via de sinus coronarius). Door de cardioplegieoplossing zijn pacemakercellen in het hart voor een tijdje lamgelegd. Het hart wordt tijdens de operatie op een lagere temperatuur gehouden dan het lichaam. Zo kan de hartspier meerdere uren zonder zuurstof en voedingsstoffen. Men kan dit vergelijken met een dier dat zijn winterslaap doet.

Is de hart-longmachine schadelijk voor het lichaam?

De membraan van de hart-longmachine verzadigt het bloed met zuurstof maar is een 'vreemd lichaam' waardoor er een ontstekingsreactie in het bloed ontstaat. Deze ontstekingsreactie is een bijkomende oorzaak van vermoeidheid na de ingreep.

Bij het afklemmen van de aorta voor de canulatie kan het gebeuren dat kleine cholesterolpartikels en kalkpartikels aan de binnenzijde van de aorta loskomen. Deze kruimelige resten in de aorta drijven dan met de bloedstroom mee en kunnen soms een klein hersenbloedvat afsluiten. Door zuurstoftekort kan de patiënt in het ergste geval verlamd zijn na de operatie. Gelukkig zijn de meeste gevolgen van zuurstoftekort van de hersenen slechts van voorbijgaande aard en kan er recuperatie optreden in de weken na de operatie.

Wat is het voordeel van de hart-longmachine?

Doordat het hart niet meer samentrekt kan de chirurg de anastomose of de verbinding tussen de kroonslagader op het hart en de ent veel nauwkeuriger maken.

Soorten overbruggingen

De chirurg kan een stukje ader uit het onderbeen nemen dat hij tussen de aorta en de vernauwde kroonslagader naait; dit is de veneuze ent. De veneuze ent naait de chirurg in op het hart en dit is een anastomose. De proximale anastomose is de verbinding tussen de ent en de aortawand; hier komt het slagaderbloed eerst. De distale anastomose bevindt zich meer stroomafwaarts en is de verbinding tussen de ent en de kroonslagader, iets voorbij de vernauwing die hiermee overbrugd is. Anderzijds wordt vandaag de voorkeur gegeven aan een arteriële ent voor een vernauwing op de linker anterior descendens die de voorkant van het hart bevloeit. De chirurg gebruikt hiervoor meestal de arterie mammaria (die aan de binnenzijde van de borstkas loopt, naast het borstbeen) of soms de arterie radialis (die in de voorarm loopt) of de arterie gastro-epiploïca (die ter hoogte van de maag loopt en die naar het hart wordt omgebogen, figuur 44).

Er is een rechtse en een linkse mammaria die beiden aftakken van de sleutelbeenarterie (arterie subclavia). De chirurg behoudt de aftakking van het mammariabloedvat vanuit de sleutelbeenarterie en maakt de mammaria vrij over zijn verloop in de borstkas. Hierbij verkrijgt hij een vrije steel waarvan de zijtakken afgebonden zijn. Door het einde van de mammaria om te buigen naar de zieke kroonslagader maakt hij ten slotte één anastomose.

Het vrij prepareren vraagt tijd en bij een spoedoperatie worden meestal veneuze enten gebruikt.

De lengte van de mammaria is een beperking voor een overbrugging van kroonslagaders die aan de achterzijde van het hart liggen zoals de circumflex of de retroventriculaire tak.

Anderzijds zal men bij de voorkeur geven aan arteriële overbruggingen omdat de kwaliteit van het arterieel circuit beter is. Veneuze overbruggingen zijn gevoeliger voor afzetting van cholesterol in de wand of klontervorming.

Het einde van de operatie

Pacemakerdraadjes zijn metalen draadjes die aan de buitenzijde van het hart zijn genaaid en door de huid naar buiten zijn gebracht en waarop een tijdelijke pacemaker kan worden aangeschakeld. Het hart wordt terug op gang gebracht door de cardioplegieoplossing te stoppen. Soms is een uitwendige pacemaker nodig. Voorzichtig wordt de extracorporele circulatie nadien verminderd en indien de bloeddruk goed blijft dan wordt de kunstmatige ventilatie van de longen opgedreven. Na het volledig stoppen van de hart-longmachine pompt het hart alleen. De borstkas wordt nadien laag voor laag terug dicht gemaakt, na het zorgvuldig stelpen van kleine bloedingen. De chirurg plaatst *drains* of holle plastic buisjes rond het longvliesje (pleura*drain*) en in de ruimte tussen het hart en de longen (mediastinale *drain*) zodat overtollige vocht en bloed na de operatie naar buiten kan. De beide helften van het borstbeen worden tegen elkaar gebracht en met een blijvende metaaldraad gehecht. De chirurg sluit de huid met een doorlopende onderhuidse draad die vanzelf resorbeert of kan haakjes gebruiken die hij rond de tiende dag na de operatie verwijdert.

Samenvatting

Bij een klassieke openhartoperatie werkt de chirurg op een hart dat niet meer pompt en dat leeg is. Het hart is stilgelegd door de cardioplegie-oplossing die het hart als het ware lamlegt. Het bloed is afgeleid van de rechtervoorkamer via de hart-longmachine en nadat het verzadigd is met zuurstof komt het terug in de aorta. De chirurg maakt overbruggingen met een slagader of met een beenader. De slagaders zijn beter bestand tegen nieuwe vernauwingen. Afhankelijk van het aantal vernauwingen van de kroonslagaders worden er tijdens een operatie gemiddeld tussen de 2 en de 6 overbruggingen geplaatst.

Een hartoperatie is het werk van een team en de chirurg werkt nauw samen met de anesthesist die de patiënt in slaap brengt en die verantwoordelijk is voor de vitale parameters. Daarnaast is er een instrumentist, een assistent-chirurg en een verpleger die de hart-longmachine bedient.

Indicaties voor coronaire bypasschirurgie

- Patiënten met drietakslijden of vernauwingen op de drie kroonslagaders met een normale pompfunctie van het hart die ondanks een medische behandeling veel inspanningsangor ondervinden bij lichte dagelijkse inspanningen zoals boodschappen doen.
- Patiënten met angor en een vernauwing aan de oorsprong van de linkse kroonslagader (hoofdstamletsel).
- Patiënten met één of twee letsels op de kroonslagaders die door hun ligging en hun vorm moeilijk te behandelen zijn met angioplastiek.
- Patiënten met een restenose in de *stent* die niet met een nieuwe dilatatie kan worden verholpen.
- Actieve personen met vernauwingen op minstens twee kroonslagaders die door angor bij zwaardere inspanningen een beperking ondervinden van hun levenskwaliteit omdat zij bijvoorbeeld niet meer kunnen sporten.
- Patiënten met ernstig meervatslijden en een vermindering van de pompwerking van het hart die een heelkundige overbruggingsoperatie kregen doen het na verloop van jaren duidelijk beter vergeleken met patiënten die alleen met pillen werden behandeld.

  Door ernstige kroonslagadervernauwingen kan de pompwerking van het hart sterk verzwakken. Sommige patiënten passen zich aan door doorgedreven inspanningen te vermijden en ondervinden geen pijn op de borst. Een hartoperatie is hier evenwel psychologisch zwaarder te verwerken wanneer de patiënt bij inspanning geen last in de borststreek ondervindt.
- Niet alle episodes van zuurstoftekort van het hart doen pijn en vandaag weet men dat angor pectoris slechts het topje van de ijsberg is. Stille ischemie is zuurstofgebrek van de hartspier zonder pijn. De diagnose kan soms al gesteld worden door een inspanningsproef op de fiets.

  Bepaalde patiënten met stille ischemie leven langer indien ze een overbruggingsoperatie krijgen. Dit zijn de patiënten met:
  - ernstige vernauwingen van de 3 kroonslagaders en een verminderde pompfunctie van het linkerdeel van het hart zonder voorafgaand hartinfarct,
  - een ernstige vernauwing aan de oorsprong van de linkerkroonslagader (linkerhoofdstam),
  - meerdere ernstige vernauwingen op de kroonslagaders waaronder één aan de oorsprong van de linkse anterior descendens (dit is de coronaire arterie die de voorkant van het hart bevloeit).

Risico's van coronaire bypasschirurgie

Wat is de kans op overlijden door de operatie?

De operatieve ingreep houdt een overlijdensrisico in van ongeveer 3 % indien een grote groep patiënten wordt bestudeerd maar is lager indien de patiënt voor de operatie in goede algemene toestand is.

Deze operatieve mortaliteit is afhankelijk van

- de graad van dringendheid waarmee de operatie wordt uitgevoerd,
- de graad van hartverzwakking voor de operatie,
- de leeftijd van de patiënt,
- de aanwezigheid van andere ziektes zoals diabetes, nierinsufficiëntie, longlijden, vernauwingen van de slagaders van de onderste ledematen en van de slagaders die de hersenen bevloeien,
- een reeds voordien uitgevoerde overbruggingsoperatie.

Welke verwikkelingen zijn mogelijk na een hartoperatie?

- Een hartverzwakking met langdurige kunstmatige beademing.
- Een tijdelijke uitval van de nierwerking waarvoor dialyse.
- Een longinfectie door een oppervlakkige ademhaling en het niet ophoesten van slijmen, dikwijls in verband met postoperatieve pijn.
- Een doorligwonde op de drukplaatsen zoals het hoofd, de hielen en de rug. De kans op doorligwonden neemt toe bij een langdurige kunstmatige beademing, bij een slechte arteriële bloedtoevoer naar de onderste ledematen of bij een slechte voedingstoestand.
- Een slechte heling van het borstbeen.

Wanneer is er een slechte wondheling na een operatie?

Ernstig overgewicht, veelvuldig hoesten door chronische bronchitis, suikerziekte en chronische nierinsufficiëntie zijn voorbeschikkende factoren voor een moeilijke wondheling na de operatie. Het borstbeen haalt het grootste gedeelte van zijn voedingsstoffen en zuurstof uit het slagaderbloed die de twee borstwandarteries aanvoeren. Wanneer de chirurg deze twee slagaders gebruikt bij de overbruggingsoperatie van een patiënt met een van de bovengenoemde voorbeschikkende factoren dan kan een goede wondheling van het borstbeen in het gedrang komen. De chirurg vermijdt in deze gevallen problemen door hoogstens één borstwandarterie te gebruiken. Een slechte wondheling verhoogt immers het risico van een infectie en het openvallen van de wonde.

Hoe kan de patiënt op voorhand postoperatieve wondproblemen vermijden?

- Bij een niet dringende overbruggingsoperatie en ernstig overgewicht is vermagering aangewezen.
- Bij diabetespatiënten in het ziekenhuis zal de zaalarts zorgen dat de glykemie onder de 200 mg/dL blijft omdat hoge suikerwaarden de wondheling bemoeilijken.
- Voor zwaarlijvige vrouwelijke patiënten is een speciale bustehouder nuttig om tractie op de wondranden te vermijden.
- Bij het hoesten kruist de patiënt de armen op de borst om tractie op de wonde te voorkomen. Deze techniek kan preoperatief door de fysiotherapeut worden aangeleerd.

Samenvatting

Postoperatieve verwikkelingen kunnen bij oudere personen voorkomen maar zijn gelukkig zeldzaam bij patiënten in een goede algehele toestand. Omdat de lichaamsreserve bij de oudere personen verminderd is zullen de cardioloog en de chirurg de voordelen van de kroonslagaderoverbrugging afwegen tegen de eventuele risico's. Bij patiënten die ouder zijn dan 80 jaar of die in een minder goede algehele toestand verkeren (diabetes, slechte nierwerking, gangstoornissen en geheugenstoornissen) houdt een hartoperatie dus een groter risico in. De operatie is dan enkel zinvol als zij het leven van de patiënt kan redden en als een andere behandeling met medicatie of ballondilatatie niet meer mogelijk is.

Coronaire overbruggingen door de chirurg of een ballondilatatie (ptca) door de cardioloog?

De twee technieken zijn in veel gevallen evenwaardig en dikwijls zullen bijkomende elementen zoals de algehele toestand van de patiënt en zijn voorkeur bepalen welke uiteindelijke behandeling wordt uitgekozen.

Voordelen van de coronaire bypasschirurgie tegenover PTCA

- Mogelijkheid om bloedvaten te overbruggen die door de interventiecardioloog niet kunnen worden behandeld zoals langere vernauwingen die technisch niet in aanmerking komen voor een ballondilatatie of verkalkte opgestopte bloedvaten.
- Het succes na de ingreep is meestal zeer goed gedurende enkele jaren. Het onmiddellijke succes van de ballondilatatie is evenwel geen garantie voor het resultaat na 6 maanden. Na het openrekken van het vernauwde bloedvat met een ballon en de eventuele plaatsing van een *stent* vormt er zich in de volgende 6 maanden een litteken

aan de binnenzijde van het bloedvat. De grootte van het litteken verschilt van patiënt tot patiënt. Zoals men na het naaien van een huidwonde niet weet of het litteken mooi of lelijk zal zijn, zo kan men evenmin voorspellen of een patiënt na een dilatatie van de kroonslagader een groot of een klein litteken zal vormen. Na het behandelen van één vernauwing met een *stent* is de kans op een recidief na 6 maanden ongeveer 20 %. Dit percentage zal in de toekomst nog dalen door de nieuwe generatie *stents* die voorzien zijn van een film van littekenremmende stoffen.

Nadelen van de coronaire bypasschirurgie tegenover PTCA

- Bypasschirurgie is meer ingrijpend en meer traumatiserend dan een PTCA en de patiënt moet het na de operatie gedurende 3 maanden rustiger aan doen voordat hij zijn vroegere activiteiten kan hervatten. De interventiecardiologie is minder ingrijpend en de dag na de ingreep kan de patiënt zonder operatiepijn het ziekenhuis verlaten.
- Bij oudere patiënten met een verminderde reserve van de nieren en de hersenen is het risico van de coronaire bypasschirurgie groter dan van een PTCA. De verwikkelingen van de PTCA gelijken op de verwikkelingen van de coronariografie. Na een PTCA zijn er meer onderhuidse bloedingen ter hoogte van de lies door de bloedverdunnende medicatie.

Wat te kiezen?
Grote studies hebben uitgewezen dat beide opties (coronaire heelkunde en ballondilatatie) voor stabiele patiënten met meervatslijden even veilig zijn. In het geval van ballondilatatie zal minstens de helft van de patiënten binnen het jaar een nieuwe ballondilatatie of uiteindelijk toch een kroonslagaderoverbrugging ondergaan. Patiënten met suikerziekte krijgen beter meteen een overbruggingsoperatie bij meervatslijden door groter risico van restenose bij een ballondilatatie of een *stent*implantatie.

Patientenzorg na een hartoperatie

Hoe verloopt het verblijft in de afdeling intensieve zorgen in de eerste uren na de operatie?

De patiënt verblijft na een geslaagde ingreep nog enkele dagen in de afdeling intensieve zorgen.

In deze eenheid worden alleen kritisch zieke patiënten verzorgd door gespecialiseerde artsen of intensivisten.

De patiënt is bij aankomst in de afdeling intensieve zorgen nog volledig in slaap en een longmachine blaast lucht in de longen. De arteriële bloeddruk wordt de eerste uren na de ingreep nauwkeurig gevolgd en kan laag zijn door het bloedverlies in de *drains* of door een slechte pompwerking van het hart. Bij te lage bloeddruk dient de reanimator vocht toe of medicatie via een veneuze leiding in een grote ader (of een centraal veneuze lijn). Op de monitor volgt hij het hartritme, de hoeveelheid zuurstof in het bloed en de druk in het rechterdeel van het hart.

De reanimator beslist om een patiënt te laten ontwaken wanneer de bloedsomloop stabiel is. Dit houdt in dat de bloeddruk en het zuurstofgehalte normaal zijn met slechts een minimale hoeveelheid medicatie en zuurstof. Na het ontwaken van de patiënt wordt de ademhalingsondersteuning afgebouwd *(weaning)*. Door de pijn in de borststreek is de ademhaling moeilijk maar na goede pijnbestrijding valt alles wel mee en kan de patiënt zelf voldoende meewerken om te ademen zodat de ademhalingsmachine kan worden stopgezet.

Het verwijderen van het buisje in de luchtpijp is de extubatie. Hierna wordt een intensieve fysiotherapie gestart om fluimen te laten ophoesten. Het toedienen van CPAP *(continuous positive airway pressure)* waarbij de patiënt uitademt in een masker met positieve druk, verhindert dat de longblaasjes platvallen.

Wanneer mag de patiënt opzitten na de operatie?

Het verblijf in de afdeling intensieve zorgen hangt af van de snelheid waarmee de kunstmatige ventilatie wordt verminderd. Patiënten die stabiel zijn worden reeds enkele uren na de operatie geëxtubeerd. Een snelle extubatie voorkomt doorligwonden of decubitus en vermindert ook de kans op longinfectie.

De dag nadien mag de patiënt reeds enkele minuten opzitten in de zetel. Indien zijn toestand het toelaat kan hij nu de afdeling intensieve zorgen verlaten. Het verwijderen van de pleura*drains* en de mediastinale *drains* gebeurt voordat de patiënt de afdeling intensieve zorgen verlaat.

Waarom is een snelle mobilisatie van belang na CABG?

Een snelle mobilisatie verhindert het voorkomen van drukwonden ter hoogte van de hielen en de stuit. Indien de patiënt door de machine wordt beademd, dan verhindert spierverslappende medicatie dat hij zijn lichaam beweegt. Dit vergroot de kans op drukwonden. Het aanpassen van de matras en het wisselen van houding van de patiënt zijn twee manieren om drukwonden te voorkomen.

Het risico van klontervorming in het been na een operatieve ingreep is groter bij patiënten die lang in bed blijven. Klontervorming in een diepe ader van het been of diepe veneuze trombose is een van de voornaamste oorzaken van postoperatieve longembolie. Bij een longembolie stopt een klonter een kleine of grote longslagader af. Deze klonter is meestal te wijten aan een opstijgende diepe veneuze trombose van de onderste ledematen. Hoe dichter de klonter bij de lies komt, hoe groter het risico van longembolie. Bloeddrukval met kortademigheid is te wijten aan een groot longembool dat een deel van de longcirculatie afsluit. Wanneer de patiënt geen ernstige klachten heeft dan is de diagnose van een geringe longembolie moeilijker. Gelukkig krijgt de patiënt na de operatie bloedverdunnende spuitjes onder de huid die klontervorming in de benen tegengaan. Een longembolie die op tijd is behandeld geneest goed.

Voorbereiding van de patient voor een hartoperatie

De cardioloog en de chirurg bespreken met de patiënt enkele maatregelen voor de heelkundige ingreep:

- Innemen van aspirine en ontstekingsremmende geneesmiddelen wordt 10 dagen voor de ingreep gestopt. Aspirine blokkeert de werking van de bloedplaatjes volledig waardoor er meer bloedverlies optreedt tijdens een openhartoperatie. Het duurt 10 dagen totdat er opnieuw voldoende nieuwe bloedplaatjes zijn gevormd. De werking van de bloedplaatjes wordt nagegaan door het meten van de bloedingstijd die normaal minder is dan 3 minuten. Na een prik in de oorlel kijkt men na wanneer er een korstje wordt gevormd.
- Patiënten die pillen nemen voor suikerziekte of orale antidiabetica van het type ‘metformine’ stoppen hiermee minstens 3 dagen voor elke operatie waarbij een algehele anesthesie noodzakelijk is. Deze medicatie kan ernstige stoornissen uitlokken van de stofwisseling met verzuring van de weefsels bij een algemene narcose of bij hoge koorts. Bij diabetespatiënten is de bloedsuikerspiegel voor de operatie ideaal tussen de 150 en de 200 mg/dL.
- Absolute rookstop enkele weken voor de operatie doet steeds wonderen! De luchtwegen van actieve rokers zijn geprikkeld en een gedeelte van de long kan platvallen door een slijmprop. Personen die niet roken hebben veel minder slijmproductie.

Allerlaatste technieken

De minimaal invasieve cardiale heelkunde is een recente techniek die minder ingrijpend is voor de patiënt. De patiënt die klassieke coronaire bypasschirurgie ondergaat heeft achteraf een litteken op de borst. Via een mediane sternotomie (dit is het middendoor zagen van het borstbeen) wordt de borstkas opengesperd opdat de chirurg een goed zicht heeft op de hartstreek. Dit blijft nog de meest gebruikte toegangsweg voor de coronaire bypasschirurgie. Het hart wordt stilgelegd en de hart-longmachine verzekert de bloedsomloop en de ademhaling (dit is de extracorporele circulatie).

Bij minimaal invasieve heelkunde is het operatielitteken kleiner of vermijdt de chirurg een extracorporele circulatie zodat het ziekenhuisverblijf en de revalidatie korter zijn.

Eén van de technieken maakt een kleine insnede op de plaats van de kroonslagaderoverbrugging. Deze techniek wordt MID-CAB *(minimal invasive direct coronary artery bypass grafting)* genoemd.

De voordelen van deze techniek
- Kleiner operatielitteken
- Korter verblijf in het ziekenhuis
- Kleinere kans op infectie

Nadeel van de techniek
- Beperkte werkruimte voor de chirurg door de kleine opening
- Enkel geschikt voor een mammaria anastomose, een veneuze ent is moeilijk te plaatsen door de kleine ruimte
- Niet geschikt om veel overbruggingen te maken bij meervatslijden
- Blijvende noodzaak voor een extracorporele circulatie

Indicaties voor deze techniek
- Eéntakziekte, niet geschikt voor ballondilatatie
- Oudere patiënten met meervatslijden waarbij een klassieke ingreep met een sternotomie te zwaar is en waarbij de chirurg enkel het meest zieke bloedvat overbrugt

De SLEUTELGATCHIRURGIE en de ROBOTCHIRURGIE zijn andere recente toepassingen van deze MIDCAB-techniek waarbij de toegang tot de borstkas mogelijk is door kleine openingen. Met een kleine videocamera heeft men zicht in de borstkas. De robotarmen gaan door de openingen tot in de borstkas en bedienen het chirurgisch materiaal. De handen van de chirurg zijn buiten de patiënt en sturen deze robotarmen.

Voordelen
- Vermijden van een operatielitteken en veel sneller herstel van de patiënt.
- Een kleine camera bekijkt het hart van binnen en iedereen kan de operatie volgen op een videoscherm.

- De nauwkeurigheid van deze handelingen is groter dan de klassieke operatie omdat de computergestuurde armen van de robot de menselijke handen vervangen.

Nadelen
- De chirurg opereert niet meer in het operatieveld maar kijkt naar het videobeeld, het bedienen van de armen van de robot buiten het lichaam van de patiënt vergt een zekere ervaring.
- De hoge kostprijs van het materiaal (die deels door de patiënt zelf moet worden betaald).
- Blijvende noodzaak van een extracorporele circulatie waarbij een ballon aan de uitgang van het hart wordt opgeblazen. Het aderlijke bloed gaat van de lies naar de hart-longmachine en komt via de liesslagader terug in het lichaam.

Indicaties
- Eéntakziekte
- Klepreparaties van de mitraalklep

Andere technieken vermijden het gebruik van de hart-longmachine *(Off-pump CABG);* hierbij wordt de operatie uitgevoerd op een kloppend hart.

Nadelen en moeilijkheden
- Noodzaak voor een mediane sternotomie.
- Hechting van twee fijne bloedvaten van enkele millimeter op een kloppend hart, in een korte tijd, met bloeding in het operatieveld.
- De hechting van de anastomose mag niet te diep zijn om een vernauwing door littekenvorming te vermijden.
- Na de insnede van de te overbruggen kroonslagader is er rood bloed in het operatieveld door de eigen hartslag.
- Vóór het maken van de hechting wordt het bloedvat boven de vernauwing afgeklemd. Na het maken van een opening onder de plaats van de vernauwing heeft de chirurg 10 minuten om de overbrugging in te naaien. De kroonslagader voor langere tijd afsluiten is te vermijden vanwege het zuurstoftekort van de hartspier.

Oplossingen
- Dit gedeelte van de hartspier in de nabijheid van het te overbruggen bloedvat wordt stilgehouden door een speciale arm met zuignapjes zodat de kroonslagader minder op en neer danst, tijdens elke hartslag.

- Een ventilator blaast het bloed in het operatieveld weg zodat de chirurg een perfect zicht heeft op de steken van de anastomose.

Beperkingen van de techniek
- Bloedvaten die aan de achterzijde van het hart lopen zijn met deze techniek moeilijk te overbruggen. Het kantelen van een kloppend hart om zicht te krijgen op het te overbruggen bloedvat kan bloeddrukval veroorzaken doordat de rechterkamer wordt platgedrukt.
- De techniek is minder geschikt voor patiënten met meervatslijden en kroonslagadervernauwingen aan de achterzijde van het hart.

Samenvatting
Patiënten met vernauwingen op één of twee kroonslagaders (één- of tweetaksziekte) worden vandaag meestal niet meer verwezen voor coronaire heelkunde maar worden behandeld door de interventiecardioloog. Het voordeel van een ballondilatatie met stenting *is het snel ziekenhuisontslag met snelle werkhervatting.*
Toch is de overbruggingsheelkunde te verkiezen bij patiënten met vernauwingen op de drie kroonslagaders (drietaksziekte) en in het bijzonder bij diabetespatiënten. Het risico van de operatie is klein voor een patiënt in een goede algehele conditie. Hoge leeftijd (boven de 80 jaar), een slechte pompwerking van het hart, nierinsufficiëntie, diabetes en een chronische longziekte verhogen de kans op een verwikkeling na een hartoperatie. De behandelende arts zal het voordeel van een operatie afwegen tegen de mogelijke risico's.
Toch heeft de coronaire heelkunde de grenzen verlegd en kunnen oudere patiënten veilig worden geopereerd door de verbeterde technieken van anesthesie en postoperatieve zorgen op de reanimatieafdeling. Tegenwoordig is de minimaal invasieve cardiale heelkunde in opmars waarbij het operatielitteken kleiner is of waarbij een operatie zonder hart-longmachine het postoperatief herstel gemakkelijker maakt. Een goede samenwerking tussen de cardioloog die instaat voor de preoperatieve voorbereiding, de chirurg die de operatie uitvoert en de reanimator die de patiënt verzorgt tijdens de onmiddellijke postoperatieve fase helpen om elke operatie succesvol te laten verlopen. Verder is een optimale verpleegzorg en doorgedreven fysiotherapie van groot belang voor het goede verloop van de revalidatie in het ziekenhuis.

14 Verandering van levenswijze na een hartinfarct of na een ingreep op de kroonslagaders (coronaire bypasschirurgie of interventiecardiologie)

Sociale gevolgen voor de hartpatient

Vooruitgang van de medische kennis

Vandaag beperkt een doeltreffende behandeling van het hartinfarct de beschadiging van de hartspier. Als het opgestopte bloedvat binnen de zes uur na het begin van de pijn open is, dan kan een deel van de hartspier herstellen. Nadat de resterende vernauwde bloedvaten door ballondilatatie of overbruggingen werden behandeld kunnen de meeste patiënten hun normale beroepsactiviteiten terug opnemen.

Psychische moeilijkheden bij een hartpatiënt

Na een hartinfarct komen vele vragen pas op nadat de patiënt terug thuis is. Bij iemand die het gevoel had nooit ziek te worden komt een hartinfarct als een donderslag bij heldere hemel. Sommige patiënten merken dan pas hun kwetsbaarheid en hebben angst voor een tweede infarct. Anderen vermijden lichamelijke inspanningen uit schrik hun hart te belasten.

Tijdens het ziekenhuisverblijf krijgt de patiënt enkele leefregels mee waarmee hij het moeilijk heeft (rookstop, vermageren bij overgewicht, volgen van een vetarm dieet indien de vetten in het bloed te hoog zijn). In de weken die volgen op een infarct is het niet ongewoon dat de patiënt een voorbijgaande depressie doormaakt. Dit kan te maken hebben met de vermoeidheid na het infarct, met de ontwenningsverschijnselen na de rookstop of met de psychologische weerslag en het besef van 'eindigheid'. Overigens moet de patiënt ook meestal een tijdje zijn professionele bezigheden staken wat misschien zijn gevoel van uitsluiting en afhankelijkheid versterkt.

Het is de taak van de artsen om naast het verzorgen van het hart ook aandacht te hebben voor de noden van de patiënt die soms moeite heeft om zich opnieuw in zijn leefwereld thuis en op het werk te integreren.

Ook patiënten die coronaire heelkunde ondergaan kunnen moeilijkheden ondervinden om zich na de ingreep aan de nieuwe situatie aan de passen. Meestal is een werkonderbreking van 3 maanden noodzakelijk, zeker bij personen die lichamelijke arbeid verrichten.

Patiënten die een ballondilatatie ondergaan blijven niet lang in het ziekenhuis en hebben minder problemen op psychisch vlak aangezien zij dadelijk terug aan de slag kunnen. Het is echter van belang dat alle patiënten hun levenswijze aanpassen om het proces van kroonslagadervernauwing te stoppen.

Wordt elke patient na een hartinfarct of na een coronaire interventie in een revalidatieprogramma opgenomen?

Volgens de richtlijnen van de Europese vereniging van cardiologie komen de volgende patiënten voor revalidatie in aanmerking:
- ischemisch hartlijden
- een hartinfarct
- coronaire overbrugging
- ballondilatatie
- een aangeboren hartafwijking
- hart-longtransplantatie
- hartverzwakking
- pacemakers

Niet alle bovengenoemde patiënten komen in dezelfde mate in aanmerking voor revalidatie. Deze is minder noodzakelijk na een beperkt infarct of na een pacemakerimplantatie.

Het doel van hartrevalidatie is echter niet alleen de goede fysieke conditie van de hartpatiënt maar ook zijn algemeen welzijn opdat hij zo snel mogelijk terug een volwaardige plaats in de maatschappij kan innemen. Voor een patiënt met veel vragen na een hartinfarct of na een interventie (interventiecardiologie of overbruggingsheelkunde) is het belangrijk dat hij of zij een revalidatieprogramma volgt. Ook angstige of depressieve patiënten kunnen zich beter voelen met een revalidatieprogramma door de steun van professionele hulpverleners en het contact met andere patiënten.

Waaruit bestaat een revalidatieprogramma?

De patiënt is thuis en gaat enkele keren per week in een revalidatiecentrum oefeningen doen. Indien het centrum officieel erkend is dan worden de kosten van het volgen van dit revalidatieprogramma terugbetaald. Het centrum moet over voldoende middelen beschikken om de patiënten op doeltreffende wijze te helpen, dit is enerzijds voldoende opgeleid personeel met verpleegkundigen, artsen en fysiotherapeuten en anderzijds een moderne infrastructuur met ruime lokalen voor sportbeoefening. Het revalidatieprogramma wordt meestal drie keer per week uitgevoerd, en dit gedurende 3 maanden.

Na de afloop van een revalidatieprogramma is het noodzakelijk dat de patiënt zijn lichamelijke conditie onderhoudt. Hij kan ook lid worden van een hartpatiëntenclub.

Fysieke oefeningen

Tijdens de oefeningen volgt de fysiotherapeut de polsslag en de bloeddruk. De patiënt kan zonder schrik thuis dezelfde lichamelijke activiteiten herhalen en kent zo beter zijn grenzen. Hij kan sneller een goede fysieke conditie opbouwen, wat zijn zelfappreciatie en zijn zelfvertrouwen vergroot. In samenspraak met de fysiotherapeut van het revalidatiecentrum wordt een individueel trainingsprogramma uitgewerkt.

Gezondheidsvoorlichting

Patiënten worden aangemoedigd om te stoppen met roken en de patiënt kan met de hulpverleners over zijn ontwenningsproblemen praten. Een nicotinepleister kan helpen om de ontwenning vlotter te laten verlopen, maar motivatie en wilskracht zijn van het grootste belang. Het feit dat andere patiënten ook stoppen kan een hulpmiddel zijn om te volharden.

Patiënten met een te hoog cholesterolgehalte krijgen dieetadvies. Kookboeken voor hartpatiënten reiken ideeën aan om smakelijk en gezond te eten. Het cholesterolgehalte in het bloed daalt meestal na een infarct zodat men best zes weken wacht met een nieuwe controle. Bij een totaal cholesterolgehalte boven de 250 mg/dL of een LDL-cholesterolgehalte boven de 160 mg/dL wordt gedurende 3 maanden een vetarm dieet voorgesteld. Indien één van de waarden zo hoog blijft dan heeft de patiënt recht op terugbetaling van cholesterolremmende medicatie (hypolipimiërende medicatie). Desondanks hanteren de cardiologen bij de behandeling van hun hartpatiënten de internationale normen die een totaal cholesterolgehalte van 180 mg/dL en een LDL-cholesterolgehalte van 110 mg/dL nastreven. Ook wanneer er geen terugbetaling is van het geneesmiddel kan cholesterolremmende medicatie aangewezen zijn.

Sociale gevolgen voor de hartpatiënt

De sociale gevolgen na een hartinfarct of een overbruggingsoperatie zijn ingrijpender dan bij een ballondilatatie. Door het werkverlet na een infarct of een hartoperatie kan de werkgever van oordeel zijn dat de patiënt niet meer geschikt is voor zijn job. Het is belangrijk dat het tijdstip van werkhervatting en een eventuele werkaanpassing vroeg worden besproken; hierbij speelt de arts van het revalidatiecentrum een grote rol aangezien hij weet welke activiteiten zijn patiënt aankan. Hij kan ook een eventuele verandering van de werksituatie motiveren voor de arbeidsgeneesheer. Personen die coronaire bypasschirurgie of klepchirurgie ondergingen mogen tot 4 maanden na de operatie geen zware lasten heffen. Voordat alle inspanningen na een sternotomie (het klieven van het borstbeen) zijn toegelaten wacht men best tot de twee helften van het borstbeen aan elkaar zijn gegroeid.

De betere behandeling van het infarct en de verbeterde technieken van de interventionele cardiologie hebben ervoor gezorgd dat de hartbeschadiging na een infarct kleiner is en dat patiënten die nog geen hoge leeftijd hebben bereikt na een minimaal ziekenhuisverblijf volledig hersteld zijn. Ook na een hartoperatie is definitieve arbeidsonderbreking zeer zeldzaam. Een hartpatiënt is vandaag geen invalide meer!

Raad voor partner en familie

Gezinsleden hebben de neiging om de patiënt te veel bescherming te geven. Het revalidatieteam wijst hen op dit gevaar. De hartpatiënt is geen zieke en in de familiekring neemt hij best terug zijn volwaardige plaats in. Vragen in verband met seksualiteit worden besproken met de cardioloog. Seksuele betrekkingen met de vaste partner komen overeen met de gemiddelde hartbelasting tijdens de revalidatieoefeningen en schaden het hart niet.

De psycholoog die verbonden is aan het revalidatiecentrum kan helpen om psychische spanningen te verlichten. Leren omgaan met veranderingen op het werk, depressie, spanning en stress helpt veel.

Vermijden van stresssituaties?

Zeer hevige stress (aardbeving, terrorisme, bomaanslag...) lokt soms onmiddellijk een hartinfarct uit. De dagelijkse stress veroorzaakt bij velen een ongezonde levenswijze (roken, overmatig eten en te weinig lichaamsbeweging) waardoor de kans op een hartinfarct op lange termijn toeneemt. Positieve stress werkt anderzijds motiverend en scherpt de ondernemingszin aan.

Na een doorgemaakt infarct is de psychische begeleiding van de patiënten van belang omdat een depressie de kans op een nieuw hartprobleem vermoedelijk verhoogt.

Vragen in verband met seksualiteit

De maanden na het hartinfarct hebben de meeste mannen minder seksueel contact. Dit kan te wijten zijn aan een vermindering van het libido door een latente depressie. Ongeveer één op drie mannen denkt dat seksuele betrekkingen een te hoge belasting vormen na een hartinfarct. Het vroegtijdig bespreken van dit onderwerp met de cardioloog kan alle misverstanden uit de weg ruimen.

Na een infarct worden vaak bètablokkers voorgeschreven. Bepaalde mannen hebben last van erectiestoornissen (potentiestoornissen) en brengen dit hiermee in verband. Een onderliggende depressie, hormonale stoornissen of een verminderde potentie voor het infarct door bijvoorbeeld suikerziekte kunnen de oorzaak zijn. Diabetes tast namelijk de kleine bloedvaten en de zenuwvezels aan die instaan voor een normale erectie.

Viagra op doktersvoorschrift herstelt de normale erectie bij potentieproblemen. Indien de patiënt 24 uur voordien een nitraat (in pil of klever) gebruikt is de inname van Viagra streng verboden door de kans op een zware bloeddrukval. Het nemen van Viagra is voor andere patiënten veilig; er is geen risico van een infarct of een angorcrisis indien de patiënt zijn seksuele inspanning niet onnodig opvoert. Na inname van Viagra is er geen verlengde erectie (priapisme).

Dagelijkse richtlijnen voor dieet en alcoholgebruik en wat met rookstop na een hartinfarct of na coronaire interventie?

Hoe streng moet een vetarm dieet zijn?

De streefwaarde voor het totale cholesterolgehalte van een persoon die een coronair accident heeft doorgemaakt is 180 mg/dL en de streefwaarde van het slechte cholesterolgehalte (LDL-cholesterol) is 110 mg/dL. Ideaal ligt het gehalte aan goede cholesterol (HDL-cholesterol) boven de 45 mg/dL. Meestal kan men met een dieet alleen die strenge streefwaarden niet bereiken. Het is vaak nodig om cholesterolverlagende (hypolipimiërende) medicatie in te nemen, ook indien er geen terugbetaling is van het geneesmiddel. Internationale studies hebben aangetoond dat patiënten met kroonslagadervernauwing en een laag cholesterolgehalte langer leven.

Mag alcohol na een infarct?

Eén glas bier en één glas wijn per dag of een gelijke hoeveelheid alcohol zijn niet schadelijk voor de gezondheid. Grotere hoeveelheden alcohol zijn schadelijk gezien het risico van een verzwakking van de hartspier (alcoholische cardiomyopathie) of aantasting van de lever en de individuele gevoeligheid is steeds verschillend en onvoorspelbaar. Alcohol is een sociaal aanvaarde drug maar zijn tol op de gezondheid is groter dan die van 'harde' drugs. Denken we maar aan auto-ongevallen, het werkverzuim door occasioneel alcoholgebruik en de familiale problemen. Dus alles met mate is de boodschap.

Hoe kan men best stoppen met roken?

Rookstop is steeds moeilijk bij verstokte rokers. Samen met het psychologisch verwerken van het infarct kan dit een dubbele bestraffing lijken. Definitief stoppen is beter dan geleidelijk verminderen.

Tien procent gewichtstoename na rookstop is normaal en heeft te maken met een toename van de eetlust en een vermindering van de vetverbranding.

Het kan dus voor een verstokte roker belangrijk zijn om begeleiding te krijgen door de huisarts. In bepaalde gevallen kan het nuttig zijn om een nicotinepleister te gebruiken. Vooraf legt de huisarts een vragenlijst aan de patiënt voor om de graad van nicotineverslaving na te gaan en naar gelang van de behoefte een lichtere of een zwaardere nicotinepleister voor te schrijven.

Nicotinekauwgom of acupunctuur zijn andere hulpmiddelen. Maar bovengenoemde hulpmiddelen vervangen motivatie en wilskracht niet en als de patiënt niet gemotiveerd is dan heeft een nicotinesubstitutie geen zin.

Het verzorgen van suikerziekte of diabetes

Patiënten met een lang bestaande suikerziekte hebben meestal meervatslijden.

Het medisch team helpt de patiënt op weg maar de rest van de genezing ligt in zijn handen. Een optimale controle van de suikerziekte is van het allergrootste belang in de jaren na de operatie om nieuwe vernauwingen op de overbruggingen en op de kroonslagaders te vermijden. Naast vermagering, rookstop en een vetarm dieet kan de endocrinoloog de patiënt behandelen met pillen en/of insuline om de bloedsuikerspiegel optimaal te houden.

Samenvatting

Het veranderen van de levenswijze na een hartoperatie of na een ingreep voor kroonslagadervernauwing is van belang om in de jaren die volgen nieuwe vernauwingen op de kroonslagaders te vermijden. Dit is niet noodzakelijk een straf. Een voordeel van rookstop is dat de conditie verbetert, en dat is nog maar één voorbeeld. Goed bereide vetarme gerechten zijn niet alleen gezond maar ook erg lekker en een glaasje wijn mag best. Vandaag zijn de meeste hartpatiënten niet meer invalide en meestal kan men na een zekere tijd terug aan de slag. Als er een kleine depressie optreedt dan kan het uitpraten van de angsten en de onzekerheden reeds wonderen doen. Bepaalde patiënten voelen zich goed door het volgen van een revalidatieprogramma waarbij door regelmatig contact met professionele hulpverleners de dagelijkse vragen worden beantwoord en de fysieke conditie snel verbetert. Ook de sociale contacten in een club van hartpatiënten kunnen ondersteunend zijn.

Het verhaal van Armand

Armand is 54 jaar en is vertegenwoordiger. Hij heeft een goede gezondheid. Hij werkt veel buitenshuis en om zijn klanten te bezoeken legt hij jaarlijks 75.000 km met de wagen af. 's Middags neemt hij regelmatig een zakenlunch en 's avonds probeert hij wat beweging te nemen.

Deze avond komt hij zoals gewoonlijk om zeven uur thuis; het was een vermoeiende dag door het onverwachte bezoek van twee nieuwe klanten. Zijn vrouw Katrien en zijn twee kinderen Anja en Steven zijn nog niet thuis en Armand besluit nog enkele e-mails te sturen. Ineens ondervindt Armand iets vreemds: hij kan geen woorden meer tikken. Hij kan geen zinnen meer bedenken en zijn rechterhand is loodzwaar en verlamd. Gelukkig hoort hij de voordeur en zijn vrouw Katrien die binnenkomt. Hij probeert uit te leggen dat zijn rechterhand verlamd is maar stamelt iets onverstaanbaars. Katrien merkt dat er iets scheelt en belt onmiddellijk de huisarts. Tien minuten later kan Armand zijn rechterhand opnieuw bewegen en legt hij de dokter uit wat hij ondervond. Zijn bloeddruk is 120/80 mm Hg en normaal maar zijn polsslag is 130/min en onregelmatig. De dokter vindt het veiliger om Armand voor verdere onderzoeken in het ziekenhuis op te nemen.

In de afdeling spoedgevallen toont het elektrocardiogram een voorkamerfibrillatie met een kamerantwoord van 130/min. De radiogram van de longen is normaal maar de hartschaduw is vergroot. Aan de hand van de resultaten en het verhaal van wat zich afspeelde besluit de spoedgevallenarts dat de spraakstoornissen en de verlamming het gevolg zijn van een tijdelijk zuurstoftekort van de hersenen door een kleine hartklonter.

Armand wordt opgenomen in het ziekenhuis en krijgt een kamer in de afdeling hartziekten. Er worden elektroden op zijn borst bevestigd, en hij krijgt een cassette omgegespt. De dokter legt uit dat het hartritme vanuit de kamer van Armand wordt bewaakt. Dit is nodig om het effect te volgen van de medicatie die het hartritme vertraagt. De verpleegster dient twee keer per dag een spuitje met een bloedverdunner onderhuids in de buikstreek toe. De echocardiografie van het hart toont een verminderde pompwerking van de linkerkamer. Het onderzoek van de hersenen is normaal en Armand heeft geen spraakstoornissen meer. Een CT-scan van de hersenen toont geen hersenletsel en het doppleronderzoek van de halsvaten is ook normaal. De neuroloog vertelt Armand dat een verder hartonderzoek nodig is omdat hij een kleine bloedklonter vermoedt in het hart. Een deel van de klonter is naar de hersenen meegevoerd en heeft daar vermoedelijk een klein bloedvat afgesloten. De dokter verzekert Armand dat de situatie niet heel ernstig is, maar het onregelmatig hartritme is de oorzaak van de kleine klontervorming in de linkervoorkamer. De volgende dag ondergaat Armand een transoesofagale echocardiografie. De cardioloog brengt de sonde tot in de slokdarm en stelt een kleine klonter vast in het hartoortje van de linkervoorkamer. Er wordt gestart met bloedverdunnende medicatie in pilvorm, die de spuitjes na enkele dagen zullen vervangen. De bloedverdunners verhinderen dat de klonter vergroot en het lichaam zal de klonter zelf oplossen. Het vertragen van het hartritme verbetert ook de pompfunctie van de linkerhartkamer. 'Door de hartritmestoornis en de te snelle hartslag is het hart vermoeid geworden maar dit is meestal van voorbijgaande aard', verzekert de dokter. Zuurstoftekort, of een kleplek van het hart of een overdreven werking van de schildklier verklaart de voorkamerfibrillatie. 'Alcoholgebruik is vanaf nu definitief gedaan', beslist de dokter, 'zelfs al ben je geen echte drinker. Voorkamerfibrillatie kan voorkomen na inname van alcohol'.

Na enkele dagen kan Armand het ziekenhuis verlaten. Hij neemt als medicatie een bloedverdunner, een bètablokker (waardoor zijn pols in rust is teruggevallen van 130 naar 80 slagen per minuut) en een ACE-inhibitor om de slechte pompwerking van het hart te verbeteren. Armand moet nog een tijdje thuisblijven. Lichte inspanningen zijn toegestaan en er wordt een afspraak gemaakt voor een raadpleging in de dienst cardiologie, enkele weken later. Eén keer per week doet de huisarts een bloedproef om de dosis bloedverdunner aan te passen. Armand voelt zich beter met de medicatie en is minder kortademig wanneer hij de trap oploopt.

Eén maand later bevestigt de cardioloog dat het hart van Armand al flink is hersteld. Het hartritme is nog onregelmatig maar is goed vertraagd en de kracht van de hartspier is veel beter. Armand ondergaat opnieuw een slokdarmechografie en het resultaat van het onderzoek is goed. 'De klonter in de voorkamer is ook verdwenen', bevestigt de cardioloog. Ze bespreken ook de mogelijkheid om het hartritme regelmatig te maken. Dit gebeurt door een elektrische shock op de borst onder een lichte algehele verdoving. Na de shock zal Armand andere medicatie innemen om te verhinderen dat het hartritme opnieuw onregelmatig wordt en het nemen van de bètablokker wordt onderbroken.

'Het is van belang dat het hartritme tijdens de eerste 6 maanden na de elektroshock regelmatig blijft', verzekert de cardioloog. 'Eén patiënt op twee hervalt opnieuw in een voorkamerfibrillatie en daarom is het goed om de antistolling nog gedurende minstens 6 maanden verder te nemen.'

Armand is intussen terug aan de slag. Hij heeft besloten om geen alcohol meer te nemen tijdens zijn zakenlunch en om meer aan lichaamsbeweging te doen.

Na 6 maanden draagt Armand een cassette waarop thuis het hartritme gedurende 24 uur wordt opgeschreven. 'De pompfunctie is volledig normaal en het hart klopt mooi regelmatig onder de behandeling met het antiarrhytmicum. De bloedverdunner kan worden vervangen door een aspirine maar de ACE-inhibitor en het antiarrhytmicum kunnen onveranderd verder', stelt de cardioloog hem gerust. Armand is tevreden dat zijn hart is hersteld en voelt zich opgelucht.

Noot: De geschiedenis van Armand illustreert dat patiënten met hartritmestoornissen niet altijd hartkloppingen hebben. Soms veroorzaken hartritmestoornissen een verzwakking van de pompwerking van het hart en doorbloedingsstoornissen van de hersenen door klontervorming in de linkervoorkamer van het hart. Vandaag is er een nauwe samenwerking tussen de neuroloog en de cardioloog en kunnen klonters in het hart duidelijk worden aangetoond door een slokdarmechografie. Een voorkamerfibrillatie van het hart is vandaag ook een semi-urgentie en het snelle herstel naar een regelmatig hartritme voorkomt dat de patiënt tijdens de eerste 6 maanden hervalt. Met de huidige medicatie is een hartverzwakking te wijten aan een te snel hartritme meestal omkeerbaar.

15 Hartritmestoornissen

Hartritmestoornissen: wat en waarom en welke klachten?

Wat zijn hartritmestoornissen?

Hartritmestoornissen zijn abnormale hartslagen die te traag of te snel zijn. Zoals eerder uitgelegd verzekert de gangmaker of de sinusknoop (figuur 2) dat ons hart als een holle spier in rust ongeveer 70 keer per minuut samentrekt om het bloed naar de longen en de organen rond te pompen. De hersenen zijn het meest gevoelig voor zuurstofgebrek. Als een hartritmestoornis de bloedtoevoer naar de hersenen onderbreekt dan komt ook de zuurstofvoorziening in het gedrang waardoor er bewustzijnsverlies optreedt. Bewusteloosheid kan dus het eerste teken zijn van een ritmestoornis wanneer het hart te traag of te snel klopt.

Hoe ontstaan hartkloppingen?

Normaal voelen we ons hart niet kloppen tenzij we gespannen zijn of een zware inspanning leveren. Het kloppen van het hart na een fysieke inspanning wordt door de meeste mensen niet als onaangenaam ervaren. Hartbonzen dat als vervelend wordt ervaren noemen we hartkloppingen of palpitaties. Dit kan een normale reactie zijn bij emotie en stress waardoor het hart krachtiger en sneller slaat. Bij een hartritmestoornis slaat het hart plots op hol zonder aanwijsbare oorzaak en klopt het veel te snel volgens de behoefte van ons lichaam. Een snel hartritme wordt een tachycardie genoemd (meer dan 100 slagen per minuut).

Hartkloppingen zonder een ritmestoornis kunnen normaal zijn zonder dat hiervoor altijd medicatie nodig is. Als voornaamste maatregel geldt hier geruststelling en het nakijken waarom iemand emotioneel of gestrest is.

Wat voelt men bij een te traag hartritme?

Wanneer het hart te traag klopt volgens de behoefte van ons lichaam en men geen hartkloppingen voelt dan treden vermoeidheid, kortademigheid, korte duizeligheid of soms een kortstondig bewustzijnsverlies op. Een hartritme onder de 60 slagen per minuut is een bradycardie. Het plots stoppen van de hartactiviteit is een pauze. Pauzes die langer dan 3 seconden duren zijn abnormaal en bij bovengenoemde klachten beslist de cardioloog om een kunstmatige gangmaker of een pacemaker in het hart te plaatsen.

Snelle hartritmestoornissen veroorzaken niet altijd hartkloppingen

Eerste tekenen van een snelle hartritmestoornis zijn: onverwachte dood, hartverzwakking met waterophoping in de longen (longoedeem) of waterophoping in de onderste ledematen (veralgemeend hartfalen). Onverwachte dood is het overlijden binnen het uur van een persoon die voordien in schijnbaar goede gezondheid verkeerde. Een ritmestoornis van de hartkamer met een volledig ongeordende elektrische activiteit (kamerfibrillatie of ventrikelfibrillatie) is een frequente oorzaak van plotseling overlijden tijdens een acuut infarct. Andere oorzaken van plotselinge dood zijn een grote bloedklonter in de longaders (longembolie), een scheur van de grote lichaamsslagader (aortadissectie) of het barsten van een te brede lichaamsslagader (aneurysmaruptuur).

Soorten hartritmestoornissen

Wat zijn overslagen van het hart?

De patiënt voelt een pauze of heeft het gevoel dat het hart eventjes stilvalt gevolgd door een extra hevige slag. Meestal zijn deze overslagen of extrasystolen onschuldig indien er door de cardioloog geen onderliggend hartlijden wordt vastgesteld. Een extrasystole is een abnormale prikkel die vroeger komt dan de elektrische impuls van de sinusknoop. Deze extrasystolen ontstaan overal in het hart en niet alleen in de voorkamers van het hart (supraventriculaire extrasystolen) maar ook in de kamers van het hart (ventriculaire extrasystolen). De individuele gevoeligheid voor extrasystolen verschilt enorm, veel extrasystolen veroorzaken overigens niet altijd veel klachten. Bij de behandeling van extrasystolen bij patiënten met een normaal hart zijn geruststelling en het vermijden van excitantia (koffie, thee, nicotine, alcohol) te verkiezen. Ook drugs zoals XTC en cocaïne kunnen extrasystolen veroorzaken. Medicatie die de ritmestoornissen onderdrukt is niet altijd vrij van bijwerkingen op lange termijn en wordt in principe vermeden bij patiënten met een normaal hart.

Anderzijds kunnen enkele dagen na een hartinfarct frequente kamerextrasystolen voorkomen tijdens een Holter-registratie (dit is een cassette die gedurende 24 uur het hartritme opschrijft [figuur 27]). Enkelvoudige kamerextrasystolen worden niet meer behandeld maar ernstige kamerextrasystolen bij patiënten met een verzwakt hart vergen soms elektrofysiologisch onderzoek (zie verder).

Wat is een sinustachycardie?

Een deel van de patiënten met hartkloppingen hebben bij de minste inspanning een sinustachycardie. Dit is het te snel oplopen van de hartfrequentie bij een geringe inspanning en dit is meestal te wijten aan een gebrek aan lichamelijke conditie, nervositas en angst. Anderzijds kan een bloedproef soms bloedarmoede of een overdreven werking van de schildklier aantonen, wat de sinustachycardie verklaart. Medicatie die het hartritme vertraagt (zoals bètablokkers) is nuttig indien de patiënt blijvende last ondervindt van sinustachycardie.

Wat betekent een extra verbinding?

Het plotseling optreden van snelle hartkloppingen bij een persoon met een normaal hart kan te wijten zijn aan een extra verbinding. Hierbij verloopt de elektrische geleiding van de voorkamer naar de kamer deels over deze extra verbinding en deels over de normale verbinding (atrioventriculaire knoop, bundel van His, rechter- en linkerbundeltakblok). Dit verklaart het bizarre elektrocardiogram in rust met een 'pseudo'-infarct. Het elektrocardiogram wordt dan verklaard door de vroegtijdige prikkeling van een deel van de kamer of pre-excitatie. Patiënten die pre-excitatie hebben op het elektrocardiogram kunnen asymptomatisch zijn. De meeste patiënten hebben plotseling hartkloppingen doordat er soms een kringstroom ontstaat (te vergelijken met een kortsluiting). De elektrische stroom komt dan niet meer van de voorkamer naar de kamer maar draait rond in een cirkel tussen de extra en de normale verbinding (cirkeltachycardie) en prikkelt zowel de kamer als de voorkamer. Een persoon met pre-excitatie en cirkeltachycardie heeft een WPW-syndroom (Wolff-Parkinson-White syndroom).

Wat is een ontdubbelde atrioventriculaire (AV-) knoop (figuur 2) ?

Bij een AV-nodale tachycardie is er geen echte extra verbinding. Tijdens de aanval van de hartkloppingen draait de cirkelstroom rond in de dubbele geleidingswegen van de AV-knoop. De patiënt heeft tijdens de aanval een typische kikkerpols of voelbare en zichtbare hartkloppingen in de hals, als een kikker die ademt.

Wat is een voorkamerfibrillatie?

Deze ritmestoornis komt heel frequent voor, bijvoorbeeld bij een overdreven werking van de schildklier, bij een gebrek van de mitraalklep of bij verhoogde bloeddruk. Bij een voorkamerfibrillatie is er een elektrische chaos in de voorkamer die veel te veel impulsen afgeeft. Deze impulsen worden vertraagd in de atrioventriculaire knoop maar een deel gaat toch door naar de kamers die dan te snel en onregelmatig kloppen. Een voorkamerfibrillatie geeft dus een snelle en onregelmatige pols. Dit kan aanleiding geven tot hartkloppingen of kortademigheid bij inspanning omdat het hart bij de minste inspanning nog veel sneller zal kloppen.

Anderzijds legt deze ongeordende activiteit de voorkamer volledig lam. Dit geeft geen aanleiding tot een stilstand van het hart omdat de kamers nog goed samentrekken. De samentrekking van de voorkamer maakt het mogelijk dat de kamer goed wordt gevuld met bloed, net voor de volgende hartslag. Hoe meer bloed er in de kamer is, hoe efficiënter de hartslag (het hart is een holle spier en gedraagt zich als een elastiek, hoe meer uitgetrokken aan de binnenkant, hoe groter de kracht).

Vooral bij oudere personen met een stijver hart is het samentrekken van de voorkamer van relatief groter belang om de kamers optimaal te vullen met bloed. De verlamming van de voorkamer vermindert de pompwerking van het hart het meest bij de oudere patiënt.

Doordat het bloed in de voorkamer blijft staan kan dit aanleiding geven tot klontervorming. Deze klonter kan in het hart blijven of kan worden meegevoerd met de bloedstroom van de rechtervoorkamer naar de longen of van de linkervoorkamer naar de lichaamscirculatie. Een klonter in de longen veroorzaakt een longembolie, een klonter in de systeemcirculatie veroorzaakt een zuurstoftekort in de hersenen, de ingewanden (nieren, darmen) of de ledematen. Eén van de gevreesde verwikkelingen is hersenembolie met verlamming en/of uitval van de spraak als gevolg (CVA of cerebrovasculair accident). Een deel van de hersenbeschadiging op latere leeftijd is niet het gevolg van een vernauwing van de halsslagaders of van een verhoogde bloeddruk maar is het gevolg van klontervorming in het hart.

Wat is een voorkamertachycardie?

Bij een voorkamertachycardie loopt het ritme van de voorkamers op tussen de 100 en 250 per minuut. Doordat een deel van de prikkels worden tegengehouden in de AV-knoop is het ritme van de kamer zelden hoger dan 200 per minuut. Voorkamertachycardieën ontstaan meestal doordat een punt van de voorkamer overprikkelbaar is geworden en worden behandeld met medicatie of kathetertechniek (radiofrequentie-ablatie).

Wat is een voorkamerflutter?

Hier loopt het voorkamerritme op tussen 250 en 350 per minuut en is het kamerritme meestal rond de 150 per min. De ritmestoornis ontstaat door een elektrische cirkelbeweging in de rechtervoorkamer. Deze ritmestoornis kan worden gestopt door het onderbreken van de elektrische stroom in de cirkel door medicatie of door kathetertechniek (radiofrequentie-ablatie).

Wat is een kamertachycardie?

Deze ritmestoornis van de kamers kan worden vermoed door de analyse van het elektrocardiogram opgenomen tijdens de ritmestoornis. Het is de taak van de cardioloog om de onderliggende oorzaak van deze hartritmestoornis op te sporen om uit te maken of de ritmestoornis al dan niet gevaarlijk is. Het risico is het ontaarden van de kamertachycardie in een kamerfibrillatie, vooral wanneer de bloeddruk laag wordt. Door gespecialiseerd onderzoek wordt een verdikking van de hartspier en een rechterventrikeldysplasie uitgesloten. De rechterkamertachycardie die ontstaat uit een focus onder de pulmonaalklep en de linkerkamertachycardie bij personen met een gezond hart zijn goedaardig. Een patiënt met een oud hartinfarct die buiten de infarctepisode een kamertachycardie doormaakt heeft gespecialiseerd onderzoek nodig.

Indien de pompwerking van het hart bewaard is dan voelt men hartkloppingen. Patiënten met een verzwakt hart voelen duizeligheid of ademnood tijdens de tachycardie en vergeten soms op tijd medische hulp in te roepen.

Hoe kan men de diagnose stellen van een hartritmestoornis?

Indien iemand aanvallen van hartkloppingen heeft dan is het belangrijk om tijdens de crisis een elektrocardiogram te maken. Een elektrocardiogram kan op elke spoedgevallenafdeling van een ziekenhuis worden gemaakt, of door de huisarts. Hierdoor is het onderscheid snel duidelijk tussen een sinustachycardie en een echte hartritmestoornis. Dit is uiteraard van belang voor de aanvullende behandeling. Een sinustachycardie geeft een gevoel van hartbonzen en is geen echte stoornis maar een reactie op een prikkel van buitenaf. De registratie van het hartritme gedurende 24 uur met een Holter geeft niet altijd informatie omdat de patiënt in die periode net geen hartkloppingen had. Het dragen van een *event-recorder (figuur 26)* gedurende één week waarbij de patiënt tijdens de kloppingen op een knopje drukt is een goed alternatief. Anderzijds kan men de patiënt aanleren om de polsslag te tellen. Indien de polsslag meer dan 150 is, dan is de diagnose van een extra verbinding waarschijnlijk (de hartfrequentie ligt tussen de 150 en de 250/min). Indien vagale manoeuvres zoals het blazen op de hand, het persen of een massage van de carotis (dit is het duwen in de halsstreek ter hoogte van de halsslagaders) de tachycardie kunnen stoppen dan is dit een kenmerk van een hartritmestoornis die gebruik maakt van de atrioventriculaire knoop voor zijn cirkelbeweging.

Indien de aanvallen van de hartkloppingen reeds voorkomen op jonge leeftijd is de diagnose vrijwel zeker.

Het stellen van de juiste diagnose is moeilijk indien de arts de patiënt buiten de episode van de tachycardie ziet, maar bij een AV-nodale tachycardie treden er snelle en regelmatige hartkloppingen op die meestal worden gevoeld in de keelstreek; de persoon heeft dan een kikkerpols. De kloppingen worden duidelijk gezien ter hoogte van de halsaders (te vergelijken met de ademhaling van een kikker). Gezien deze kloppingen na enkele minuten kunnen verdwijnen en gepaard gaan met angst en een snelle ademhaling kan de arts die voor het eerst de patiënt ziet denken aan hyperventilatie. Dit is een snelle en diepe ademhaling met tintelingen in de vier ledematen die ontstaat wanneer een persoon sneller ademt dan de behoefte van het lichaam dicteert.

Hoe stopt men een hartritmestoornis?

Bepaalde mensen kunnen worden geholpen door preventief medicatie in te nemen ofwel door tijdens een crisis medicatie in te nemen via de mond. Het uitvoeren van een Valsalva-manoeuvre kan nuttig zijn. Indien de crisis nog niet overgaat dan kan de patiënt die de hartkloppingen herkent naar een dienst spoedgevallen gaan. De snelle injectie van adenosine in de ader stopt deze cirkeltachycardieën waarvan het circuit door de atrioventriculaire knoop loopt. Adenosine blokkeert zeer tijdelijk de geleiding door de atrioventriculaire knoop.

De patiënt met een kamertachycardie die een lage bloeddruk heeft krijgt best een lichte verdoving waarna een elektrische reconversie kan worden uitgevoerd.

Bij een geplande elektrische reconversie van een voorkamerfibrillatie is de hoeveelheid energie groter zodat de patiënt een sterkere verdoving nodig heeft.

Wanneer zijn ritmestoornissen gevaarlijk?

Relatief jonge patiënten ondervinden ritmestoornissen die zelden gevaarlijk zijn doordat de patiënt de kloppingen voelt en op tijd medische hulp zoekt. Bovendien is de kans op een bloeddrukval minder groot wanneer het hart normaal is.

Na een oud infarct gebeurt het dat de patiënt met ritmestoornissen van de kamer niets voelt en dus niet direct hulp inroept. Het is opvallend dat de patiënt met een uitgebreid infarct en een verminderde pompfunctie zelden palpitaties of hartkloppingen heeft tijdens een aanval van tachycardie. Deze ritmestoornissen vergen evenwel steeds een onmiddellijke opname in het ziekenhuis, ook indien de bloeddruk van de patiënt goed blijft. Het thuis behandelen van deze ritmestoornis is niet aangewezen. Medicatie kan een immers bloeddrukdaling veroorzaken met een versnellen van de ritmestoornis waarbij uiteindelijk een hartstilstand door kamerfibrillatie ontstaat.

De ritmestoornis die ontstaat in één van de hartkamers rond de zone van het oude infarct wordt een kamertachycardie of ventrikeltachycardie genoemd. Tussen het gezonde weefsel en het litteken van het infarct is er een overgangszone waar de elektrische geleiding sterk vertraagd is. Door een plotse 'kortsluiting' in deze zone rond het infarctlitteken draait deze elektrisch impuls in een klein cirkeltje rond en prikkelt de beide kamers veel sneller dan de sinusknoop die niet in staat is het normale ritme op te leggen. De hartfrequentie tijdens de tachycardie kan relatief traag zijn (120/min) maar is meestal sneller (180 tot 250/min). De snelheid van de hartritmestoornis en de graad van hartverzwakking bepalen het risico van een hartstilstand. Een slecht verdragen ritmestoornis veroorzaakt duizeligheid, kortademigheid of een drukkend gevoel in de borststreek. De patiënt is zich meestal niet bewust dat zijn hart de oorzaak is en belt niet altijd onmiddellijk de dokter. Door het snel hartritme kan er bloeddrukval optreden waarbij het hart nog versnelt en waarbij er uiteindelijk een kamerfibrillatie optreedt.

Een kamerfibrillatie is een totaal onwillekeurige elektrische hartactiviteit waardoor een hartstilstand optreedt. Dit staat gelijk met een hartstilstand en zonder onmiddellijke hartmassage met mond-op-mondbeademing en een externe hartdefibrillatie in de eerste 5 minuten is de kans op overleving geringer. Door de hartstilstand valt het waakcentrum in de hersenen na 15 seconden stil waardoor de patiënt bewusteloos neervalt. Als men langer dan 7 minuten wacht om hartmassage toe te passen, dan is de kans op overleving gering. Hartmassage zonder mond-op-mondbeademing verhoogt reeds de kans op overleving, als een externe defibrillatie binnen een redelijke tijd mogelijk is.

Een externe defibrillator (figuur 9) bestaat uit een capaciteit die zich kan ontladen waardoor een vooraf gekozen hoeveelheid energie door het hart wordt gejaagd. Deze energie loopt tussen 2 paddels die de arts of verpleger op de borststreek plaatst. Een paddel bestaat uit een handvat dat door de arts wordt vastgehouden; aan de onderzijde is het oppervlak glad zodat er een goed huidcontact is. Een beschermde gel of een *patch* op de huid verbetert het contact tussen de huid en de paddels. Tijdens de defibrillatie mag de arts het bed van de patiënt niet aanraken om zelf geen shock te krijgen. Met externe defibrillatie kan men de meeste ritmestoornissen onderbreken. Na een defibrillatie kan er roodheid zijn ter hoogte van de huid.

HET GEBRUIK VAN MEDICATIE TEGEN HARTRITME-STOORNISSEN OF ANTIARRHYTMICA: omzichtig gebruik door de specialist

Wat zijn antiarrhytmica?

Antiarrhytmica zijn geneesmiddelen die de cardioloog voorschrijft om hartritmestoornissen te behandelen. Zo'n middel heeft een eigen werkingsmechanisme en wijzigt de elektrische karakteristieken van de hartspiercellen door in te werken op ionenkanalen. Dit zijn fijne poriën in de hartspiercel die de elektrische potentiaal of de spanning tussen de binnenzijde en de buitenzijde van de cel regelen.

De elektrische eigenschappen van de hartspiercel

De membraanpotentiaal in het rust is het resultaat van het verschil in de hoeveelheid natrium, kalium en calcium en chloor tussen de binnenzijde en de buitenzijde van de hartspiercel. Aldus is de binnenzijde van de hartspiercel in rust gemiddeld 60 millivolt minder positief geladen vergeleken met de buitenzijde.

Bij prikkeling van de cel ontstaat een massale instroom van natriumionen in de cel zodat de binnenzijde positief wordt tegenover de buitenzijde van de cel; dit is de depolarisatie. De geordende depolarisatiegolf tijdens het samentrekken van de rechter- en de linkerkamer wekt een elektrische activiteit op die door een elektrocardiogram wordt geregistreerd. Na de depolarisatie volgt een rustfase waarbij de natriumkaliumpomp de natriumionen naar buiten pompt en de kaliumionen naar binnen haalt.

Hoe werken de antiarrhytmica?

De meeste antiarrhytmica remmen de geleiding van de elektrische prikkel en zorgen ervoor dat de hartspiercellen na een eerste prikkel langer ongevoelig zijn voor een nieuwe prikkel. Als de ritmestoornis het gevolg is van een cirkeltachycardie dan kan het antiarrhytmicum deze ritmestoornis soms stoppen. Door de tragere geleiding wordt de cirkel van de cirkeltachycardie alsmaar groter zodat de tachycardie uiteindelijk stopt.

Hebben antiarrhytmica nadelen?

Bepaalde antiarrhytmica worden niet meer gebruikt bij patiënten die een hartinfarct doormaakten. Kamerextrasystolen of overslagen zijn frequent na een infarct maar komen ook veel voor buiten de periode van het infarct. Ernstige kamerextrasystolen na een infarct (verschillende morfologieën en *runs*...) wijzen op hartbeschadiging en verhogen het risico op ventrikeltachycardie. Alhoewel bepaalde antiarrhytmica de kamerextrasystolen goed onderdrukken kunnen andere gevaarlijke ritmestoornissen opduiken. Een studie in het begin van de jaren 90 toonde aan dat klasse Ic-antiarrhytmica bij patiënten die een hartinfarct doormaakten de kans op onverwacht sterven verhoogt. Sedertdien schrijft de cardioloog deze klasse niet meer voor bij infarctpatiënten. Tot deze klasse behoren de geneesmiddelen flecaïnide, propafenone en cibenzoline.

Een veilig antiarrhytmicum bij kamertachycardie na een hartinfarct is ongetwijfeld amiodarone. De mogelijke bijwerkingen zijn te wijten aan het hoog jodiumgehalte en dus is een regelmatige controle van de schildklier aangewezen. Amiodarone kan zich opstapelen in de lens van het oog maar dit noodzaakt zelden het onderbreken van de behandeling en de opstapeling is nooit definitief.

Samenvatting

Palpitaties zijn hinderlijke hartkloppingen en dit kan soms te wijten zijn aan een ritmestoornis. Bepaalde hartritmestoornissen veroorzaken geen hartkloppingen, vooral als het hart verzwakt is. Het eerste teken van een ritmestoornis kan onverwacht sterven zijn, een longoedeem of een syncope.

Palpitaties kunnen plotseling opkomen en plotseling verdwijnen. De diagnose kan moeilijk zijn als de ritmestoornis alleen thuis opkomt. Een goede ondervraging en een verlengde registratie van het hartritme kunnen nuttig zijn.

De behandeling van ritmestoornissen is verschillend en afhankelijk van het type ritmestoornis en de onderliggende hartaandoening. Overslagen van het hart worden zelden met medicatie behandeld als het hart gezond is.

16 Elektrofysiologie

Het verhaal van An

An is 20 jaar en studeert rechten. Sinds enkele weken is An meer vermoeid en het volgen van de lessen valt haar zwaar. Soms voelt zij zich niet lekker. Haar hart slaat op hol en ze heeft snelle hartkloppingen in de keel. Wanneer dit voorvalt wordt alles zwart voor haar ogen en moet ze diep ademhalen. De hartkloppingen stoppen na tien minuten.

An besluit om de studentenarts te raadplegen maar die kan niets verkeerd vaststellen. 'Bloeddruk en polsslag zijn normaal. Wellicht zijn het zenuwen', stelt hij haar gerust. 'Het is normaal dat je wat vermoeid bent in deze periode van het jaar; het komt vaak voor onder de studenten.'

An doet veel aan sport, ze houdt van zwemmen, gaat joggen en doet aan fitness. Het is eigenaardig dat ze tijdens het sporten nooit last heeft van hartkloppingen. Zij voelt dat haar hart dan sneller slaat maar dat is niet onaangenaam.

De blokperiode staat voor de deur. De partiële examens waren niet zo goed en An besluit om haar werkschema op te voeren. Ze is bang voor een tweede zittijd en doordat ze 's avonds de slaap niet kan vatten, voelt ze zich overdag permanent vermoeid. Tot overmaat van ramp nemen de hartkloppingen toe: ze heeft hiervan nu zowat om de 2 dagen last.

Ze gaat opnieuw naar haar dokter die haar een licht kalmeermiddel voorschrijft. An heeft toenemende last van kloppingen en ten einde raad verwijst de studentenarts haar naar een hartspecialist.

'De diagnose is niet gemakkelijk want de last lijkt nogal op hyperventilatie', meent de cardioloog. 'Wanneer je angstig en gestrest bent, adem je ongewild sneller en dieper, en dit veroorzaakt allerhande nare gevolgen zoals tintelingen in de armen en rond de mond of hartkloppingen en pijn in de borst.' De hartspecialist besluit om gedurende 24 uur een Holter-monitoring van het hartritme uit te voeren. An krijgt elektroden op de borst die verbonden zijn met kabeltjes aan een cassette die zij om haar middel draagt. Gedurende de dag en de nacht dat An de Holter draagt heeft ze geen last. Na het onderzoek van het tracé stelt de cardioloog An gerust. Hij schrijft haar een kalmerende kruidenthee voor.

'Het is misschien ook goed om ademhalingskine te volgen', stelt hij voor. 'Tel je polsslag wanneer de hartkloppingen opnieuw opkomen, en ga na of het persen op je hand de kloppingen kan stoppen.'

An heeft nog één keer per week hartkloppingen met duizeligheid en uit schrik voor een volgende aanval durft zij niet meer buiten te komen. Zij volgt de raad van de cardioloog en voelt gedurende 15 seconden haar polsslag. Ze telt 40 slagen: 160/min! Door hevig te persen en op haar handrug te blazen onderbreekt zij de crisis. Zij besluit om haar cardioloog opnieuw te raadplegen om dit te bespreken.

'De aanvallen die je kan stoppen door te persen zijn geen hartkloppingen door angst maar vermoedelijk door een extra verbinding in het hart', legt hij haar uit. 'Wanneer je ook hartkloppingen voelt in de keel dan is dit door een ritmestoornis rond de atrioventriculaire knoop. Deze ritmestoornissen zijn niet gevaarlijk maar vervelend als ze veel voorkomen omdat je dan medicatie moet slikken... De medicatie vergeet je wel eens wanneer je jong bent en indien je zwanger wilt worden is het evenmin ideaal. Een andere behandeling is een radiofrequentie-ablatie; hierbij komt de cardioloog met een slangetje tot in je hart om de extra verbinding uit te schakelen. Dit gebeurt door een klein brandwondje te maken in je hart met een slangetje dat aan de tip tussen de 50 en de 60°C is opgewarmd.' Voorlopig stelt de cardioloog geneesmiddelen voor die An iedere dag inneemt opdat de hartkloppingen achterwege zouden blijven. 'Wanneer de examens voorbij zijn kun je beslissen of je deze ingreep laat uitvoeren', suggereert hij. An slikt per dag twee keer een halve tablet sotalol en ze meent dat het aantal crisissen afneemt.

Na het derde examen voelt ze zich erg vermoeid en ze krijgt een verlengde aanval van hartkloppingen die na twee uur nog niet over is. An gaat naar de spoedgevallenafdeling van het universitair ziekenhuis. Ze krijgt enkele elektrodes op de borststreek die met kabeltjes aan de monitor zijn verbonden. Haar hartslag is nu 170 per minuut! De arts probeert de crisis door een carotismassage te onderbreken en duwt hierbij afzonderlijk rechts en links op haar hals. De kloppingen gaan in alle hevigheid verder. 'Ik zal je een kleine dosis adenosine inspuiten. Hiervan kan je een warmtegevoel in het gelaat ondervinden', legt hij uit. 'Heel effectief en ongevaarlijk omdat de medicatie al na enkele seconden is uitgewerkt.' Na het snel inspuiten van adenosine registreert een elektrocardiogram nauwkeurig de hartslag en bestudeert de arts hoe de ritmestoornis stopt.

'Je hebt vermoedelijk een veelvoorkomende ritmestoornis van de atrioventriculaire knoop', legt hij uit. 'Dit is een ontdubbelen van de elektrische geleiding in de atrioventriculaire knoop waarbij het hart op hol slaat wanneer de geleiding van de ene baan naar de andere springt en er een cirkeltachycardie ontstaat. Hierbij draait de elektriciteit in een kringetje rond in het hart.

Het is geen gevaarlijke ritmestoornis omdat het niets te maken heeft met een hartziekte. Maar het is onaangenaam om steeds naar de spoedgevallendienst te moeten komen om de ritmestoornis te doen stoppen. Bovendien heb je nu al schrik voor de volgende aanval. Ik raad je aan om een ablatie te laten uitvoeren van de ritmestoornis. Dit betekent dat je geen medicatie meer hoeft te slikken én dat je volledig genezen bent.'

De eerste zittijd verloopt zonder verdere incidenten en na het innemen van sotalex heeft An geen last meer. Ze vraagt zich af of ze wel een interventie zou laten doen want de cardioloog had haar ook gewaarschuwd voor het kleine risico van een pacemaker na deze ingreep maar dit was zeldzaam met een kans van één op honderd patiënten. Haar vriendinnen hadden plannen om na een geslaagde eerste zit een trektocht te ondernemen in het Nepalese hooggebergte. An is bang om te vertrekken want een crisis in het hooggebergte is niet gemakkelijk te onderbreken. Zij besluit de ingreep te laten uitvoeren en belt de cardioloog op die een afspraak maakt in het naburige ziekenhuis met een afdeling elektrofysiologie.

An krijgt informatie toegestuurd. Zij laat enkele dagen voor het onderzoek een radiogram van de longen maken en een volledige bloedtest met stolling. Tot haar verbazing kan zij na de ingreep het ziekenhuis dezelfde dag nog verlaten. Het wegbranden van de verbinding in het hart gebeurt via het inbrengen van een elektrode onder lokale verdoving. De positie van het slangetje wordt bepaald door het hart door te lichten. De cardioloog kan de ritmestoornis tijdens het onderzoek gemakkelijk opwekken om de diagnose te bevestigen. Dit is nooit gevaarlijk omdat de ritmestoornis nadien gemakkelijk kan worden gestopt. Als het wegbranden pijn doet dan stopt de dokter onmiddellijk.

De procedure verloopt zoals gepland. An ligt op een lange tafel in de katheterisatiekamer, haar lies werd vooraf geschoren. Eerst brengt de verpleegster ontsmettingsstof aan in de liesstreek, dan dekt zij de streek met steriele lakens af. Het verdoven doet een weinig pijn maar nadien worden de buisjes pijnloos ingebracht in de ader van de lies. Door het hart met de slangetjes te stimuleren kan de cardioloog de ritmestoornis snel opwekken en onmiddellijk stoppen. Na het bevestigen van de diagnose begint de cardioloog met het opsporen van de verbinding en door het bekijken van de elektrische signalen in het hart kan hij precies weten op welke plaats de brandwonde wordt aangebracht. Het maken van een brandwondje vergt één minuut; hierbij wordt de katheter tot minstens 50°C opgewarmd, maar dit doet geen pijn. Het maken van een goed contact tussen de katheter en de binnenzijde van het hart is de voorwaarde voor het goed slagen van de ablatie.

Na het uitvoeren van het brandwondje kan de ritmestoornis niet meer worden opgewekt en de cardioloog beslist om de procedure te stoppen. Na een minuut heeft verder bijbranden geen zin en is het bovendien niet wenselijk omdat er risico is van het hart te veel te vertragen. An blijft na het verwijderen van de buisjes uit haar lies nog drie uur platliggen in haar bed en mag dan opstaan. Zij verlaat het ziekenhuis tegen de avond en moet thuis nog één maand een kinderaspirine innemen.

De maand na de ingreep ondervindt ze geen ritmestoornissen meer en ze gaat op controle bij de cardioloog die haar behandeld heeft. 'Alles is in orde', verzekert hij haar. An voelt zich genezen en maakt zich geen zorgen meer. Midden september staat de trektocht naar Nepal op het programma.

Wat is een elektrofysiologisch onderzoek?

Ritmologie of de studie van de hartritmestoornissen is lange tijd een weinig bekend terrein in de cardiologie geweest en was beperkt tot de analyse van het elektrocardiogram. Het elektrocardiogram schrijft de elektrische potentialen van het hart op die op de borst worden doorgegeven. Bij een elektrofysiologisch onderzoek bestudeert de cardioloog de elektrische stroom in het hart zelf; hiervoor brengt hij een katheter (een klein slangetje) in het hart aan. Met de katheter meet hij de prikkelbaarheid van de hartspiercellen en de geleiding van de zenuwbanen.

Welke toestellen zijn nodig?

Het elektrofysiologisch onderzoek (figuur 41) is een speciale vorm van hartkatheterisatie en wordt meestal in dezelfde ruimte uitgevoerd, met de klassieke opstelling zoals voor een coronariografie: een radiografietafel en een röntgenbuis, een monitor voor het hartritme en de bloeddruk en een reanimatietrousse met uitwendige defibrillator.
De meer specifieke apparatuur voor de studie van aritmieën omvat:

- Een hartstimulator en een versterker van de elektrische hartsignalen.
- Een computer die verbonden is met de hartstimulator en de versterker.
- Katheters of slangetjes met speciale tippen (figuur 40); ze zijn niet hol, in tegenstelling tot katheters voor bijvoorbeeld coronariografie.

Wat onderzoekt de cardioloog?

Hij onderzoekt de volgende eigenschappen van de hartspier:
- De kwaliteit van de sinusknoop (natuurlijke pacemaker of gangmaker).
- De geleiding door de AV-knoop.
- De prikkelbaarheid van de voorkamer en de kamer.
- De uitlokbaarheid van een snelle hartritmestoornis of een tachycardie. Eventuele niet-gediagnosticeerde ritmestoornissen kunnen op een gecontroleerde en veilige wijze worden uitgelokt en gestopt.

Wanneer beslist de cardioloog om dit onderzoek uit te voeren?

- Bij onduidelijkheid over de indicatie voor pacemakerimplantatie bij patiënten met een te traag hartritme of met een geleidingsstoornis tussen de voorkamer en de kamer.
- Meestal heeft de ritmoloog genoeg informatie via de anamnese van ijlhoofdigheid of syncope. Ook het elektrocardiogram in rust, tijdens een inspanning en na toediening van atropine (een geneesmiddel dat het hartritme versnelt) geeft reeds heel wat informatie over de ernst van de sinusknoopziekte. In bepaalde omstandigheden kan een elektrofysiologisch onderzoek weliswaar nuttig zijn, zoals bij het vermoeden van een hapering van de sinusknoop met pauzes bij een patiënt met een normaal Holter-onderzoek (24-uursregistratie van het elektrocardiogram op cassette) of bij patiënten met kortdurende bewusteloosheid of syncope waarbij een tijdelijke stoornis van de kabel tussen de voorkamer en de kamer wordt vermoed (atrioventriculair blok of AV-blok). Het onderzoek heeft hier een geringe sensitiviteit wat op vals normale uitslagen duidt. De specificiteit is evenwel zeer groot met zeer weinig vals abnormale uitslagen.
- De supraventriculaire tachycardieën (ritmestoornissen die in de voorkamers of rond de atrioventriculaire knoop ontstaan) kan de elektrofysioloog onder gecontroleerde omstandigheden uitlokken en stoppen. Zo wordt de diagnose gesteld, ook wanneer de aanvallen niet spontaan optreden in het bijzijn van de dokter. Dit onderzoek wordt aangeraden bij erg hinderlijke hartkloppingen met het oog op een definitieve genezing. Sommige tachycardieën worden genezen door het wegnemen van een extra verbinding.
- Bij aanvallen van tachycardie met een brede QRS-morfologie is een onderscheid tussen voorkameraritmie met aberrante geleiding en kamertachycardie soms moeilijk. Aberratie ontstaat wanneer een elektrische impuls vanuit de voorkamer de kamers prikkelt over de rechter- of de linkerbundel (normaal gaat de prikkel tegelijkertijd

over de beide bundels). In dat geval vertoont het elektrocardiogram brede complexen tijdens de tachycardie zodat het onderscheid met een kamertachycardie moeilijk is. Een kamertachycardie vertoont steeds brede complexen tenzij de haard dicht bij het spiertussenschot van de kamers ligt. Na een elektrofysiologisch onderzoek kan de cardioloog de twee ritmestoornissen van elkaar onderscheiden.
- Na een kamerfibrillatie of een kamertachycardie buiten de acute periode van het infarct is de kans op een nieuwe ritmestoornis groot. Kamerfibrillatie bij een infarct is het gevolg van een plotseling zuurstofgebrek. Na het herstellen van de bloedtoevoer is de kans op herval gering.

Waarom kunnen ritmestoornissen van de hartkamers gevaarlijk zijn?

Kamerritmestoornissen kunnen steeds buiten de periode van het acute infarct voorkomen. Bepaalde patiënten vertonen een groter risico van kamerritmestoornissen. Dit zijn patiënten met
- een vergevorderd stadium van hartverzwakking
- twee vroegere infarcten.

Het gevaar van een kamertachycardie is het ontaarden in kamerfibrilleren met hartstilstand. De kans op een hartstilstand bedraagt 10 tot 30 % per jaar, in eerder genoemde gevallen.

Het elektrofysiologisch onderzoek bepaalt de noodzaak van het plaatsen van een inwendige defibrillator of een implanteerbare cardioverter-defibrillator (ICD) (figuur 43). Dit toestel wordt aangebracht als een pacemaker en kan naast stimulatie bij een te traag hartritme ook ritmestoornissen onderbreken. De prikkeling van het hart aan een hoger ritme dan de ventrikeltachycardie is hiervan een voorbeeld en is pijnloos. Bij zeer snelle ritmestoornissen of een ventrikelfibrillatie geeft het toestel een inwendige shock, als een harde klap op de borststreek.

Welke ritmestoornis kan de cardioloog genezen?

In het begin van de jaren 80 was de behandeling van de ritmestoornissen beperkt tot het onderbreken van de normale geleiding, bij patiënten met onbehandelbare voorkamerfibrillatie. Hierbij werd de elektrische verbinding tussen de voorkamers en de kamers vernietigd door een elektrische ontlading op de tip van een katheter (DC-shock of *direct current shock*). Het nadeel van de techniek was de onvoorspelbare weefselbeschadiging en de noodzaak voor algehele narcose.

Sinds het begin van de jaren 90 wordt radiofrequentie aangewend waardoor de tip van de katheter opwarmt. Bij nauw contact tussen de kathetertip en het hart ontstaat een klein brandwondje van enkele millimeter door de cellen tot +/- 60 °C te verhitten. De aangebrachte brandwondjes door radiofrequentieablatie (kortweg RF-ablatie) zijn klein zodat er geen uitgebreide weefselbeschadiging optreedt. Na het wegnemen van de elektrische verbinding die de ritmestoornis in gang zet (ablatie betekent wegnemen) zijn de patiënten definitief genezen en kunnen zij hun medicatie tegen ritmestoornissen stoppen.

Hoe verloopt een radiofrequentieablatie?

Een radiofrequentieablatie na een elektrofysiologisch onderzoek is te vergelijken met een ballondilatatie na een coronariografie. Tenzij bij kinderen is een algehele anesthesie meestal niet vereist. Als alleen de ader wordt aangeprikt dan kan het onderzoek gebeuren mits daghospitalisatie. Na een radiofrequentieablatie kan de patiënt de volgende dag terug aan de slag en heeft hij geen litteken. De open hartoperaties die vroeger de enige behandeling waren om een extra verbinding uit te schakelen zijn niet langer gebruikelijk.

RF-ablatie van een extra verbinding heeft een slaagpercentage van meer dan 90 % en het risico van deze behandeling is klein.

Wanneer wordt een radiofrequentieablatie voorgesteld?

- Het wegnemen van een extra verbinding of 'zenuw' bij het Wolff-Parkinson-White-syndroom en het wegnemen van de 'trage atrioventriculaire zenuw' bij een AV-nodale tachycardie betekent de genezing voor deze patiënten. Hartritmestoornissen bij patiënten met een gezond hart zijn niet altijd gevaarlijk maar zijn een enorme psychische belasting. Niet alleen de angst voor een volgende aanval maar ook de inname van medicatie kunnen een vals ziektegevoel opwekken. Anderzijds kunnen antiarrhytmica soms onvoorspelbare ritmestoornissen uitlokken (pro-arrhytmisch effect) en is levenslange medicatie duur.

- De behandeling van een voorkamerflutter met een elektroshock en medicatie is vaak teleurstellend door het snelle herval. Bij de meeste vormen van voorkamerflutter draait in de rechtervoorkamer een elektrisch circuit rond als een grote lus. Een radiofrequentieablatie aan de overgang tussen de tricuspidaalklep en de onderste lichaamsader, op de bodem van de rechtervoorkamer, onderbreekt het elektrisch circuit. Het succes is geringer bij een uitgezette voorkamer maar bij herval is er voorkamerfibrillatie die gemakkelijker te behandelen is.

- Voor de permanente voorkamerfibrillatie is er nog geen definitieve 'routine'-behandeling. Bij een voorkamerfibrillatie zijn er meerdere circuits die niet alleen in de rechter- maar ook in de linkervoorkamer liggen. Het wegbranden van alle circuits is niet alleen tijdrovend maar verhoogt ook het risico van klontervorming en embool naar de longen en naar de hersenen.

- Afwisselend sinusritme en voorkamerfibrillatie (intermittente voorkamerfibrillatie) bij patiënten zonder andere hartaandoening kan soms worden behandeld met een RF-ablatie in de linkervoorkamer rond de longaders. Bij sommige vormen van intermittente voorkamerfibrillatie prikkelen overslagen uit de longaders de linkervoorkamer waardoor na een tijdje een ongeordende elektrische activiteit of een voorkamerfibrillatie ontstaat.

- Niet te controleren voorkamerfibrillatie, ondanks medicatie, is hinderlijk voor de patiënt; hier kan een ablatie van de His-bundel de patiënt helpen. Deze techniek heeft steeds een te trage hartslag als gevolg zodat een pacemakerimplantatie noodzakelijk is. De gevallen die hiervoor in aanmerking komen zijn:
  - voorkamerfibrillatie met onbehandelbaar snel kamerantwoord
  - hartkloppingen en vermoeidheid bij inspanning
  - medicatie wordt niet verdragen door hinderlijke bijwerkingen

- In de selectie van de patiënten die in aanmerking komen voor ablatie van kamertachycardieën moet men rekening houden met de onderliggende hartziekte en het type ritmestoornis. Goede resultaten worden gezien bij ablatie van
- kamertachycardie bij een gezond hart
- kamertachycardie door cirkeltachycardie in de bundeltakken bij een ziek hart

Bij kamertachycardie na een oud infarct ziet men na ablatie van één aritmie dikwijls een nieuwe tachycardie ontstaan uit de zone rond het infarct. Het slaagpercentage na een ablatie is slechts 40-60 %.

Samenvatting
Elektrofysiologisch onderzoek en radiofrequentieablatie zijn hun experimenteel stadium voorbij en worden aangewend voor diagnose en behandeling van ritme- en geleidingsstoornissen. De elektrofysiologie is preciezer dan het elektrocardiogram om het mechanisme van de ritmestoornis te ontrafelen. Bepaalde ritmestoornissen ontstaan door een extra verbinding. Hierdoor draait de elektrische prikkel in een kleine cirkel rond en is de prikkeling van het hart abnormaal snel. Het wegnemen van de extra verbinding was vroeger enkel mogelijk door een open hartoperatie, maar kan sinds enkele jaren door een brandwondje te maken in het hart door het inbrengen van een katheter waaraan radiofrequentie-energie wordt gekoppeld.
De techniek is doeltreffendheid, veilig en comfortabel voor de patiënt door de korte hospitalisatieduur en de minimale herstelperiode.
Voorkamerfibrillatie is een moeilijke ritmestoornis en slechts een klein aantal patiënten wordt door radiofrequentieablatie genezen.
Plotselinge dood door kamerfibrillatie komt veel voor tijdens een acuut infarct. Indien de patiënt dit overleeft dan is er geen grotere kans op een nieuwe ritmestoornis buiten de periode van het hartinfarct. Ritmestoornissen van de kamer buiten de periode van het acute infarct zijn gevaarlijk als ze bewustzijnsverlies veroorzaken of indien de pompfunctie van de kamer zwak is. Een elektrofysiologisch onderzoek kan de doeltreffendheid van medicatie nagaan bij een patiënt die een kamertachycardie heeft doorgemaakt. Een inwendige defibrillator is de meest doeltreffende bescherming tegen hartstilstand. Het plaatsen van het apparaat gebeurt als een gewone pacemaker en er is geen open hartoperatie meer nodig.

17 Pacemakers en inwendige defibrillatoren

Te traag hartritme of bradycardie

Een te traag hartritme wordt niet altijd met een pacemaker behandeld

Men spreekt van een bradycardie wanneer de hartslag lager is dan 60 slagen per minuut. Dit is een normale aanpassing van het hart aan training en een teken van een uitstekende lichamelijke conditie. Bij sporters veroorzaakt bradycardie meestal geen klachten.

Bradycardie bij oudere personen die geen intensieve sport beoefenen is meestal abnormaal en kan verder in de hand worden gewerkt door inname van medicatie die het hartritme vertraagt. De geneesmiddelen die het hartritme vertragen zijn oogdruppels, digitalis, bètablokkers en bepaalde calciumantagonisten.

Een te trage hartslag kan te wijten zijn aan een stoornis van de gangmaker van het hart (sinusknoop) of aan een stoornis van prikkeloverdracht tussen de voorkamers en de kamers (atrio-ventriculair blok). De cardioloog probeert alle medicatie die het hart vertraagt te vervangen voor hij beslist om een kunstmatige gangmaker of een pacemaker te plaatsen. Alleen de patiënt die klachten heeft door een te traag hartritme komt in aanmerking voor een pacemaker. Zo noodzaakt een traag hartritme dat alleen gedurende de nacht optreedt niet altijd een pacemaker.

Wat is de onderliggende oorzaak van een bradycardie?

Bradycardie veroorzaakt soms helemaal geen klachten en soms is de arts meer gealarmeerd dan de patiënt. Anderzijds hebben patiënten soms duizeligheid, plotseling bewustzijnsverlies (syncope) en een abnormale vermoeidheid.

Zoals eerder uitgelegd varieert de hartslag volgens de behoefte en het is normaal dat het hartritme oploopt bij inspanning. Bij een sinusknoopziekte is de polsslag in rust laag en is er onvoldoende polsversnelling tijdens inspanning. Als het hart even stopt met kloppen spreekt de cardioloog van een pauze. Anderzijds kan een te traag hartritme ook een voorkamerfibrillatie in de hand werken. Hierbij vertonen de beide voorkamers een ongeordende elektrische activiteit en slaan de hartkamers op hol waardoor de patiënt in rust een snelle en onregelmatige polsslag heeft. Een patiënt die pauzes en episodes van voorkamerfibrillatie heeft, vertoont het brady-tachysyndroom.

Klachten die te wijten zijn aan bradycardie of een pauze van meer dan 3 seconden zijn indicaties voor een definitieve pacemaker.

De atrioventriculaire knoop met de His-bundel is de elektrische kabel tussen de voorkamers en de kamers. Op latere leeftijd kan deze min of meer slijtage vertonen en naar gelang de ernst van het defect spreekt men van een atrioventriculair (AV) blok van de eerste, de tweede of de derde graad. Een stoornis van de eerste graad veroorzaakt meestal geen last en is nooit de oorzaak van bewustzijnsverlies zodat een pacemaker niet noodzakelijk is. In zeldzame gevallen kan een eerste graad AV-blok kloppingen in de hals veroorzaken of een hartverzwakking. Geleidingsstoornissen van de tweede graad kunnen normaal zijn bij sporters gedurende de nacht maar oudere patiënten met deze afwijking ondergaan meestal een pacemakerimplantatie.

Bij een derde graad AV-blok of een totaal AV-blok zijn de voorkamers en de kamers elektrisch ontkoppeld van elkaar. De cardioloog plaatst een pacemaker wanneer het hartritme blijvend traag is.

De cardioloog oordeelt over de ernst van geleidingsstoornissen door op het elektrocardiogram het verband tussen de P-toppen (voorkamers) en de QRS-complexen (kamers) na te gaan.

Wat is Holter-monitoring?

In andere gevallen kan de patiënt plotseling bewustzijnsverlies hebben gehad met een normale polsslag in rust en een normale inspanningstest op de raadpleging. Indien de geleiding af en toe nog intact is en er geen afwijkingen worden ontdekt tijdens een routine cardiologisch onderzoek, dan kan de diagnose van de ritmestoornis moeilijk zijn (intermittent totaal AV-blok of zeldzame pauzes). In dit geval vraagt de arts een toezicht van het hartritme gedurende 24 uur (Holter-monitoring, figuur 27). Hierbij worden elektroden op de borst gekleefd die door kabeltjes verbonden zijn met een recorder en die de elektrische hartactiviteit doorgeven.

Plaats de arts soms preventief een pacemaker, ook al heeft de patiënt geen klachten?

Bepaalde AV-geleidingsstoornissen vergen een preventieve pacemakerimplantatie zelfs indien de patiënt niets voelt.

AV-geleidingsstoornissen zijn dus ernstiger dan stoornissen in de prikkelvorming ter hoogte van de sinusknoop doordat de bewusteloosheid langer kan duren. De verschillende pacemakercellen in het hart hebben een eigen automatische frequentie van impulsvorming. De cellen ter hoogte van de sinusknoop hebben de hoogste frequentie en nemen het commando om het hart aan te drijven. Het basisritme waarmee de pacemakercellen hun impulsen afvuren is afhankelijk van hun ligging. Hoe verder zij verwijderd zijn van de sinusknoop, hoe trager de hartfrequentie. Als de sinusknoop uitvalt dan neemt de AV-knoop over met een frequentie van ongeveer 45 slagen per minuut. De pacemakercellen die zich bevinden in het tussenschot van de hartkamers zijn nog minder actief en geven slechts 30 keer per minuut impulsen af.

Kan een patiënt met een pacemaker nog een hartstilstand hebben?

Men meent verkeerdelijk dat het hart van een patiënt met een pacemaker niet meer kan stilvallen. Bij een kamerfibrillatie door bijvoorbeeld vergevorderde hartverzwakking of een hartinfarct reageert het hart niet op de pacemakerimpulsen en treedt er hartstilstand op (asystolie).

Wat is een pacemaker?

Een pacemaker bestaat uit een doosje dat bestaat uit een lithiumbatterij, micro-elektronica en een *connector box (figuur 42)*. De nieuwste generatie pacemaker is klein (4 op 3 cm en met een dikte van minder dan 1 cm). De *connector box* is doorzichtig en bevat één of twee openingen voor de sondes. De sondes zijn elektrische draden die aan één kant vasthangen in het hart. Aan het andere uiteinde hebben zij pinnetjes die precies in de *connector box* passen.

De prikkeling van de hartspier of de depolarisatie gebeurt door een kritische densiteit van negatief geladen ionen aan de tip van de elektrode die in contact is met de hartspier. Hierdoor ontladen de cellen zich in serie en wordt de negatief geladen binnenzijde van de cel positief. Zo ontstaat een depolarisatiegolf.

Elektriciteit is een stroom van negatief geladen deeltjes of ionen in een gesloten circuit. De elektrische stroom is evenredig met de batterijspanning van de pacemaker en omgekeerd evenredig met de weerstand van het circuit. Aangezien de sondes zich in het lichaam bevinden en in contact zijn met de bloedstroom is het van belang dat zij perfect geïsoleerd zijn door een isolerend laagje. Bij een breuk in de isolatie is er stroomverlies naar buiten en snelle batterijuitputting.

De ionenstroom kan unipolair of bipolair zijn. Bij een unipolaire stroom vloeien de negatief geladen deeltjes van de pacemakerbatterij via het lichaam naar de tip van de sonde en via de sonde terug naar de batterij. Bij een bipolaire sonde vloeien de negatief geladen deeltjes enkel aan de tip van de sonde die bestaat uit een positieve en een negatieve pool.

Interferentie betekent dat elektrische signalen buiten het hart de werking van de pacemaker storen. Vooral bij patiënten die geen onderliggend hartritme hebben kan dit aanleiding geven tot een asystolie omdat de elektrische signalen van buiten door de pacemaker worden beschouwd als een eigen hartactiviteit.

Het probleem van interferentie stelt zich soms bij een unipolaire sonde. In vergelijking met een bipolaire sonde is het elektrisch veld tussen de pacemakerdoos en de tip van de sonde groter zodat storingen gemakkelijker binnenkomen. Interferentie kan te wijten zijn aan spieractiviteit (borstspier tegen de pacemakerdoos, middenrif tegen de tip van de pacemaker), aan elektrische signalen (antidiefstalsystemen, apparaten om te lassen, hoogspanningskabels) of aan een magnetisch veld (gsm of grote luidsprekers).

Hoe interferentie vermijden?

- Programmeren van de pacemaker naar bipolair bij pacemakerafhankelijke patiënten (dit betekent dat er geen eigen hartritme is en de pacemaker voortdurend werkt).
- Niet bij een antidiefstalpoortje of in de buurt van een zware luidspreker blijven staan.
- Een gsm aan het oor houden dat zich aan de andere kant van de pacemaker bevindt en dicht contact met de pacemaker vermijden.
- Huishoudelijke apparaten zoals een magnetronoven, een elektrisch mes enz. vormen geen probleem.

Welke andere voorschriften volgt de patient?

- Rechtstreekse schokken op de doos van de pacemaker zijn te vermijden. Bepaalde sportactiviteiten zoals judo of rugby met frequent lichaamscontact zijn niet aan te raden.
- Indien de patiënt toevallig ook een jager is, dan meldt hij dat voor de implantatie: de pacemaker zal dan aan de linkerzijde van het lichaam worden geplaatst indien de persoon rechtshandig is.
- Na het plaatsen krijgt de patiënt een kaartje waar het merk van de pacemaker en de sondes op vermeld staat. De patiënt houdt dit kaartje steeds op zak. Men kan het ritme en andere parameters van de pacemaker met telemetrie van buitenaf afstellen. Hierbij heeft de cardioloog door het lichaam contact met de pacemaker door middel van een programmeertoestel dat lijkt op een draagbare computer en dat specifiek is voor het merk van de pacemaker.

Techniek van de pacemakerimplantatie

Dit is geen zware operatie!

De algemene chirurg of de cardioloog verrichten de ingreep onder lokale verdoving in het operatiekwartier of in het katheterisatielabo. De patiënt ligt op een smalle tafel. Het hartritme van de patiënt is te zien op een scherm en bij kortademigheid registreert een kleine vingerclip de zuurstofverzadiging in het bloed. Zo nodig kan de verpleegster zuurstof toedienen via een neusbrilletje. De bloeddruk van de patiënt wordt gevolgd met een automatisch opblaasbare manchet.

Voorbereidingen

1. Voor de ingreep wordt in een ader van de arm een klein buisje geplaatst waarlangs een zoutoplossing wordt ingedruppeld (infuus). Indien nodig kan de verpleegster tijdens de pacemakerimplantatie via dit buisje een kalmeermiddel, een pijnstiller of hartmedicatie toedienen. De huid onder de linker- en de rechterschouder wordt vooraf geschoren.
2. De verpleegster ontsmet de huid ter hoogte en rond de operatieplaats om het risico van infectie tot een minimum te beperken. De patiënt wordt vervolgens rond de operatieplaats afgedekt met steriele doeken zodat enkel een vierkant stukje huid onbedekt blijft. Over deze plaats kleeft de arts een steriele plastic. Dit is de plaats waar de huid over een viertal centimeter wordt ingesneden. De arts die de ingreep uitvoert draagt de steriele kleding van een chirurg. Voor de ingreep schrobt hij zijn handen enkele minuten met isobetadinezeep, brengt hij alcohol aan op de handen en droogt hij ze met een steriele doek. Nu is hij klaar om steriele handschoenen aan te trekken. De steriliteit tijdens de ingreep is van het grootste belang omdat een kleine infectie van een vreemd lichaam nooit met antibiotica kan genezen. Een microbe die zich vastzet op de pacemaker of de sondes vermenigvuldigt zich ongehinderd. De witte bloedlichaampjes kunnen de microben op de pacemaker of de sondes niet opruimen en de enige oplossing is het verwijderen van de pacemaker en de sondes.

Hoe verloopt de ingreep?

1. De arts brengt de sondes in een lichaamsader en schuift ze verder naar de rechtervoorkamer en de rechterkamer. De arts kan een ader aanprikken onder het sleutelbeen (de vena subclavia) ofwel kan hij een kleinere ader vrij prepareren onder een lokale verdoving (denudatie). De goede plaats van de tip van de sonde wordt nagegaan door middel van een scopie (doorlichting van het hart) en wordt nadien

bevestigd door een drempelmeting. De drempel is de minimale energie die nodig is om het hart te depolariseren. Indien het contact tussen de tip van de sonde en de binnenste laag van het hart of het endocard goed is, dan is de drempel laag en wordt er weinig energie verbruikt. De normale levensduur van de batterij is 5 tot 10 jaar.

2. De arts maakt met een draadje de sondes vast ter hoogte van de ader of ter hoogte van de borstspier om het schuiven te vermijden. Het andere uiteinde van de sonde wordt vastgepind en nadien vastgeschroefd in de *connector box* (dit is de doorzichtige bovenkant van de pacemaker). De pacemaker wordt nadien ingebracht in een vooraf gemaakt zakje tussen de borstspier en het onderhuidse vetweefsel. De pacemaker is niet zichtbaar vanuit de open huidwonde zodat de kans op infectie kleiner is. De arts naait de wonde in verschillende lagen dicht en de huid wordt met onderhuidse hechting of met haakjes dichtgenaaid. Afhankelijk van de moeilijkheid van de procedure duurt een pacemakerimplantatie 60 tot 120 minuten.

Nazorg na de ingreep

1. Na de implantatie houdt de patiënt 2 dagen bedrust zodat de sondes de tijd hebben om zich goed vast te zetten in het hart.
2. De meeste ingeplante types pacemaker zijn de eenkamerpacemaker (stimulatie met één elektrode van de kamer) en de tweekamerpacemaker (stimulatie van de voorkamer en de kamer).

Noot: Meestal beslist de arts om de pacemaker in de regio onder het sleutelbeen te plaatsen. Bij jonge vrouwelijke patiënten kan hij ook kiezen voor een speciale insnede onder de borst zodat het litteken en de pacemaker minder opvallend zijn.

Te snel hartritme of tachycardie

Wat is dit?

Bij een tachycardie slaat het hart op hol en klopt het sneller dan de behoefte van de patiënt. Een tachycardie van de kamer is ernstiger dan een tachycardie van de voorkamer. Bij kamertachycardieën kan de patiënt met een zwak hart onpasselijk worden door bloeddrukval en soms is er bewusteloosheid. De ritmestoornis kan dan verder ontaarden in een kamerfibrillatie. Kamerfibrillatie of ventrikelfibrillatie is een ongeordende elektrische activiteit van het hart waarbij het hart geen bloed meer wegpompt. Dit veroorzaakt een onmiddellijke hartstilstand en indien er geen medische hulp wordt geboden dan is er na 5 minuten een zeer grote kans op een onherroepelijke schade van de hersenen.

Waardoor krijgt men een ritmestoornis van de kamer?

Na een doorgemaakt oud infarct kan een abnormale vertraging ontstaan van de elektrische stroom in het hart in de zone tussen het gezonde hartweefsel en het infarctlitteken. Op het ogenblik van de tachycardie draait de stroom in een cirkel rond het infarctlitteken zodat het hart wordt opgezweept. De tachycardieën die ontstaan door een 'cirkelstroom' noemt men cirkeltachycardieën.

Wat ondervindt men bij een kamertachycardie?

Hartkloppingen zijn niet altijd aanwezig. Als het hart fel verzwakt is na het infarct dan heeft het niet langer de kracht om fel te kloppen. De patiënt klaagt dan van kortademigheid, van duizeligheid en kan soms het bewustzijn verliezen. Bij een zeer snelle kamertachycardie kan de ritmestoornis door de bloeddrukval ontaarden in een ventrikelfibrillatie (hartstilstand).

Wat te doen bij kamerfibrillatie?

Een persoon die buiten het ziekenhuis een kamerstilstand doormaakt heeft ongeveer één kans op tien om te overleven. De hersenen ondervinden na 5 minuten onherroepelijke schade tenzij een omstander start met hartmassage en mond-op-mondbeademing (figuur 11, 12). Helaas zijn er weinig mensen die spontaan een hartmassage beginnen in afwachting dat een medisch urgentieteam ter plaatse komt. Dit kan te wijten zijn aan gebrek aan kennis over de techniek en de vrees om mond-op-mondbeademing uit te voeren bij een onbekende. Bij een hartstilstand is elke minuut zeer kostbaar. Zelfs enkel hartmassage, zonder mond-op-mondbeademing, vermindert al de kans op hersenbeschadiging.

Waarom treden ritmestoornissen op en hoe worden ze behandeld?

- Eén van de meest voorkomende oorzaken van kamerfibrilleren is het acuut hartinfarct. Hierbij overlijdt één patiënt op drie omdat medische hulp te laat komt. De kamerfibrillatie tijdens het infarct is te verklaren door zuurstofgebrek; als de patiënt dit overleeft dan is er nadien geen risico van herval.
- Patiënten met een vergevorderde hartzwakte hebben vaak ritmestoornissen die onbehandelbaar zijn. Een hartstilstand treedt op door uitputting van de hartspier die dan te zwak is om het bloed nog weg te pompen. Ook na geslaagde defibrillatie van een kamerfibrillatie pompt het hart niet meer.

- Patiënten met een groot infarctlitteken hebben soms een late kamertachycardie. Als de patiënt in goede algemene toestand is en, ondanks medicatie, spontaan of tijdens een elektrofysiologisch onderzoek nog lijdt aan kamertachycardie, dan kan de cardioloog met de patiënt de mogelijkheid van een inwendige defibrillator bespreken. Een inwendige defibrillator is de beste behandeling voor ernstige ritmestoornissen die voorkomen buiten de periode van een acuut infarct voor zover de patiënt niet aan een onbehandelbare hartverzwakking lijdt.

Enkele principes van de inwendige defibrillator

Wat is een inwendige defibrillator (figuur 43)?

Een defibrillator is een speciale pacemaker die naast het stimuleren van het hart bij te traag hartritme ook een te snel hartritme kan behandelen door snelle stimulatie van het hart of door het afvuren van een inwendige elektrische shock. De defibrillator is de laatste jaren door de technische vooruitgang sterk verkleind. Hij is iets groter en zwaarder dan een pacemaker (een defibrillator heeft een volume van 50 cc en weegt 100 gram, een pacemaker heeft een inhoud van 13 cc en weegt 20 gram). Tegenwoordig kan de arts de meeste defibrillatoren plaatsen in de regio onder het sleutelbeen. De toestellen worden enkel bij heel magere personen nog in de buikwand geplaatst.

Waaruit bestaat een inwendige defibrillator?

Net zoals bij een pacemaker is er een *connector box* voor de sondes, een gedeelte met micro-elektronica en een batterij. Daarenboven is er een inwendige capaciteit die instaat voor het opslaan van een hoeveelheid energie die nodig is om het hart te defibrilleren. De defibrillatie-elektrode is dikker dan de pacemakerelektrode en staat in nauw contact met het hart. In tegenstelling tot een succesvolle uitwendige defibrillatie is de nodige energie voor een inwendige defibrillatie ongeveer tien keer kleiner (31 joules in plaats van 300 joules).

Interferentie

Het toestel moet voldoende gevoelig zijn ingesteld om de kleine elektrische signalen van kamerfibrillatie te herkennen. Hierdoor kan er, zoals bij een pacemaker, interferentie optreden met onnodige shocks als gevolg. Het toestel vangt dan stoorsignalen van buiten op en kan deze soms interpreteren als een kamerfibrillatie.

Voorbeelden van interferentie

- Het samentrekken van de spieren veroorzaakt soms spierpotentialen. Als de defibrillator te gevoelig is ingesteld kan hij een stoorsignaal waarnemen bij een beweging van de schouder aan de kant van het apparaat. Soms zal het apparaat dan een onnodige shock geven die pijnlijk is voor de patiënt. Herprogrammeren van de inwendige defibrillator met een programmeertoestel zoals voor een pacemaker kan het probleem verhelpen.
- Het detectiesysteem voor zware metalen in de vlieghaven kan interferentie geven. Het vertonen van het kaartje van de defibrillator volstaat om niet door het detectiesysteem te lopen.
- Een gsm is geen probleem als hij aan de andere zijde van de defibrillator wordt gebruikt.
- Het gebruik van huishoudelijke apparaten zoals een magnetronoven, een stereo-installatie van normaal formaat zonder extra zware boxen of een elektrische grasmachine is geen probleem.

Wat voelt men als de defibrillator werkt?

- De inwendige defibrillator werkt als een pacemaker wanneer het hart te traag klopt maar het apparaat kan ook worden ingesteld om het hart sneller te prikkelen indien het hart door een tachycardie plotseling op hol slaat. Veel kamertachycardieën worden gestopt door een snellere stimulatie of *overdrive pacing* (dit doet geen pijn).
- Als het apparaat een shock afgeeft dan voelt de patiënt dat als een enorme klap op de borststreek. De minimale energie om het hart te defibrilleren is 10 joules (maximaal 32 joules) en pijn treedt op vanaf 2 joules.

Vooronderzoeken voor het plaatsen van een inwendige defibrillator

- Coronariografie: kritische vernauwingen op de kroonslagaders en zuurstoftekort kunnen hartritmestoornissen in gang zetten. Pas als ritmestoornissen opwekbaar zijn na het opheffen van deze kritische vernauwingen zal de cardioloog beslissen tot het plaatsen van een inwendige defibrillator.

Elektrofysiologisch onderzoek van het hart

- De cardioloog gaat na of de medicatie die de hartritmestoornissen onderdrukt (antiarrhytmicum) werkzaam is. Als de cardioloog de ritmestoornis kan opwekken tijdens het onderzoek, is er meestal een indicatie voor het plaatsen van een inwendige defibrillator.

- De manier waarop de cardioloog de ritmestoornis tijdens het onderzoek stopt, helpt hem bij het programmeren van de toekomstige defibrillator. Als de tachycardie stopt na snelle kamerstimulatie is de eerste interventie van de defibrillator een snelle kamerstimulatie.
- De cardioloog kiest ook tussen een eenkamerdefibrillator die alleen de kamer prikkelt en een tweekamerdefibrillator die zowel de voorkamer als de kamer prikkelt. In deze keuze is de graad van hartverzwakking en het voorkomen van voorkamerfibrillatie van belang.

Techniek van het plaatsen van een inwendige defibrillator

Dit is geen zware ingreep

Deze is vandaag te vergelijken met het plaatsen van een gewone pacemaker. Door een verbetering van de defibrillatie-elektrode is het nog zelden nodig om een speciale *patch* op het hart zelf te plaatsen. Het plaatsen van een *patch* op het hart verzwaart natuurlijk de ingreep.

In tegenstelling tot een pacemaker vergt het inplanten meestal een diepere verdoving (de meeste artsen opteren voor een algehele narcose). De inwendige defibrillator wordt meestal ingeplant door de chirurg maar tegenwoordig zijn er meer en meer cardiologen die de ingreep uitvoeren.

De defibrillatorelektrode is dikker dan de pacemakerelektrode

De cardioloog beoordeelt de goede positie door doorlichting van het hart (de tip van de elektrode is geplaatst ter hoogte van de punt van het rechterdeel van het hart) en door metingen van de minimale energie om het hart te stimuleren en te defibrilleren (de stimulatie- en de defibrillatiedrempel). Een goed contact tussen de hartspier en de tip van de elektrode verlaagt de energie die nodig is om het hart te prikkelen. De defibrillatiedrempel wordt bepaald na het kunstmatig opwekken van een kamerfibrillatie en het meten van de gebruikte energie van een succesvolle defibrillatie.

Nazorg na het inplanten van een defibrillator

Na het plaatsen van een defibrillator blijft de patiënt nog enkele dagen in het ziekenhuis, om te herstellen van de operatie en voor de wondverzorging. De behandelende cardioloog zal het toestel laten instellen door de elektrofysioloog (dit is een cardioloog met een speciale bekwaming in hartritmestoornissen) volgen de noden van de patiënt.

Risico van het plaatsen van een inwendige defibrillator en resultaten

- De doeltreffendheid van de defibrillator is door internationale studies aangetoond. De patiënt die een ernstige ritmestoornis doormaakt buiten de periode van een hartinfarct is met de defibrillator beter beschermd tegen plotselinge dood dan met medicatie. Dit (dure) toestel wordt door de ziekteverzekering terugbetaald. Sommige patiënten die een hartinfarct doormaakten waarbij de pompfunctie van het hart op minder dan de helft is teruggevallen hebben een verhoogde kans op hartritmestoornissen. Het apparaat wordt dan soms preventief ingeplant.

- Het risico van het plaatsen van een defibrillator is vandaag verwaarloosbaar en zelfs voor een ziek hart is deze operatie geen zware belasting. De huidige toestellen zijn geperfectioneerd en een stroomstoot tussen de batterij en de elektrode is voldoende om het hart te defibrilleren. Bij de oudere apparaten was een bijkomende *patch* nodig die werd ingenaaid op het hart. Hierdoor was een insnede ter hoogte van de borststreek (sternotomie) nodig en was de belasting voor een zwak hart groter.

Controles van de inwendige defibrillator en de pacemaker

Hoe vaak gebeuren de controles?

Voor de meeste pacemakers en defibrillatoren is een halfjaarlijkse controle aangewezen. De arts kijkt dan na of het toestel optimaal is afgesteld. Hartkloppingen of kortademigheid kunnen soms worden verholpen door het toestel opnieuw te programmeren.

Wat is er speciaal aan de controle van de defibrillator?

Bij de controle van de defibrillator kijkt de cardioloog na of het toestel een shock heeft afgegeven, maar meestal weet de patiënt hem dit te vertellen. De cardioloog kijkt ook na of de shock het gevolg was van een onderliggende hartritmestoornis. Een zogenaamde valse shock kan te wijten zijn aan een storing van de defibrillator door een elektrisch signaal zodat het opnieuw programmeren van het toestel noodzakelijk is. Zoals bij een pacemaker is het herprogrammeren van de defibrillator mogelijk door telemetrie. Hierbij is er contact tussen de defibrillator en een programmeertoestel.

Er zijn verschillende merken defibrillatoren. Bij het maken van een afspraak zal men het juiste merk opgeven (vermeld op het kaartje) opdat de cardioloog het juiste programmeertoestel kan voorzien.

Richtlijnen na de implantatie van een inwendige defibrillator en een pacemaker

- Autorijden: zie hoofdstuk 14.
- Het kaartje van de inwendige defibrillator of van de pacemaker heeft de patiënt steeds bij zich. Dit is van belang wanneer hij in een ziekenhuis wordt opgenomen. Bij een spoedoperatie zal de arts de defibrillator eerst uitzetten om een onnodige shock tijdens de operatie te vermijden. Door stoorsignalen bij het gebruik van een elektrische bistouri kan de defibrillator afgaan of kan de pacemaker stilvallen. Dit kan worden vermeden door de toestellen voor de operatie juist af te stellen.
- Nucleaire magnetische resonantie (NMR) is verboden. De pacemaker of de defibrillator kan ook worden gestoord door een niersteen- of een galsteenverbrijzelaar.
- Het is normaal dat een persoon die een defibrillator draagt een periode van onzekerheid doormaakt. Bepaalde patiënten vrezen onterecht dat hun pacemaker zal stilvallen. Anderen zijn angstig en durven niets meer te ondernemen omdat ze een shock vrezen. De shock is pijnlijk en soms beangstigend maar andere patiënten ervaren het als positief omdat ze weten dat ze tegen een hartstilstand beschermd zijn.

  Door onzekerheid kan de patiënt zich van de buitenwereld afsluiten, wat zijn onbehagen versterkt. Praten over de onzekerheid met andere patiënten die een defibrillator hebben of met de behandelende cardioloog is nuttig.
- Sommige patiënten hebben pijn ter hoogte van het operatielitteken en maken zich zorgen over de lichte verhevenheid onder het sleutelbeen (de defibrillator is iets groter en dikker dan een pacemaker). Het is belangrijk voor de patiënt dat hij met zijn behandelende arts over zijn angst praat.
- Het gebruik van elektrische apparaten
  - Een gsm kan wanneer er geen rechtstreeks contact is met het toestel. Het is beter de gsm niet aan de kant van het lichaam te houden waar de defibrillator of de pacemaker werd geplaatst.
  - De patiënt vermijdt apparaten die een groot magnetisch veld opwekken zoals zware lastoestellen, grote luidsprekers van een discotheek en hoogspanningskabels. De patiënt blijft beter niet staan bij een automatische deur in een warenhuis, maar door een geopende automatische deur lopen is geen probleem.
  - Alle huishoudelijke toestellen zijn toegelaten bij een pacemaker of een defibrillator: magnetronoven, televisietoestel, cd-speler, luidsprekerboxen en andere.

- Met vakantie gaan: bij een vliegtuigreis toont de patiënt het kaartje van de defibrillator of de pacemaker zodat hij niet door de poort met de metaaldetector hoeft. Het personeel van het vliegveld kan reizigers met een staafdetector controleren en moet vermijden dat de staaf langer dan 30 seconden in contact is met de defibrillator. Uw cardioloog kan u voor uw vertrek enkele nuttige adressen geven waar u het toestel kunt laten controleren indien er in het buitenland problemen zijn met de defibrillator.
- De werkhervatting: personen die drager zijn van een pacemaker of een defibrillator wachten respectievelijk 1 maand en 1 jaar voor ze opnieuw een wagen besturen. Wie een defibrillator draagt, krijgt geen toelating om beroepshalve andere mensen te vervoeren (beroepen als taxichauffeur of buschauffeur zijn uitgesloten). De cardioloog kan ook informatie verstrekken aan de arbeidsgeneesheer in verband met de toekomstige werkfunctie van zijn patiënt. Dit kan van belang zijn bij een persoon die in contact komt met kranen, zware transformatoren, hoogspanningskabels, radarapparatuur en sterke elektromagnetische velden.
- Seksualiteit en zwangerschap: personen die drager zijn van een pacemaker en een inwendige defibrillator kunnen normale seksuele betrekkingen hebben. Bij de zeldzame patiënten die een shock krijgen tijdens het vrijen is er geen gevaar voor de partner. Ook kinderwens is geen probleem als het hart niet verzwakt is en het de belasting van een zwangerschap aankan.
- Sporten en ontspanning: direct contact tussen de defibrillator of de pacemakerdoos wordt vermeden. Contactsporten zoals gevechtsporten en rugby kan men beter niet meer beoefenen. Het aanleggen van een geweer op de schouder aan de andere zijde van het toestel is mogelijk. Zwemmen, joggen, fietsen, skiën, squashen, tennissen en voetballen is geen probleem. Personen met een defibrillator letten erop dat ze niet alleen zwemmen en vermijden best risicosporten zoals bergbeklimmen of deltavliegen.
- Uw verzekeringen: personen die een levensverzekering hebben dienen de betrokken instanties op de hoogte te brengen. Het verzwijgen dat men drager is van een pacemaker of van een inwendige defibrillator kan gevolgen hebben omdat de verzekeringsmaatschappij kan weigeren om iemand uit te betalen.
- Het overlijden: de arts zal de defibrillator of de pacemaker verwijderen indien de overledene wordt gecremeerd.

Hartpatiënt en autorijden

Het nieuwe reglement voor het rijbewijs is van kracht sinds 1 oktober 1998 (Koninklijk Besluit betreffende het rijbewijs van 23 maart 1998, Belgisch Staatsblad van 30 april 1998).

Er is een onderscheid tussen personen met een rijbewijs van groep 1 en van groep 2.

Tot groep 1 behoren de bestuurders van een bromfiets, van een motorfiets met of zonder zijspan of van auto's met een maximaal toegelaten massa van ten hoogste 3500 kg en met ten hoogste 8 zitplaatsen met of zonder aanhangwagen met een maximaal toegelaten massa van ten hoogste 750 kg.

Tot de bestuurders van groep 2 behoren de bestuurders van voertuigen met een maximaal toegelaten massa van meer dan 3500 kg of die bestemd zijn voor het vervoer van personen. Praktisch gezien behoren alle chauffeurs van vrachtwagens (rijbewijs C, C1 en CE), van autocars (rijbewijs D, D1 en DE) en van auto's (rijbewijs B) voor betaald vervoer tot groep 2.

Na het slagen voor het examen wordt vandaag een folder uitgedeeld waarin de medische criteria zijn vermeld. Als de chauffeur niet voldoet aan de medische criteria dan moet hij contact opnemen met een dokter die hij zelf kiest. Deze dokter kan de toekomstige bestuurder verder doorverwijzen naar een betrokken specialist (hart, ledematen, hersenen, suikerziekte enz.). Als de specialist een grote afwijking vaststelt waardoor hij meent dat de patiënt niet geschikt is om te rijden dan zal hij de toekomstige bestuurder doorverwijzen naar het Centrum voor Aanpassing aan het Rijden voor gehandicapte Automobilisten (CARA, de afdeling van het Belgisch Instituut voor Verkeersveiligheid of afgekort het BIVV die instaat voor de rijvaardigheid en de voertuigaanpassing). Hier wordt een medisch en een neuropsychologisch onderzoek gedaan en wordt de rijvaardigheid van de kandidaat nagegaan. Eventueel krijgt de kandidaat enkele beperkingen voor het besturen van het voertuig en zijn aanpassingen aan het voertuig nodig voordat de persoon rijgeschikt is.

De patiënt die drager is van een pacemaker of een inwendige defibrillator

- Voor groep 1:

Geen rijgeschiktheid gedurende de maand die volgt op de inplanting van de pacemaker of de vervanging van de pacemakerelektrode, maar de patiënt is onmiddellijk rijgeschikt na een vervanging van de pacemakerbatterij.

Na het inplanten van een inwendige defibrillator is de chauffeur opnieuw rijgeschikt na een periode van ministens 1 jaar vanaf de datum van de inplanting na de aflevering van een attest door de cardioloog van het geneeskundig centrum dat de ingreep heeft uitgevoerd.
De geldigheid van de attesten voor rijgeschiktheid voor patiënten met een defibrillator of een pacemaker is hooguit 2 jaar.
- Voor groep 2:
Geen rijgeschiktheid gedurende de 3 maanden die volgen op de inplanting van de pacemaker of de vervanging van de pacemakerelektrode en geen rijgeschiktheid gedurende 2 weken na het vervangen van de pacemakerbatterij. Het attest van de cardioloog is na 1 jaar te vernieuwen.
Na het inplanten van een inwendige defibrillator is de chauffeur uit groep 2 nooit meer rijgeschikt.

De patiënt met een kroonslagadervernauwing of met een hartverzwakking

Patiënten met instabiele hartkramp zijn niet rijgeschikt. Kandidaten van groep 1 kunnen na cardiologisch onderzoek hooguit 2 jaar rijgeschikt worden verklaard. Voor de kandidaten uit groep 2 is de geldigheidsduur van het attest hooguit 1 jaar.

Na een recent hartinfarct is men gedurende één maand nooit rijgeschikt. De cardioloog kan nadien een attest opmaken van rijgeschiktheid voor een patiënt die stabiel is. Voor groep 2 is de wetgever evenwel iets strenger: de patiënt is enkel rijgeschikt na een beperkt infarct met het behoud van een goede hartfunctie en zonder kans op ritmestoornissen. De geldigheidsduur van het cardiologisch attest is hooguit 2 jaar voor de kandidaten uit groep 2. Indien er na een infarct meerdere vernauwingen zijn waarvoor een openhartoperatie is gepland, dan is de patiënt tot minstens één maand na de operatie niet rijgeschikt.

Verder zijn patiënten met hartverzwakking die lichte tot matige klachten hebben (NYHA-klasse II) of stabiele patiënten met klepgebreken ook rijgeschikt. De geldigheid van het attest is hooguit 5 jaar voor de patiënten van groep 1 en hooguit 3 jaar voor de patiënten van groep 2.

Hoge bloeddruk

Alle patiënten met een goed gecontroleerde bloeddruk zijn rijgeschikt. Bij een niet gecontroleerde verhoogde bloeddruk, en vooral in het begin van het instellen van een bloeddrukverlagende behandeling, kan de patiënt niet rijgeschikt zijn.

De autoverzekering

Als men een hartaandoening heeft na het afsluiten van een autoverzekering dan is het veiliger de verzekeringsmaatschappij hierover in te lichten zodat dit in de polis kan worden vermeld. Als men door de hartaandoening een ongeval heeft dan heeft de verzekeraar het recht om niets te betalen indien hij niet werd ingelicht. Wanneer men de instelling met een brief van de cardioloog inlicht over de toestand en dat men veilig een wagen kan besturen dan zal de instelling steeds tussenkomen in geval van ongeval.

De parkeerkaart en de hartpatiënt

De parkeerkaart is gemakkelijk omdat men gratis kan parkeren en men in een drukke stad gebruik kan maken van speciale parkeerplaatsen. Er zijn evenwel weinig hartpatiënten die in aanmerking komen voor een parkeerkaart. De patiënten die recht hebben op een parkeerkaart voldoen aan een van de volgende voorwaarden:

- Een blijvende invaliditeit van 80 %.
- Een blijvende invaliditeit van 50 % uitsluitend te wijten aan handicap van de onderste ledematen, een volledige verlamming of een amputatie van de bovenste ledematen.
- Een blijvende vermindering van de graad van zelfredzaamheid van ten minste 12 punten.

Vrijstelling voor het dragen van een autogordel bij een pacemaker?

De cardioloog zal nagaan of het dragen van een gordel schade berokkent aan de patiënt. Men kan een vrijstelling aanvragen met een doktersattest bij het Ministerie van Verkeer, directie Verkeersveiligheid, Résidence Palace Blok C, Wetstraat 155, 1040 Brussel. De artsen zijn echter niet snel geneigd om een attest in te vullen aangezien een autogordel bij een auto-ongeval een onmiskenbaar voordeel biedt. Als men een vrijstelling heeft krijgt men een officiële kaart toegestuurd.

Samenvatting

Een te traag hartritme met duizeligheid of bewustzijnsverlies is meestal het gevolg van een veroudering van het hart. Als de patiënt geen medicatie neemt die het hartritme vertraagt, dan gaat de cardioloog over tot een pacemakerimplantatie. De sondes worden geplaatst in de rechtervoorkamer, de rechterkamer of in beide.

Ritmestoornissen van de kamer in de acute fase van een infarct zijn steeds van voorbijgaande aard. Als de ritmestoornis buiten de periode van een acuut infarct tijdens een elektrofysiologisch onderzoek onder medicatie opwekbaar blijft, dan krijgt de patiënt meestal een inwendige defibrillator. Dit toestel geeft een inwendige shock bij snelle ritmestoornissen van de kamer of bij een hartstilstand. Elke patiënt die hartmassage heeft gehad voor een hartstilstand zonder onderliggend infarct komt vandaag ook in aanmerking voor een defibrillator. De kans dat de patiënt met een defibrillator overlijdt door snelle kamerritmestoornissen en ventrikelfibrillatie is uiterst klein. Grote studies hebben uitgewezen dat patiënten die lijden aan ernstige kamerritmestoornissen met een defibrillator het best beschermd zijn tegen onverwacht overlijden. Door de technische vooruitgang is het risico van het plaatsen van een inwendige defibrillator gering en te vergelijken met het plaatsen van een pacemaker. In tegenstelling tot tien jaren geleden is het plaatsen van een bijkomende patch rond het hart zelden nodig.

Het verhaal van Sylvain

Sylvain is 63 jaar en is sinds 2 jaar met vervroegd pensioen. Hij was nooit ziek en stopte met roken toen hij 45 jaar werd. Sylvain is een levensgenieter en houdt van uit eten gaan met vrienden. Zijn kennissenkring is enorm groot en minstens één keer per week wordt hij ergens uitgenodigd om de avond door te brengen. Hij is een uitstekend wijnkenner maar drinkt met mate. Alhoewel hij een half uur per week gaat zwemmen is hij tijdens de wintermaanden veel bijgekomen. Hij weegt nu 105 kilogram voor een lengte van 1,70 meter. Maar Sylvain maakt zich weinig zorgen over zijn gewicht want 3 jaar geleden is hij met een speciaal dieet 30 kilogram afgevallen. De lente staat voor de deur en om zijn overtollige calorieën weg te werken zal hij opnieuw zijn fiets bovenhalen en meer beweging nemen. Hij woont in het centrum van een grootstad en neemt zich voor om korte uitstappen niet langer met de wagen te doen. Hij wil vermageren tot 82 kilogram en liefst voor het begin van de zomer. Hij heeft een strandvakantie gepland met de familie en zijn buikje wil hij best kwijt.

Om geen ongezond dieet te volgen raadpleegt hij een diëtiste die hem tal van praktische ideeën kan aanreiken. Hij vermijdt tussendoortjes, drinkt maximaal 2 glazen wijn per dag en begint zoals hij ironisch oppert 'een groenten- en fruitdieet'. Het dieet valt best mee want ook de echtgenote van Sylvain doet mee aan de vermageringskuur en de ingrediënten in de keuken worden tijdens de bereiding zorgvuldig afgewogen.

De fysieke inspanningen en de dagelijkse wandelingen vallen echter minder mee en na enkele weken ondervindt Sylvain tijdens het stappen een hinderlijke pijn aan de rechterknie die zo vervelend is dat hij trager moet stappen. Tijdens zijn jonge jaren heeft hij veel gevoetbald en een meniscusprobleem lijkt hem het meest waarschijnlijk. Zijn huisarts schrijft een ontstekingsremmend middel voor maar de pijn wijkt niet. Het is opvallend dat fietsen minder pijnlijk is dan stappen en Sylvain wordt uiteindelijk verwezen naar een kniespecialist.

De orthopedist onderzoekt de knie maar kan geen afwijkingen vaststellen. Hij legt uit dat overgewicht een belasting betekent voor de heupgewrichten en dat dit de oorzaak kan zijn van de kniepijn. Slijtage van de heup prikkelt een zenuw die langs de heup loopt en eindigt ter hoogte van de knie. Hierdoor denkt de patiënt dat de knie de oorzaak is van het probleem. De uiteindelijke diagnose wordt gesteld door een gerichte radiografie van beide heupen. De linkerheup is normaal maar de rechterheup vertoont duidelijke slijtage. Het gewrichtskraakbeen tussen de twee beenderhelften is duidelijk afgenomen en dit verklaart dat de heupscharnier niet goed 'geolied' is.

Gezien er geen middel is om het heupkraakbeen te herstellen stelt de orthopedist een heupprothese voor. Medicatie alleen zal onvoldoende resultaat opleveren aangezien de slijtage heel uitgesproken is. Sylvain heeft te veel pijn om niet in te gaan op het voorstel van de specialist en aanvaardt de operatie. De specialist heeft een uitstekende reputatie en Sylvain heeft het volste vertrouwen.

Voor de ingreep ondergaat Sylvain nog een hartonderzoek bij zijn huisarts aangezien de ingreep onder algehele verdoving gebeurt. Het hart moet voldoende sterk zijn om een algehele verdoving aan te kunnen. Sylvain heeft weliswaar geen hartklachten maar de laatste maanden zweet hij meer tijdens een inspanning. De bloeddruk in het kabinet is 180/100 mm Hg en te hoog. De oorzaak van deze verhoogde bloeddruk is vermoedelijk het overgewicht en de nuchtere bloedtest toonde ook een te hoog bloedsuikergehalte. De nierwerking is normaal en er is geen eiwit in de urine maar wel een kleine hoeveelheid suiker. Sylvain heeft dus ouderdomsdiabetes of suikerziekte door zijn overgewicht met daarbij ook een verhoogde bloeddruk. Na een aangepast vermageringsdieet zullen niet alleen de suikerziekte maar ook de verhoogde bloeddruk verbeteren.

De huisarts schrijft Sylvain tijdelijk bloeddrukverlagende medicatie voor en raadt hem een zout- en suikerarm dieet aan. De operatie die een week nadien is gepland verloopt vlot en 's avonds is Sylvain terug op zijn kamer. Hij heeft nog wat braakneigingen door de medicatie en krijgt veel pijnstillers toegediend. De dag nadien worden er reeds veel buisjes verwijderd ter hoogte van de dij. Hij mag ook al oefeningen doen, begeleid door de fysiotherapeut. De orthopedist vertelt hem dat wandelen na een heupoperatie de genezing bevordert.

De bloeddruk is goed onder controle met de bloeddrukverlagende medicatie. Gezien de suikerspiegel in het bloed verhoogd is, krijgt Sylvain drie keer per dag een insulinespuitje.

Na 10 dagen kan hij het ziekenhuis verlaten. De revalidatieoefeningen worden voortgezet bij de fysiotherapeut en Sylvain neemt stipt de pijnstillers en bloeddrukpil.

De pijn in de operatiewonde is na 4 weken onverminderd aanwezig, maar treedt enkel op bij het wandelen. De orthopedist ziet Sylvain terug op de raadpleging en verzekert hem dat de heup er op de röntgenfoto's prima uitziet en dat de heupprothese perfect zit. Hij wijst erop dat Sylvain wat moet vermageren om de belasting van de heupen te verminderen.

Na 2 maanden is Sylvain 8 kg afgevallen. Hij voelt zich wat duizelig en de bloeddruk die hij thuis zelf opmeet is lager dan voordien. Volgens zijn huisarts mag hij stoppen met het nemen van de bloeddrukpil. Sylvain voelt zich beter, hij heeft meer adem, de pijn ter hoogte van de heup is verminderd en slechts af en toe neemt hij nog een pijnstiller. Een nuchtere bloedtest toont een normale suikerspiegel. Sylvain is opgelucht omdat hij aan de beterhand is. Hij besluit om voortaan niet alleen goed maar ook gezond te eten en zoekt verder zijn vrienden op. Hij gaat nog op restaurant maar neemt telkens een visgerecht.

Sylvain voelt zich optimistisch en volgt verder de raadgevingen van de diëtiste om nog meer af te vallen. Zijn wens gaat in vervulling en tijdens de vakantie weegt hij 85 kilogram. De dikke opa is een lenige opa geworden en Sylvain speelt voor het eerst opnieuw tennis met zijn veertienjarige kleinzoon. Hij beleeft zijn tweede jeugd!

Wat is een verhoogde bloeddruk?

De bloeddruk wordt uitgedrukt in twee cijfers, het eerste cijfer wordt de systolische bloeddruk genoemd en het tweede cijfer de diastolische bloeddruk. De systolische bloeddruk komt overeen met de bloeddruk tijdens de uitdrijvingsfase van het bloed uit het hart. De diastolische bloeddruk is de druk die overeenkomt met de druk in de bloedvaten tussen de twee systolen, dus tijdens de rustfase van het hart. De maximale normale waarde van de systolische bloeddruk is 140mm Hg en de maximale normale waarde van de diastolische bloeddruk is 90 mm Hg.

Een verhoogde bloeddruk of arteriële hypertensie is een zeer frequente aandoening en een stille doder. Patiënten met hoge bloeddruk hebben meestal geen klachten maar een jarenlange onbehandelde bloeddruk verhoogt de kans op een hersenbloeding.

Arteriële hypertensie is een herhaaldelijk opmeten in rust van een te hoge waarde van de systolische en/of de diastolische bloeddruk. Een bloeddruk die alleen te hoog is in het dokterskabinet en die thuis normaal is wordt een wittejashypertensie genoemd. Door de stress van het doktersbezoek is de bloeddruk te hoog maar aangezien de gemiddelde waarden over 24 uur normaal zijn, is er geen behandeling vereist.

Een nuttig onderzoek is een 24-uursbloeddrukmeting waarbij de arts zich niet laat misleiden door zijn meting in het kabinet maar zich laat leiden door een gemiddelde van herhaalde metingen zodat hij zeker is dat de bloeddruk werkelijk te hoog is.

Een correcte meting van de bloeddruk gebeurt in een zittende houding. De arts brengt een bloeddrukmanchet rond de bovenarm aan en plaatst zijn stethoscoop op de slagader van de arm (arteria brachialis) (figuur 13). Hij blaast de manchet op tot de armslagader volledig dicht is en laat de manchet nadien langzaam af. Wanneer de druk van de manchet lager is dan de armdruk hoort hij de eerste vaattonen als een klopping (Korotkow fase I), nu stroomt het bloed terug door de slagader. Deze druk komt overeen met de systolische druk. De onderdruk of de diastolische druk komt overeen met de waarde waarbij de vaattonen verdwijnen (Korotkow fase V). Hierbij is de slagader volledig ontspannen en is er geen turbulentie meer van het bloed. Turbulentie wordt veroorzaakt door de bloedstroom in de toegeknepen slagader en veroorzaakt de kloppingen die de arts hoort.

Welke onderzoeken voert de arts uit bij een vermoeden van verhoogde bloeddruk?

- 24-uursbloeddrukmeting om arteriële hypertensie te bevestigen
- Bloedonderzoek met een bepaling van kalium, creatinine, glucose en totaal cholesterolgehalte
- Microscopisch onderzoek van ochtendurine en urinestick voor opsporen van eiwit of suiker
- Een elektrocardiogram
- Een echografie van de nieren en de nierslagaders

Meer dan 9 op 10 patiënten hebben een verhoogde bloeddruk of arteriële hypertensie zonder dat een oorzaak kan worden gevonden. Deze essentiële arteriële hypertensie is dikwijls familiaal.

Welke vormen van verhoogde bloeddruk kan men genezen?

Bij een secundaire arteriële hypertensie is de verhoogde bloeddruk het gevolg van de onderliggende aandoening die men eerst tracht te behandelen om te vermijden dat de patiënt levenslang geneesmiddelen zal slikken. Het kan gaan om:
- Een vernauwing van een grote nierslagader (nierarteriestenose) door fibromusculaire dysplasie of atheromatose.
- Een overmaat aan bijnierhormonen (zoals aldosterone, cortisol, catecholaminen, 17 hydroxysteroïden en 17 ketosteroïden) door overprikkelen van de bijnieren of door een gezwel.
- Fibromusculaire dysplasie komt voor bij jonge vrouwen. Hierbij vertoont de spierwand van de nierarterie een uitstulping naar binnen waardoor de bloedtoevoer naar de nier belemmerd is. Ook een

stenose van een nierarterie kan bij ouderen verhoogde bloeddruk veroorzaken door ophoping van cholesterol in de wand. Een arteriografie van de nierarteries kan een vernauwing duidelijk aantonen. Bij dit onderzoek spuit de arts een jodiumhoudend product in de nierslagaders in, via een klein slangetje dat hij in de liesslagader (arteria femoralis) brengt. Door de vermindering van het slagaderbloed in de nier ontstaat zuurstofgebrek van de nier die hierdoor een overmaat aan het hormoon renine afscheidt. Renine is een natuurlijk hormoon dat instaat voor het behoud van zout en water in het lichaam. Een overmaat van dit hormoon veroorzaakt bloeddrukstijging. In de eerder vermelde gevallen kan de bloeddruk normaliseren door een ballondilatatie (met eventuele *stent*implantatie) of door een overbruggingsoperatie van de nierslagader(s). Na jarenlang onvoldoende bloedtoevoer ontstaat een kleine en slecht werkende schrompelnier.

- Bij vermoeden van hormonale overproductie worden er specifieke testen aangevraagd (aldosterone, catecholaminen en cortisol in het bloed en de urine). De bijnieren zijn kleine orgaantjes die op de nieren liggen en die natuurlijke hormonen afscheiden die instaan voor de normale werking van ons lichaam. Een tekort aan kalium in het bloed kan wijzen op een overdreven aldosteronesecretie. Samen met een overproductie van aldosterone is er meestal een overproductie van andere bijnierhormonen, zoals bij het syndroom van Cushing. Dit ziektebeeld wordt veroorzaakt doordat de hypofyse, een centraal regulatieorgaan in de hersenen, de bijnieren overmatig prikkelt. De bijnier produceert dan onder andere cortisol en aldosterone in abnormale hoeveelheden. Deze overproductie van cortisol verandert het gelaat van de persoon in een 'vollemaansgezicht', er is een vetophoping in de buikstreek en op de schouders en de armen en benen zijn mager, de huid is papierdun en er treden gemakkelijk onderhuidse bloedingen op. De behandeling van het syndroom van Cushing bestaat uit het toedienen van medicatie die de hormoonsecretie ter hoogte van de hypofyse remt. Als een bijniergezwel een overmaat aan hormonen produceert, dan spreekt men van hypercorticisme.
- Het feochromocytoom is een zeldzaam voorkomend gezwelletje dat in of buiten de bijnier ligt en dat naast aanvallen van bloeddrukstijging ook plotselinge hartkloppingen geeft. In dit geval bestaat de behandeling van de hoge bloeddruk uit een operatief verwijderen van het gezwel.

Wat zijn de verwikkelingen van een verhoogde bloeddruk?

Doordat personen met een verhoogde bloeddruk weinig klachten hebben duurt het meestal enkele jaren voordat een diagnose wordt gesteld. Dit gebeurt dan meestal tijdens een routineonderzoek (bijvoorbeeld bij een te plannen operatie). Gedurende deze tijd staat de patiënt bloot aan verwikkelingen of complicaties.

De verhoogde bloeddruk heeft namelijk een weerslag op ons organisme.

1. De linkerkamer bouwt tijdens de systole of de uitdrijvingsfase een hogere druk op dan normaal, dit komt overeen met het eerste cijfer van de bloeddrukmeting of de systolische bloeddruk. De linkerkamer past zich aan door een verdikking van de wand of hypertrofie. Bij hypertrofie zijn de spiervezels niet alleen verdikt maar er wordt ook overmatig bindweefsel gevormd. Dit bindweefsel is stug en belemmert de rekbaarheid van de holle hartspier waardoor de bloedvulling van de linkerkamer vermindert. Door de onvoldoende bloedcirculatie kan hierdoor hartverzwakking optreden, ook al blijft de pompkracht van het hart bewaard. Dit is diastolisch hartfalen. Uiteindelijk vermindert ook de pompfunctie en is de uitdrijving van het bloed uit de kamer moeilijk. Dit is systolisch hartfalen.
2. Onbehandelde hypertensie verhoogt ook de kans op bloeding en zuurstoftekort in de hersenen. Een cerebrovasculair accident (CVA) kan de eerste manifestatie zijn van arteriële hypertensie. Door de hoge bloeddruk in de hersenvaten kan een bloedvat barsten. Een hersenbloeding geeft snel overdruk in de benige schedelruimte zodat enkel een operatie levensreddend is. Als de afloop na de spoedingreep goed is, dan kan er na een uitgebreide bloeding soms een blijvend hersenletsel zijn, met een handicap.

Naast bloedingen kan zuurstoftekort van de hersenen een CVA veroorzaken. Dit kan te wijten zijn aan een vernauwing van een halsslagader of aan een bloedklonter in de hersenen zelf.

Afhankelijk van de uitgebreidheid en de plaats van het zuurstoftekort ondervindt de patiënt een verlamming en spraakstoornissen. In de ergste gevallen is er een verlamming van een lichaamshelft of hemiplegie. Gelukkig is er bij beperkte ischemie meestal recuperatie van de uitval. In de eerste dagen na het acute moment is de recuperatie evenwel moeilijk te voorspellen en dit is beangstigend.

Bij een TIA *(Transient Ischemic Attack)* duurt de verlamming of de spraakstoornis slechts enkele minuten. Een TIA wijst op zuurstofgebrek van de hersenen en noodzaakt verder onderzoek om erger te voorkomen.

3. Een verhoogde bloeddruk is een bijkomende risicofactor voor hart- en vaatziekten, net als roken, te hoog cholesterolgehalte en diabetes. Het risico is bovendien exponentieel en dit betekent dat het risico van iemand met 4 risicofactoren wel 15 keer hoger is.
4. Ten slotte tast arteriële hypertensie de kleine bloedvaten van de nierfilter en het oognetvlies aan. Door het oogfundusonderzoek of het bekijken van de netvliesarteries krijgt de arts reeds een idee over de graad van vaatbeschadiging. Het netvlies is de plaats waar de oogzenuw de prikkels van buitenaf opvangt en de kleine slagaders die erin verweven zijn kunnen van buitenaf door een speciale lamp worden gezien. Men onderscheidt verschillende graden van arteriële hypertensie. In stadium 1 is er weinig schade in tegenstelling tot stadium 4 waarbij bloeduitstortingen voorkomen.

De schade aan deze nierfilter is geleidelijk en veroorzaakt een verminderde filtratie van het bloed met een slechte nierwerking of chronische nierinsufficiëntie als gevolg waardoor de bloeddruk nog verder stijgt. De achteruitgang van de nierfunctie is steeds geleidelijk en eens een kritisch gedeelte van de nierwerking is aangetast gaat de toestand verder bergaf, ook al is de bloeddruk normaal. Bij een terminale nierinsufficiëntie is een kunstnier of dialyse aangewezen; jongere patiënten kunnen een niertransplantatie ondergaan.

Kan men een verhoogde bloeddruk zonder medicatie behandelen?

Bij personen zonder andere risicofactoren en die slechts een licht verhoogde bloeddruk hebben wacht de arts enkele maanden voordat hij medicatie start. Het is een algemene misvatting dat een tijdelijke 'kuur' met bloeddrukverlagende medicatie de bloeddruk regelt. In principe gebruikt men bloeddrukverlagende medicatie voor het leven.

Overtollig gewicht verliezen, fysieke activiteit opvoeren, overdreven zout- en alcoholgebruik vermijden en stoppen met hormonale contraceptie kunnen een licht verhoogde bloeddruk normaliseren.

Men is steeds waakzaam voor overgewicht. Er is een duidelijk overgewicht indien de Body Mass Index (BMI) boven de 30 ligt. Het BMI-cijfer wordt berekend door het gewicht in kilogram te delen door het kwadraat van de lengte in meter. Voor een persoon met een lengte van 1,7 m en een gewicht van 62 kilogram betekent dit: 62 gedeeld door 1,7 keer 1,7 = 21.

Overgewicht veroorzaakt ook ouderdomsdiabetes of type 2-diabetes. Hierbij nemen de spieren en de organen de bloedsuiker niet goed op doordat zij niet reageren op de insuline die echter wel in overdreven hoeveelheden door de pancreas wordt aangemaakt.

De laatste jaren zijn er meer bewijzen dat diabetes en arteriële hypertensie beiden te wijten zijn aan een ongevoeligheid van de weefsels tegen de eigen insulineproductie. Deze ongevoeligheid treedt op bij een overdreven hoeveelheid abdominaal vet. Indien de persoon vermagert tot op het niveau dat de weefsels terug reageren op de eigen insuline dan normaliseert niet alleen de diabetes maar ook de bloeddruk. Enkele kilo's afvallen doet al wonderen zonder dat hierbij het ideale gewicht is bereikt.

Ten tweede is voldoende lichaamsbeweging belangrijk. Personen zonder hypertensie die 3 keer per week 45 minuten joggen verlagen hun bloeddruk. Lichaamsbeweging houdt ook het gewicht op peil na de inspanningen van een maandenlang dieet. Alhoewel tijdens alle inspanningen een toename van de bloeddruk normaal is, hebben bepaalde sporten een gunstig effect op de bloeddruk in rust. Dynamische sporten zoals fitnesstraining, gymmen, zwemmen, jogging en fietsen zetten tijdens de inspanning de slagaders open. Hierdoor neemt de rekbaarheid van de slagaders toe en verlaagt de bloeddruk in de slagaders in rust. Sporten zoals gewichtheffen en bodybuilding zijn statisch en veroorzaken een hogere bloeddrukstijging tijdens de sportinspanning in vergelijking met sporten waarbij wel lichaamsbeweging voorkomt. Maar ze beïnvloeden de rekbaarheid van de slagaders minder zodat ze niet worden aangeraden bij patiënten met een hoge bloeddruk.

Het vermijden van overdreven zoutverbruik in de voeding is te verkiezen boven een strikt zoutarm dieet, dat vandaag enkel nog wordt aangeraden bij ernstige hartverzwakking. Doorgaans raadt men aan dat de patiënt met een licht verhoogde bloeddruk het zoutvat en gezouten spijzen vermijdt. Hierdoor kan het gemiddelde zoutverbruik van 13 gram per dag terugvallen op de helft. Een strikt zoutarm dieet met 3 gram zout per dag is nog strenger en is enkel mogelijk wanneer men ook zoutloos brood eet. Onze smaakpapillen worden gevoeliger voor zout na een zoutarm dieet.

Een overdreven inname van zout verklaart waarom de bloeddruk niet reageert op de medicatie.

Welke elementen zijn beslissend om te starten met een levenslange behandeling met bloeddrukverlagende medicatie? (antihypertensiva)

Het doel van de behandeling is het vermijden van een hartinfarct of een beroerte waardoor de patiënt langer leeft. Op basis van de risicofactoren van de patiënt en de graad van bloeddrukstijging bepaalt de arts dat de bloeddruk een hoog, een matig of een laag risico voor de patiënt inhoudt.

Bij een hoog risico wordt dadelijk met medicatie gestart,
Bij een matig risico probeert men 3 tot 6 maanden zonder medicatie,
Bij een laag risico probeert men gedurende 6 tot 12 maanden zonder medicatie.

De verschillende graden van hypertensie worden als volgt uitgedrukt:
- Lichte hypertensie: 140-159 / 90-99 mm Hg (systolisch/diastolisch)
- Matige hypertensie: 160-179 / 100-109 mm Hg (systolisch/diastolisch)
- Ernstige hypertensie: boven 180 / boven 110 mm Hg (systolisch/diastolisch)

Risicofactoren
- leeftijd: de man is ouder dan 55 jaar en de vrouw is ouder dan 65 jaar
- roken
- diabetes
- totaal cholesterolgehalte boven 2.50 mg/dL
- familiaal voorkomen van hartziekten

Risicobepaling
- Laag risico bij lichte hypertensie zonder risicofactoren.
- Matig risico bij lichte en matige hypertensie met maximaal 2 risicofactoren.
- Hoog risico vanaf 3 risicofactoren, bij diabetes.

IDEALE BLOEDDRUK

	Systolische bloeddruk mm Hg	*Diastolische bloeddruk mm Hg*
Jongeren	Onder 130	Onder 85
Ouderen	Onder 140	Onder 90
Suikerziekte	Onder 130	Onder 85
Nierlijden: lichte vorm	Onder 130	Onder 80
: ernstige vorm	Onder 125	Onder 75

Samenvatting

Arteriële hypertensie of verhoogde bloeddruk is een stille doder door de toename van hart- en vaatziekten. Een jaarlijkse bloeddrukcontrole is belangrijk, ook al voelt men zich kerngezond. Wittejashypertensie waarbij de bloeddruk enkel in het dokterkabinet verhoogt, vergt een regelmatige controle maar niet onmiddellijk medicatie. Het is normaal dat de bloeddruk stijgt bij inspanning en stress zonder dat men van arteriële hypertensie kan spreken. Medicatie tegen een verhoogde bloeddruk mag men nooit onderbreken. Vooraf sluit de arts een onderliggende nierziekte uit, een vernauwing op een nierslagader of een zeldzame hormonale afwijking. Een licht verhoogde bloeddruk reageert goed op een zoutarm dieet en lichaamsbeweging zodat de patiënt medicatie kan vermijden.

19 Veneuze trombose en longembolie

Hoe ontstaat veneuze trombose?

Een veneuze trombose is een aandoening waarbij een klonter zich vastzet in een ader. Voorbeschikkende factoren zijn:

a. een vertraging van de bloedstroom in de aders door een slechte veneuze circulatie van de onderste ledematen
b. een scheurtje in de wand van de ader
c. een toename van klontervorming

Een slechte veneuze circulatie door spataders, een operatie en stilzitten.
De aders die onder de huid lopen en die we zien, voeren het bloed van de huid naar de dieper gelegen aders die door de beenspieren lopen. In normale toestand kunnen de aders van het diepe systeem het bloed gemakkelijk naar het hart stuwen door:

- de spieren van de onderste ledematen die bij activiteit de aders platduwen en 'uitmelken'.
- de aanwezigheid van klepjes in de aders zodat het bloed slechts in één richting stroomt.

Er is sprake van slechte bloedcirculatie in het veneus systeem of van veneuze insufficiëntie wanneer het aderlijk (veneus) bloed vanuit de onderste ledematen moeilijk naar het hart terugvloeit. Dit kan te wijten zijn aan een klontervorming in het diepe systeem, een slechte werking van de aderkleppen of een overbelasting van het veneus systeem door bijvoorbeeld een rechtstaand beroep of te weinig spieractiviteit.

Wanneer het bloed zich in de inwendige aders ophoopt, dan zetten deze uit en ontstaan er eerst inwendige en nadien uitwendige spataders. Door de overvulling van het systeem werken de kleine klepjes onvoldoende zodat het bloed zich nog verder ophoopt.

Een persoon die ouder is dan 40 jaar loopt na een algehele verdoving die langer dan dertig minuten duurt, door immobilisatie, risico van klontervorming in de onderste ledematen in de dagen die volgen. Het risico is nog duidelijk hoger bij orthopedische operaties zoals een heupprothese, een reparatie van een beenbreuk met schroeven of bij een operatie aan de wervelkolom. De operatie zelf veroorzaakt steeds een reactie van ons eigen afweersysteem. Ook het niet actief bewegen van de onderste ledematen vertraagt de bloedcirculatie in de onderste ledematen tijdens en na de operatie. Het risico van klontervorming is gelukkig minimaal geworden na een preventieve dagelijkse toediening van onderhuidse bloedverdunners wanneer de patiënt na een operatie tijdelijk bedrust moet nemen.

Ten slotte zijn bedlegerigheid en stilzitten mogelijke oorzaken van veneuze trombose. Een langdurige ziekte is bij een oudere persoon een voorbeschikkende factor voor trombose net zoals een lange vliegtuigreis met zeer weinig bewegingsruimte voor de onderste ledematen.

Een scheurtje in de aderwand bij een beenbreuk kan de klontervorming in de aders versnellen.

Een verhoogde neiging tot klontervorming kan het gevolg zijn van een sterker aan elkaar kleven van de bloedplaatjes of een verhoogde stollingsneiging van het bloed. Dit kan voorkomen bij:
- Een aangeboren defect in de bloedstolling door een verhoogde stollingsneiging of een te lage activiteit van de stoffen die instaan voor de natuurlijke ontstolling van het bloed
- Een operatie of een ongeval waarbij het lichaam aan 'stress' is blootgesteld
- Een kankergezwel met uitzaaiingen

Wat is een klonter in de ader? (veneuze trombose, flebitis)

- Oppervlakkige flebitis is gemakkelijk te herkennen door een rode pijnlijke streng (als een koord) die juist onderhuids loopt. Oppervlakkige flebitis van de onderste ledematen ontstaat meestal bij patiënten die veel spataders hebben. In het ziekenhuis kan het plaatsen van een infuus met medicatie in de voorarm de aderwand prikkelen, met een ontsteking en klontervorming van de ader als gevolg. Voor de ontsteking volstaat het aanleggen van een kompres met een helende zalf. Oppervlakkige flebitis is meestal onschuldig en geneest zonder antibiotica tenzij een bijkomende microbe een infectie veroorzaakt die zich kan verspreiden in het lichaam door een ontsteking van de lymfevaten (lymfangitis).
- Diepe veneuze trombose is gevaarlijk want gaat niet altijd gepaard met zwelling of pijn. Hierdoor kan deze trombose zich uitbreiden en kan een stukje van de klonter afbrokkelen en met de bloedstroom worden meegevoerd tot in het rechterdeel van het hart en nadien in de bloedcirculatie van de longen met vorming van een

longembool. De kans op een longembool is groter wanneer de klonter boven de kniekuil komt.

Hoe stelt de arts de diagnose van flebitis?

Diepe veneuze trombose is soms pijnloos wanneer de bloedafvoer van het onderbeen niet volledig belemmerd is. Kleine zijtakken of collateralen voeren dan het bloed terug naar het hart zodat de zwelling beperkt is.

De ader die in de kniekuil loopt vangt alle bloed op van het diepe systeem van het onderbeen en een afsluiting van deze ader is bijzonder pijnlijk, ook al is de klonter klein. Anderzijds kan trombose in een diepe zijader in de kuit (zoals de vena tibialis of vena fibularis) soms erg uitgebreid zijn zonder dat er pijn of zwelling optreedt zodat de diagnose niet wordt gesteld.

Bij longembolie krijgt de patiënt steeds een veneus doppleronderzoek van de onderste ledematen om klonters op te sporen. De arts meet hierbij met een kleine sonde de snelheid van de bloedstroom in de aders. Met de sonde kan hij ook de aderwand in beeld brengen en als hij de ader niet kan dichtdrukken, dan wordt klontervorming vermoed.

De behandeling van diepe veneuze trombose

Bedrust, ontlasten van het been in hoogstand en anticoagulantia zijn de hoekstenen van de behandeling van veneuze trombose. Anticoagulantia zijn bloedverdunnende geneesmiddelen die klonteruitbreiding verhinderen. Vandaag wordt de onderhuidse vorm met een laag moleculair gewicht heparine (onderhuidse spuitjes) verkozen boven de niet gefractioneerde intraveneuze heparine (intraveneus continue toediening) bij de aanvang van een behandeling. Beide behandelingen zijn even doeltreffend maar de spuitjesvorm is gebruiksvriendelijker en vergt geen extra bloedcontroles. De patiënt kan vrij snel overschakelen op bloedverdunners in pilvorm die het bloed na enkele dagen voldoende vloeibaar maken zodat heparine kan worden gestaakt.

Wat zijn de restafwijkingen na veneuze trombose?

Ons lichaam lost de gevormde klonters op. Zo is de ader opnieuw doorgankelijk en neemt de zwelling van het onderste lidmaat af. Bij uitgebreide diepe veneuze trombose kan ons lichaam de klonter niet volledig oplossen. Hierdoor werkt het diepe veneuze systeem onvoldoende en stroomt het bloed traag naar het hart zodat het risico van een nieuwe trombose toeneemt. In ernstige gevallen kan de zuurstofvoorziening van de huid en het vetweefsel van de onderste ledematen onvoldoende zijn doordat het bloed 'blijft staan' (posttrombotisch been). Het been verkleurt dan bruin en is dik en hard gezwollen. Patiënten met een veneuze insufficiëntie hebben gemakkelijk wonden of veneuze ulcera. Het laten rusten van het been in hoogstand en het dragen van spannende kousen betekenen een ontlasting en verminderen het risico van veneuze ulcera.

Longembolie

Bij longembolie sluit een klonter een deel van de longcirculatie af waardoor dit deel van de long uitvalt (figuur 46). Veneuze trombose in de onderste ledematen is vaak de onderliggende oorzaak. De slagaders van de long zijn te vergelijken met de takken van een boom waarbij de hoofdslagader van de longen (arterie pulmonalis) de stam vormt. In het meest typische geval heeft de patiënt pijn tijdens het inademen door prikkeling van het longvliesje dat de buitenzijde van de long van andere organen scheidt. Kleinere longembolen geven hartkloppingen (door een voorkamerfibrillatie of door een sinustachycardie) of bloeddrukval. Wanneer een grote klonter meer dan één derde van de long afsluit dan is de patiënt kortademig in rust. Wanneer meer dan de helft van de longcirculatie uitvalt dan is er een plotselinge hartverzwakking met bloeddrukval of soms een hartstilstand.

De behandeling van longembolie

De patiënt krijgt zuurstof.
Men start met intraveneus toedienen van heparine, waarbij de dosis wordt aangepast volgens de resultaten van de bloedtesten die de antistolling nagaan. Een te lage graad van antistolling is niet efficiënt en een te hoge graad van antistolling kan aanleiding geven tot bloedingen. De onderhuidse heparines zijn wellicht even doeltreffend. Het ontstollen van het bloed verhindert de vorming van nieuwe klonters. Het lichaam ruimt de klonters op en meestal ziet men na enkele weken een normalisatie van de doorbloeding.

Bedrust is strikt noodzakelijk en opstaan is verboden, zelfs om naar toilet te gaan. Bij longembolie rest er meestal nog een deel van de klonter in de onderste ledematen. Indien de klonter vers is dan is deze nog niet vergroeid met de wand. Soms hangt de klonter enkel met een korte steel vast aan de binnenkant van de ader (vlottende klonter). Indien de persoon toch opstaat kan de steel van de klonter afbreken met een nieuwe ernstige embolie als gevolg. Met bedrust en antistolling zal de klonter na enkele dagen volledig vergroeien met de wand en is alle gevaar geweken.

Zelden is een eerste longembolie fataal maar dit kan wel het geval zijn indien de patiënt blijft rondwandelen of indien de behandeling te laat wordt ingesteld. Ofwel wordt de longcirculatie progressief afgesloten door nieuwe embolen ofwel komt een grote klonter uit de onderste ledematen ineens los waardoor een groot longvat plots wordt afgesloten.

Een ernstige longembolie veroorzaakt bloeddrukval met snelle ademhaling en blauwe verkleuring van de huid of cyanose. Een snel herstel van de doorbloeding van de long is levensreddend; antistolling verhindert alleen de vorming van nieuwe klonters.

Net zoals bij een acuut infarct kan de arts beslissen voor trombolytica (*trombus* = klonter en *lysis* = oplossen). Meestal geeft men bij longembolie een infuus van urokinase of *tissue plasminogeen activator* (t-PA). Na de toediening van trombolytica wordt dan een infuus met heparine gestart. Een spoedoperatie waarbij de chirurg een grote klonter uit de hoofdslagader van de longen verwijderd wordt vandaag enkel toegepast wanneer trombolyse niet mogelijk is door het risico van bloeding (bijvoorbeeld een inwendige bloeding na een recente buikoperatie).

Nabehandeling van veneuze trombose en longembolie

De duur van een bloedverdunnende behandeling bedraagt 3 maanden bij veneuze trombose en 6 maanden bij longembolie. Orale anticoagulantia zijn bloedverdunners in pilvorm die de patiënt dagelijks op hetzelfde tijdstip inneemt. De dosis die nodig is om het bloed optimaal te verdunnen hangt af van de resultaten van een regelmatige bloedanalyse.

Bij patiënten met een verhoogde aanleg voor klontervorming is soms een levenslange behandeling met orale anticoagulantia aangewezen.

Samenvatting

Bij een diepe veneuze trombose zet een klonter zich vast in een ader. Meestal betreft het patiënten die door hun ziekte of operatie in bed blijven en de onderste ledematen weinig bewegen.

In het ziekenhuis krijgen alle patiënten die na een operatie weinig mobiel zijn weliswaar een onderhuids spuitje in de buik om het bloed vloeibaarder te maken. Dit spuitje belet klontervorming. Bij een uitgebreide diepe adertrombose die tot boven de knie gaat, is er gevaar voor het afbrokkelen van een deel van de klonter die dan met het aderlijk bloed wordt meegevoerd naar het rechterdeel van het

hart en zich kan vastzetten in een longslagader. Dit wordt longembolie genoemd. Grote longembolen veroorzaken kortademigheid maar de klachten van kleine longembolen zijn niet typisch. Een eerste longembolie is zelden fataal maar bij het uitstellen van een behandeling kunnen zich nieuwe en grotere longembolen vormen. Een longembool wordt vandaag behandeld met bloedverdunners of trombolyse zodat de patiënt zo weinig mogelijk restletsels heeft.
Na een doorgemaakte adertrombose of een longembool neemt de patiënt gedurende meerdere maanden bloedverdunners.

Het verhaal van Ronald

Ronald is tekenaar en 54 jaar oud. Hij is nooit ernstig ziek geweest. Na een vermoeiende week kijkt hij ernaar uit om de vrijdagavond met zijn gezin door te brengen. Het is een mooie avond in mei en na het avondeten speelt hij een partijtje kaart met de overige gezinsleden. Ronald besluit even uit te rusten in de zetel. Hij heeft na het eten pijn in de maagstreek gekregen en heeft last van braakneigingen, wat anders zelden voorkomt. Hij neemt een bruistablet maar de pijn betert niet. Hij besluit naar bed te gaan, maar kan de slaap niet vatten. Hij woelt in zijn bed en zweet overmatig. De pijn in de maagstreek gaat langzaam weg en na middernacht valt Ronald uitgeput in slaap.

De volgende morgen voelt hij zich draaierig bij het rechtstaan en het ademen valt hem zwaar. Hij besluit zijn huisarts te bellen. Tijdens het huisbezoek stelt de huisarts een lage bloeddruk, een snelle hartslag en vocht op de longen vast. Hij raadt Ronald aan om onmiddellijk naar het ziekenhuis te gaan. Op de spoedgevallenafdeling wordt een elektrocardiogram en een röntgenfoto van de longen genomen. De spoedgevallenarts stelt een recent hartinfarct vast met beginnend longoedeem (water op de longen). 'Het infarct begon meer dan 12 uur geleden,' zegt de spoedgevallenarts, 'dit verklaart de maagpijn. Een behandeling instellen met een klonteroplossende stof heeft weinig zin. Er is geen pijn meer in de borst en het risico van de behandeling weegt niet op tegen het eventuele voordeel.' Ronald krijgt zuurstof met een neusbrilletje en vochtafdrijvende medicatie in de ader. Na een kwartier moet hij veel urineren en nadien ademt hij vrijer en Ronald kan naar de hartbewaking. Op deze dienst wordt het hartritme via een monitor gevolgd.

Ronald is angstig want zijn vader had ook een hartinfarct toen hij 55 jaar was. In die tijd schreven de dokters slechts meerdere weken bedrust voor. Nadien herinnerde Ronald zich dat zijn vader vaak vermoeid was en dat hij geen inspanningen meer aankon (ook tuinwerk was hem te zwaar).

Ronald denkt aan zijn gezin, zijn werk, zijn vrienden. Uitgeput en ongerust valt hij aan het einde van de namiddag in slaap.

Na een lichte avondmaaltijd herhaalt de verpleegster dat alles best meevalt: er is geen vocht meer op de longen en de bloeddruk is beter. Ronald valt in een diepe slaap en tijdens de nacht blijft zijn hartritme rustig. De volgende ochtend doet de cardioloog zijn ronde op de bewakingsafdeling voor hartpatiënten. Hij onderzoekt Ronald. 'Alles is OK,' verzekert hij, 'maar je hebt geluk gehad. De kans is één op drie dat je sterft wanneer je niet tijdig naar het ziekenhuis komt tijdens een acute hartaanval.'

De dag nadien mag Ronald drie keer een kwartier opzitten in de zetel. Hij voelt zich duizelig wanneer hij rechtstaat. Dit komt door de bloeddrukval, een bijwerking van de medicatie die het hart ontlast. Ronald neemt een ACE-inhibitor, een bètablokker en een aspirine. De dokter legt uit welke onderzoeken nog nodig zijn. Ronald kreeg een hartinfarct doordat een klonter de bloedtoevoer in de rechterkroonslagader afsloot. Omdat Ronald niet binnen de zes uur in het ziekenhuis was is er nu een litteken zichtbaar op de onderwand van het hart met een Q-golf op het elektrocardiogram. Ronald had geen pijn meer en de vijfde dag na het infarct legt hij een beperkte inspanningsproef af. De test toont geen zuurstoftekort aan. Een aanvullende echografie van het hart toont een klein litteken van de onderwand.

Ronald krijgt elektroden op de borst die het hartritme opschrijven (Holter-onderzoek) om het risico van een late ritmestoornis na te gaan. Ritmestoornissen van de kamer in de weken of maanden na het infarct ontstaan als cirkelstromen rond het infarctlitteken. Als de ritmestoornis snel is kan kamerfibrilleren en hartstilstand optreden.

De patiënten met een verhoogde kans op ritmestoornissen hebben vaak ook positieve late potentialen. Dit zijn kleine elektrische afwijkingen op het elektrocardiogram in het segment na de T-golf en voor de P-top, een deel dat normaal vlak is en geen elektrische activiteit vertoont. Deze fijne elektrische activiteit is op het gewone elektrocardiogram niet te zien en wordt uitvergroot door vele elektrocardiogrammen op elkaar te leggen. Net zoals bij een elektrocardiogram registreert een toestel de elektrische potentialen op de borst maar de registratietijd is langer. Positieve late potentialen wijzen op een trage geleiding in een deel van het hart waardoor de kans op hartritmestoornissen vergroot.

Het Holter-onderzoek bij Ronald is normaal en de afwezigheid van laattijdige potentialen is ook geruststellend.

Op de zevende dag na zijn infarct mag Ronald naar huis maar hij heeft nog vele onopgeloste vragen. Mag hij werken? Welke inspanningen mag hij doen? Zal hij kortademig zijn zoals zijn vader en zal zijn hart niet verslijten door opnieuw te werken? Wat met stress?

De dokter verzekert hem dat de ejectiefractie van de linkerkamer 50 % is. Dit is de hoeveelheid bloed dat tijdens elke hartslag uit de kamer wordt gepompt. De normale waarde is 60 %. De reserve van het organisme is groot en hiermee kan je de meeste inspanningen aan, maar geen competitiesporten natuurlijk. Medicatie is van belang om het hart de volgende 6 maanden te ondersteunen, aangezien het hart na een infarct de neiging heeft om uit te zetten en een bolle vorm aan te nemen waardoor zijn werking nog vermindert. Het innemen van ACE-inhibitoren en bètablokkers is van groot belang. Een kleine dosis aspirine houdt het bloed vloeibaar en gaat klontervorming in de kroonslagaders tegen. Preventie is ook van belang! Een controle van het cholesterolgehalte is pas na enkele maanden mogelijk omdat de waarde nu vals laag is. Ronald is nog minstens vier weken werkonbekwaam. De dokter legt uit dat stoppen met roken en overdag alleen thuis zijn twee elementen zijn die een voorbijgaande depressie kunnen uitlokken. Na zes weken mag Ronald gedurende 2 dagen geen bètablokkers nemen, omdat hij op controle moet. Er zal een echografie van het hart worden gemaakt tijdens een inspanning op de fiets en men kan dan ook een eventueel zuurstoftekort precies beoordelen. De fietstest gebeurt op een liggende tafel en tegelijkertijd wordt een echografie van het hart uitgevoerd. Alles verloopt prima. Ronald heeft geen pijn in de borststreek maar moet de inspanning staken aan een belasting van 200 Watt en heeft pijn in de benen. Zijn hartslag is opgelopen tot 155/min en zijn bloeddruk tot 180/90 mm Hg. Het elektrocardiogram tijdens de inspanning toont geen tekens van zuurstofgebrek en de echocardiografie toont een zwakte van de onderwand maar geen zwakte van de andere delen van het hart tijdens de inspanning. Een vermindering van de spierkracht tijdens een inspanning van het hart wijst immers op zuurstofnood. Doordat er geen zuurstoftekort is op de hartspier en geen levensvatbaarheid van het litteken, is kroonslagaderonderzoek niet nodig.

Ronald mag opnieuw alle inspanningen doen en de dokter vertelt hem dat hij opnieuw aan de slag kan. De medicatie wordt voortgezet.

De dokter legt het belang uit van secundaire preventie. Een hartinfarct is meestal het gevolg van een klonter die de kroonslagader volledig afsluit. Dit heeft te maken met afzetting van cholesterol in de wand van de kroonslagader waardoor de binnenwand zacht en breekbaar wordt. Normaal is de binnenwand van het bloedvat glad maar op de plaats van de zachte cholesterolafzetting kan de binnenwand kleine scheurtjes vertonen waardoor op deze plaats klontervorming optreedt. Anderzijds kan klontervorming ook optreden in een zeer ernstige harde vernauwing. Absolute rookstop, meer lichaamsbeweging en een optimaal cholesterolgehalte zijn van primordiaal belang. Ronald besluit zijn levenswijze te veranderen en voelt zich opgelucht omdat alles goed afliep. De licht verminderde functie van het hart stelt geen problemen voor zijn dagelijkse activiteiten.

Wat is hartfalen en hoe ontstaat het?

Hartfalen (hartverzwakking) is een toestand van het lichaam waarbij overdreven zout en water wordt vastgehouden door natuurlijke hormonen als antwoord op een onvoldoende pompwerking van het hart. Door hoge hormonale stimulatie komen 'stresshormonen' vrij die de hoge rustpolsslag verklaren.

De meeste patiënten met een hartverzwakking hebben een verminderde kracht van de linkerkamer, deze toestand wordt linkszijdig hartfalen genoemd.

Het aantal patiënten met hartfalen neemt toe omdat patiënten met een hartziekte vandaag op latere leeftijd operaties ondergaan en daardoor langer leven. Het hartinfarct is de eerste oorzaak van hartfalen. Door een infarct vermindert de pompfunctie van het hart. Een klein hartinfarct stelt geen probleem maar na een tweede infarct of na een groot eerste infarct kan de patiënt soms maanden later een hartverzwakking doormaken. Door het littekenweefsel neemt de hartspier een meer bolle vorm aan. Door de vermindering van de rekbaarheid van het hart vermindert ook het bloedvolume dat wordt rondgepompt. Om het uitzetten van de hartspier te vermijden dient de cardioloog meestal ACE-inhibitoren toe of een remmer van het conversie-enzym. Het lichaam maakt hierdoor minder angiotensine II aan, een hormoon dat het hartfalen in gang zet.

Een andere oorzaak van hartfalen is een onbehandelde bloeddruk waarbij de hartspier zich aanpast door een verdikking van de wand. In een later stadium is er een uitputting van de hartspier omdat de druk waartegen het hart moet pompen uitputting veroorzaakt.

Ten slotte vermelden we klepgebreken, myocarditis of een aangeboren afwijking van de hartspier als oorzaken van linkszijdig hartfalen.

Patiënten met een zwakke pompwerking van de rechterkamer vertonen rechtszijdig hartfalen. Een slechte pompwerking van de linkerkamer is hiervan de meest frequente oorzaak omdat er overdruk ontstaat in de longcirculatie bij een zwakke werking van de linkerkamer. Omdat de rechterkamer hierbij te veel pompkracht moet geven raakt deze uitgeput.

Wat zijn de tekens van een hartverzwakking?

De patiënt met linkszijdig hartfalen heeft last van stuwing van de longaderen doordat de druk in de linkervoorkamer oploopt en de verhoogde druk wordt doorgegeven aan de longaderen die zich ledigen in de linkervoorkamer. Door de hoge druk in de longaderen neemt ook de druk in de fijne longcapillairen toe. De longcapillairen zijn de fijnste bloedvaten van de longen die rechtstreeks in contact staan met de longblaasjes en die samen zorgen voor de uitwisseling van zuurstof en koolzuurgas tussen de buitenlucht en het bloed. Bij linkszijdig hartfalen is er kortademigheid tijdens het platliggen (orthopnoe) met soms longoedeem. Langdurig linkszijdig hartfalen veroorzaakt rechtszijdig hartfalen waarbij de patiënt geen last meer heeft van stuwing in de longen maar van stuwing in de lever.

De hoeveelheid bloed die in de grote lichaamscirculatie wordt gepompt is bij hartfalen sterk verlaagd. Hierdoor treedt er een ongewone vermoeidheid en kortademigheid op bij inspanning.

Een patiënt met rechtszijdig hartfalen heeft dus minder last van stuwing op de longaderen. Doordat het rechterdeel van het hart het bloed niet goed wegpompt aan de ingang van de rechtervoorkamer loopt de druk hier op zodat ook de grote lichaamsader of de vena cava inferior onder stuwing komt. De onderste lichaamsader stuwt het bloed van de buikorganen en van de onderste ledematen terug naar het hart. Door de overdruk in de aders van de onderste ledematen is er doorsijpelen van vocht of oedeem. Er is meestal pijn en zwelling van de lever waardoor de eetlust vermindert en er is vochtophoping (ascites) in de buik.

De behandeling van hartfalen

Een zoutarm dieet en diuretica

Voor de vochtophoping schrijft de dokter waterafdrijvende middelen of diuretica voor. De verpleegster weegt de patiënt voor het starten van een behandeling om zijn streefgewicht te bepalen. Een patiënt in hartfalen heeft soms een gewichtstoename van 10 kilogram of meer door waterophoping.

Een zoutarm dieet is ook van het hoogste belang en dit is even wennen omdat onze spijzen meestal met veel zout werden bereid. De dagelijkse portie zout bij een patiënt na hartfalen is maximaal 3 gram, dit veronderstelt dat de patiënt ook zoutloos brood. Voor heel wat patiënten lijkt dit een onmogelijke opgave maar na enkele weken hebben onze smaakpapillen zich aangepast zodat de minste hoeveelheid zout echt opnieuw zoutig smaakt. Zodra het streefgewicht is bereikt kan de dokter de dosis diuretica verminderen.

De diuretica drijven het zout en water uit door prikkeling van de nieren. Samen met het zout drijven zij onder andere magnesium uit zodat sommige patiënten spierkrampen hebben. Door zouttekort is er soms bloeddrukval.

Intraveneuze diuretica werken snel en prikkelen de nieren waardoor de patiënt veel urineert. Dit geeft een onmiddellijk verlichting van de kortademigheid bij een patiënt met longoedeem.

Diuretica verbeteren de overlevingskans van de patiënt niet maar verhogen het comfort door het aantal hospitalisaties voor hartfalen te verminderen. Bij ernstige hartverzwakking dient de arts vaak twee soorten toe, een krachtig lis-diureticum en een kaliumsparend diureticum. Het kaliumsparend diureticum 'spironolactone' houdt het kalium in het lichaam en verbetert ook de overlevingskans bij de patiënten met ernstige hartzwakte. De patiënt met hartfalen krijgt de nodige voorlichting en weet dat hij de dosis diuretica zelf kan verhogen of verlagen naar gelang een bepaald streefgewicht. Als het gewicht over het verloop van enkele dagen oploopt dan zal hij de dosis tijdelijk verhogen. Een te laag gewicht kan de voorbode zijn van watertekort of dehydratatie. Watertekort in het lichaam veroorzaakt een ernstig bloeddrukverschil in liggende en in staande houding en duizeligheid bij plotselinge verandering van houding. Bij hoogbejaarde patiënten kan dehydratatie aanleiding geven tot verwardheid of toenemende slaperigheid.

Digitalis, een oud geneesmiddel bij de behandeling van hartfalen.

Klassiek schrijft de arts digitalis voor bij een patiënt met voorkamerfibrillatie met een snelle polsslag in rust. Digitalis vertraagt de polsslag, hierdoor is de patiënt minder kortademig doordat het hart meer tijd krijgt om zich met bloed te vullen. Digitalis verbetert de pompwerking van het hart maar verbetert de overlevingskans bij een patiënt met hartfalen niet. In dit verband heeft een recente grote studie twee vergelijkbare groepen patiënten met hartfalen gevolgd in de tijd. De overleving van de groep behandeld met digitalis was identiek aan de groep die een placebopil of neppil had gekregen en alle patiënten waren in sinusritme.

Digitalis vermindert volgens de studie wel het aantal opnames voor hartfalen en het plotseling onderbreken van digitalis bij hartfalen kan de toestand soms verergeren.

De inhibitoren van het angiotensine conversie-enzyme (ACE-inhibitoren)

Wat zijn de schadelijke effecten van het angiotensine II?
Sinds het algemeen gebruik van de inhibitoren van het conversie-enzyme is de levensverwachting van de patiënten met hartfalen duidelijk verbeterd. Enzymen zijn speciale eiwitten met een katalysatorfunctie die ervoor zorgen dat bepaalde chemische reacties duizendmaal sneller verlopen in ons organisme. Het conversie-enzyme versnelt de aanmaak van angiotensine II uit angiotensine I.

Het angiotensine II veroorzaakt een krachtige bloeddrukstijging door het samentrekken van de diameter van de slagaders en door water- en zoutretentie.

Het renine versnelt de omzetting van het angiotensinogeen in de longen tot angiotensine I. De nieren maken het hormoon renine aan als antwoord op een bloeddrukval of een vermindering van het hartdebiet.

De inhibitoren van het conversie-enzyme breken dus de vicieuze cirkel van zout- en waterretentie door de verminderde aanmaak van angiotensine II.

Het starten van ACE-remmers en bijwerkingen:
Patiënten met hartfalen hebben een lage bloeddruk. Het starten van ACE-remmers na diuretica kan bloeddrukval uitlokken. De arts start steeds ACE-remmers in een kleine dosis op een dag dat de patiënt geen diuretica krijgt.

Prikkelhoest is een andere vervelende bijwerking door een overproductie van het bradykinine.

De remmers van de angiotensine II-receptor werken ongeveer zoals de ACE-remmers en geven geen prikkelhoest.

Deze geneesmiddelen worden courant gebruikt bij de behandeling van hoge bloeddruk en zijn een goed alternatief bij de behandeling van hartfalen wanneer de patiënt geen ACE-remmers verdraagt. Remmers van de angiotensine II-receptor kunnen samen met een ACE-remmer doeltreffend zijn bij een hardnekkige verhoogde bloeddruk. Een regelmatige controle van de nierfunctie is aangewezen.

De bètablokkers bij de behandeling van hartfalen

De behandeling van hartfalen is de laatste jaren enorm veranderd door een reeks nieuwe inzichten. Hartfalen stimuleert het orthosympathische zenuwstelsel waardoor stresshormonen vrijkomen die het hartritme versnellen en de renineproductie aanwakkeren. De bètablokkers die het hartritme vertragen en de organen ongevoelig maken voor de stresshormonen laten het organisme met een hartverzwakking tot rust komen.

Anderzijds kunnen bètablokkers de toestand van hartfalen verergeren door het lamleggen van de pompwerking van het hart waardoor waterretentie en longoedeem optreedt. Patiënten kunnen ook duizelig worden door bloeddrukval. De cardioloog oordeelt of de patiënt met hartverzwakking goed gerecupereerd is en start de eerste dosis van een bètablokker enkele weken na de episode van hartverzwakking. De cardioloog kan de dosis na enkele weken bij een stabiele patiënt voorzichtig opvoeren in afwezigheid van bloeddrukval, waterretentie of een te traag hartritme. Samen met de ACE-remmers verbeteren de bètablokkers de levensverwachting van de patiënten die lijden aan hartfalen.

Praktische wenken bij hartfalen

- Neem op tijd rust.
- Een griepvaccinatie is nuttig.
- Neem nooit medicatie zonder erover te spreken met uw behandelende geneesheer, bepaalde geneesmiddelen kunnen de werking van de hartmedicatie verminderen.
- Vermijd zout in de voeding. Dit betekent niet alleen geen zout bij de gerechten voegen maar ook zoutloos brood eten. Vermijd de bereide gerechten met een hoog zoutgehalte (of natriumchloride). Maximaal 3 gram zout per dag is toegelaten en dit is dus slechts een vierde van het gemiddeld verbruik van voordien.
- Controleer elke dag uw gewicht: een toename van meer dan 2 kg op 2 dagen kan wijzen op een verergering van de hartverzwakking. Het zwellen van de enkels treedt pas op wanneer het lichaamsgewicht meer dan 5 kg toeneemt.
- Een te lage bloeddruk door de medicatie veroorzaakt duizeligheid bij rechtstaan, een abnormale vermoeidheid of troebel zicht. Spreek erover hierover met de behandelende arts die de medicatie eventueel kan aanpassen.
- Een lichte verlaging van de systolische bloeddruk tot 90 mm Hg is het gevolg van de medicatie en geen reden om deze te onderbreken. Een lage bloeddruk ontlast immers het hart en in het begin van de behandeling is het voorzichtig om langzaam recht te komen vanuit een liggende houding.
- Matig het alcoholgebruik (maximaal 2 glazen wijn of 2 glazen bier per dag).
- Stop met roken.
- Onderbreek nooit de medicatie die werd voorgeschreven, ook al voelt u zich goed.

De intra-aortische ballonpomp

Wie komt hiervoor in aanmerking?

Bij een patiënt die een hartverzwakking van voorbijgaande aard heeft, zoals tijdens een hartinfarct of na een openhartoperatie, kan een intra-aortische ballonpomp het hart ondersteunen. Bij patiënten met ernstige hartverzwakking die op de dringende wachtlijst voor harttransplantatie worden geplaatst kan een intra-aortische ballonpomp het hart ook ontlasten.

Wat houdt dit in?

Een katheter met aan zijn tip een afgelaten ballon wordt in de aorta (grote lichaamsslagader) geschoven. De toegang gebeurt via een hol buisje (Engelse term: *sheath*) dat voordien in de arteria femoralis werd geplaatst (de slagader die oppervlakkig ligt ter hoogte van de lies). De katheter die aan zijn tip een kleine markering heeft wordt tot hoog in de aorta geschoven, tot onder de aftakking van de linker sleutelbeenslagader (arteria subclavia). De ballon die in opgevouwen toestand in de lichaamsslagader is geplaatst wordt nu ontplooid door een met lucht gevulde spuit die in verbinding staat met de ballon op te blazen. Doordat de ballon na de uitdrijvingsfase van het bloed uit de aorta automatisch wordt opgeblazen komt het bloed tussen de aortaklep en de ballon onder een hogere druk doordat het bloed niet weg kan in deze afgesloten ruimte. De kroonslagaders die net aftakken aan de oorsprong van de aortaklep komen ook onder een hogere druk tijdens de diastole (ontspanningfase) waardoor de doorbloeding van de hartspier verbetert. Deze ballonpomp wordt regelmatig gebruikt bij patiënten met een lage bloeddruk door een slechte doorbloeding van het hart, in afwachting van een overbruggingsoperatie of een ballondilatatie.

Wanneer is de ballon niet geschikt?

Bij patiënten die een ernstige verkalking hebben van de grote lichaamsslagader kunnen kleine kalkdeeltjes loskomen en een ernstig lek van de aortaklep kan verergeren na het plaatsen van de ballonpomp.

Implanteerbare toestellen bij de behandeling van hartfalen

Waaruit bestaan deze toestellen?

Patiënten met ernstig hartfalen die geen beterschap ondervinden van absolute bedrust en drukverhogende medicatie staan op een dringende wachtlijst voor een harttransplantatie. De arts zal het hart verder ondersteunen tot een geschikte donor is gevonden.

Bij een verzwakking van de linkerkamer wordt het bloed naar een parallel circuit afgeleid. Hierbij drijft een pomp het bloed aan dat nadien terug in de grote lichaamsslagader wordt gespoten.

Het parallelle pompsysteem kan werken via een pulsatiel systeem waarbij het bloed eerst in een kunstmatige kamer wordt gedreven en door de mechanische kracht van een opblaasbare zak in de aorta wordt gedreven. Het pulsatiel systeem zal dus in zekere zin de polsslag nabootsen waarvan de frequentie afhankelijk is van het aantal uitdrijvingen per minuut ingesteld op de machine. Dit toestel kan een hart gedurende enkele weken kunstmatig ondersteunen maar het plaatsen is omslachtig en vergt een grote operatie zoals voor een openhartoperatie aangezien de kunstmatige kamer steeds een zeker volume bezit om voldoende bloed rond te pompen.

Het niet-pulsatiele pompsysteem bestaat uit een pomp die het bloed continu rondzwiert; door de centrifugale kracht wordt het bloed met een zekere snelheid in de lichaamscirculatie gespoten. Praktisch wordt een buisje in de slagader gebracht, en het bloed dat door het buisje stroomt wordt versneld door een ingebouwd snel draaiend schroefje. Bij een linkszijdige hartverzwakking wordt de pomp geplaatst tussen de linkerkamer en de aorta. Het voordeel van het niet-pulsatiele pompsysteem is dat een openhartoperatie wordt vermeden. Het nadeel van dit systeem is de kans op hemolyse of het kapotgaan van de rode bloedcellen.

Bij verzwakking van de beide kamers kan men ook het zuurstofarm bloed van de lichaamsader ter hoogte van de lies aandrijven en terug in de lichaamsslagader spuiten ter hoogte van de liesstreek nadat het bloed over een membraan is gepasseerd waar het met zuurstof wordt verzadigd. Aldus kan men enkele dagen een artificiële circulatie in stand houden.

Welke patiënten met een zeer ernstige hartverzwakking komen hiervoor in aanmerking?

- Kandidaten voor een ruilhartoperatie.
- Patiënten met cardiogene shock na een hartinfarct of een myocarditis (een ontsteking van het hart) waarbij de arts denkt aan de mogelijkheid van een herstel. Cardiogene shock is een toestand van hartverzwakking met bloeddrukval en een verminderde doorbloeding van de organen. Doordat de nieren en de lever de afvalstoffen van het lichaam niet meer uitscheiden ontstaat een vergiftiging van het eigen lichaam waardoor de kans op overlijden groot is tenzij er snel een behandeling met bloeddrukverhogende medicatie wordt gestart.

- Patiënten met een blijvende bloeddrukval na een openhartoperatie waardoor de hart-longmachine niet kan worden afgezet en een tijdelijke ondersteuning van de hartspier noodzakelijk is.

Nadelen van de kunstmatige pompen: de omslachtigheid.
De meeste van de bovenvermelde systemen vergen dus een continue bewaking van de patiënt op de dienst intensieve zorgen. De arts dient bloedverdunners toe om klontervorming te voorkomen ter hoogte van het lichaamsvreemd materiaal dat in contact is met het bloed waardoor de bloedstolling wordt geactiveerd. Bij een verzwakking van de rechterkamer wordt het bloed dat wordt afgeleid ook voorzien van zuurstof door een kunstlong. Zoals bij een openhartoperatie wordt het koolzuurgas uitgewisseld voor zuurstof over een membraanoxygenator.

Deze ingrijpende technieken vereisen een volledige bedrust waarbij extra verpleegzorg noodzakelijk is om de patiënt te beschermen tegen doorligwonden en spieratrofie (het wegsmelten van de spieren door gebrek aan beweging). Soms ligt de patiënt meerdere weken plat en via een intraveneuze leiding krijgt hij voedingsstoffen en vitaminen.

Nieuwste technieken

Gezien er jaarlijks meer patiënten op een wachtlijst staan voor een ruilhartoperatie dan het aantal beschikbare donorharten is de idee ontstaan om een artificieel hart in te planten.

Chirurgen kunnen apparaten inplanten onder de huid waarbij de patiënt kan wandelen en naar huis kan terugkeren in afwachting dat een ruilhart beschikbaar is. Deze systemen zijn evenwel zeer duur en daardoor niet algemeen gebruikt. Bovendien is de initiële ervaring met deze totaal geïmplanteerde pompen slecht door klontervorming in het toestel en infectie.

In de komende jaren wordt een verfijning van de technieken verwacht:
- kleinere toestellen waardoor de operatie gemakkelijker is
- nieuwe metalen met een geringere kans op klontervorming
- duurzamer materialen zonder slijtage

Volgende moeilijkheden blijven:
- infectie van het lichaamsvreemd materiaal
- hemolyse of het breken van de bloedcellen (vooral met de niet-pulsatiele systemen)
- elektrische energie vereist kabels die door de huid naar het toestel gaan en een bron van infectie vormen.

Harttransplantatie

Wat houdt een ruilhartoperatie in?
De inhibitoren van het conversie-enzym (ACE-inhibitoren), spironolactone (een waterafdrijver) en bètablokkers hebben de levensverwachting van de patiënten met ernstig hartfalen verbeterd. Toch zijn er patiënten die ondanks deze medicatie niet herstellen. Voor patiënten die jonger zijn dan 65 jaar is een harttransplantatie in dat geval de belangrijkste behandeling.

Het aantal patiënten dat in aanmerking komt voor een ruilhartoperatie is beperkt door de schaarste aan donorharten. Vandaag kan men enkel een menselijk hart overplanten omdat het menselijk lichaam dierlijke organen afstoot. De donor is de persoon die zijn het hart geeft aan de patiënt. Opdat het donorhart van goede kwaliteit zou zijn mag het niet zonder zuurstof zijn gevallen. Meestal komt het donorhart van een patiënt die hersendood werd verklaard, maar waarvan de lichaamscirculatie bewaard bleef (dit betekent dat ondanks een bewaarde bloeddruk een volledige onderbreking is opgetreden van de hersencirculatie waarbij de hersenen geen elektrische activiteit meer hadden en afgestorven zijn). Om rejectie of afstoting van het nieuwe hart door het eigen lichaam tegen te gaan neemt de patiënt na de transplantatie steeds geneesmiddelen die zijn eigen afweer afremmen (immunosuppressiva).

Is koorts gevaarlijk na een ruilhartoperatie?

Medicatie tegen afstoting onderdrukt het eigen afweersysteem na de transplantatie. Hierdoor is de patiënt gevoeliger voor een banale griep of een kleine infectie. De transplantpatiënt moet de transplantarts bij de minste koorts opbellen zodat een behandeling met antibiotica op tijd kan worden gestart.

Afstoting bij transplantatie van een mensenhart doet zich voor doordat het organisme het nieuwe hart als een 'vreemde indringer' beschouwt. De afstoting van een dierlijk hart door het menselijk organisme is nog veel heviger waardoor transplantatie van dierlijke harten bij de mens nog niet mogelijk is. In de toekomst zal betere medicatie tegen afstoting de transplantatie van dierlijke harten bij de mens misschien mogelijk maken zodat het huidige tekort aan ruilharten wordt opgelost.

Voorwaarden voor een ruilhartoperatie?

- De patiënt heeft een irreversibele hartverzwakking en blijft kortademig in rust (hartfalen, stadium 4) ondanks een optimale medische behandeling.

- De patiënt is bij de minste inspanning kortademig of vermoeid (tekens van hartverzwakking, stadium 3) met een objectieve vermindering van de maximale zuurstofopname bij inspanning (zie verder).
- Afwezigheid van pulmonale hypertensie of overdruk in de longcirculatie. Bij chronische pulmonale hypertensie raakt het nieuwe donorhart sneller uitgeput en verbetert de levensverwachting van de patiënt niet.
- Een maximale zuurstofopname door het lichaam die lager is dan 14 ml/kg/min, aangetoond door spiro-ergometrie, een onderzoek dat objectief de beperking van de patiënt aantoont.
- De patiënt moet in een goede algemene toestand zijn om de medicatie tegen afstoting te verdragen. De leeftijd op zich is minder belangrijk, maar 65 jaar is ongeveer de maximumleeftijd. De patiënt heeft bij voorkeur geen langdurige suikerziekte en heeft een goede doorbloeding van de onderste ledematen en de hersenen. Patiënten die roken en overmatig alcohol gebruiken komen niet in aanmerking voor een ruilhartoperatie.

Wat zijn de huidige resultaten van een harttransplantatie?

De eerste harttransplantatie werd uitgevoerd in 1967, in Zuid-Afrika, door de chirurg Christiaan Barnard. De eerste patiënt overleefde de operatie slechts 18 dagen. Sinds het begin van de jaren 80 is de overleving na een harttransplantatie na het algemeen gebruik van cyclosporine duidelijk verbeterd. Een harttransplantatie werd daarom een goed alternatief bij de behandeling van irreversibel hartfalen. Cyclosporine is medicatie die afstoting remt. De 5-jaarsoverleving na harttransplantatie is ongeveer 75 %.

Wat is de maximale leeftijd van de patiënt voor een harttransplantatie?

Er is een discussie of een patiënt die ouder is dan 65 jaar nog recht heeft op een harttransplantatie. De arts zal het risico van een transplantatie op latere leeftijd goed afwegen tegen de mogelijke voordelen voor de patiënt. Oudere patiënten schijnen echter minder afstotingsverschijnselen te vertonen in vergelijking met jongere patiënten maar lopen hetzelfde risico van infectie. Het risico van kanker verhoogt bovendien met de leeftijd en kanker kan een bijwerking zijn van de immunosuppressiva. De levenskwaliteit na een uitgevoerde transplantatie is bij een oudere patiënt zeker even goed als bij jongere patiënten.

Het donorhart

De donorpatiënt is bij voorkeur jonger dan 35 jaar. De tijd tussen het verwijderen van het hart uit het donorlichaam en het implanteren in het nieuwe lichaam bedraagt in ideale omstandigheden minder dan 4 uur. Een goed donorhart heeft een normale pompfunctie en is vrij van belangrijke kroonslagadervernauwingen. Vooraf wordt steeds een kroonslagaderonderzoek uitgevoerd.

Indien een donorhart afkomstig is van een oudere patiënt dan is het risico van kroonslagadervernauwing groter zodat het donorhart kan worden geweigerd door de verantwoordelijke arts van de patiënt die wacht op een ruilhart. Ook lichte kroonslagadervernauwing is niet wenselijk indien de transplantpatiënt veel jonger is dan het donorhart.

Medische controles na de harttransplantatie

De rejectie of de afstoting door het eigen lichaam van het vreemde hart is een van de grote problemen na een transplantatie. Tegenwoordig dienen de artsen meerdere soorten geneesmiddelen toe die de eigen afweer onderdrukken zodat het nieuwe hart goed wordt aanvaard in zijn nieuwe omgeving. Bij afstoting is er een ontstekingsreactie van het eigen lichaam tegen het nieuwe hart en nestelen de witte bloedcellen zich in het donorhart zodat de pompwerking na een tijdje slechter wordt. Nog voordat er tekens zijn van een slechte hartcirculatie spoort de arts een beginnende afstoting op door het nemen van een klein stukje weefsel aan de binnenzijde van het ruilhart (endomyocardbiopsie). Dit gebeurt met een tangetje dat onder lokale verdoving via de hals wordt ingebracht. De graad van invasie van witte bloedcellen onder de lichtmicroscoop geeft de arts een idee over de graad van afstoting.

Bij een beginnende afstoting is het hart minder rekbaar, nog voordat zijn pompkracht vermindert. Deze diastolische disfunctie kan de cardioloog gemakkelijk opsporen door echocardiografie.

Welke vooronderzoeken zijn er nodig voor een ruilhartoperatie?

Een transplantatie van het hart veronderstelt een uitgebreide voorbereiding van de patiënt. Naast een goede voorlichting wordt ook een volledig lichamelijk bilan opgemaakt. Dit gebeurt tijdens een pretransplantobservatie. De arts gaat na of er geen beginnende kanker aanwezig is in het lichaam, of een sluimerende infectie omdat beide kunnen verergeren na het toedienen van de immunosuppressiva. Klassiek wordt ook een algemeen vaccinatieschema gevolgd en men raadt de patiënt aan te stoppen met roken. Patiënten met onopgeloste psychische problemen komen niet in aanmerking voor een transplantatie omdat het onderbreken van de medicatie of het niet volgen van doktersadviezen ernstige gevolgen kan hebben.

Het pretransplantbilan omvat ook een coronariografie met een drukmeting in het rechterdeel van het hart. Als de overdruk in de longvaten met medicatie tijdens de drukmeting niet voldoende naar omlaag komt, dan is de patiënt geen goede kandidaat voor een ruilhartoperatie. Blijvende overdruk in de longcirculatie belast de werking van het nieuwe hart te fel.

Leven met een ruilhart

De meeste patiënten kunnen na een harttransplantatie een bijna normaal leven leiden en zelfs sportbeoefening is mogelijk. De patiënt met een ruilhart ondergaat strikte medische controles. Tijdens het eerste jaar na de transplantatie wordt regelmatig een endomyocardbiopsie genomen om afstoting vroegtijdig te kunnen opsporen. De patiënt krijgt instructies om zich te beschermen tegen infecties en bij de minste koorts moet hij een arts raadplegen. De inname van antibiotica gebeurt in overleg met het transplantatiecentrum.

Harttransplantpatiënten nemen dagelijks medicatie tegen afstoting. De voornaamste geneesmiddelen zijn:

- Cyclosporines. Ze beschermen het nieuwe orgaan tegen afstoting. Ook patiënten die een niertransplantatie ondergingen nemen cyclosporine. De medicatie kan een overdreven aangroei van het tandvlees veroorzaken of een toegenomen lichaamsbeharing. Een controle van de nierwerking is ook noodzakelijk. Om de cyclosporinedosis aan te passen zijn frequente bloedcontroles noodzakelijk. Een te lage dosis cyclosporine beschermt de patiënt niet tegen eventuele afstoting. Anderzijds biedt een te hoge dosis cyclosporine geen bijkomende bescherming en kan er een vermindering van de nierwerking of een hinderlijke bijwerking ter hoogte van het zenuwstelsel ontstaan (bijvoorbeeld beven).
- Corticosteroïden. Ze worden toegediend in hoge dosis bij een acute afstoting of rejectie om nadien snel te worden verminderd. Meestal neemt de patiënt het eerste jaar na de transplantatie een kleine onderhoudsdosis. Dezelfde medicatie wordt ook gebruikt bij de behandeling van astma en chronisch reuma. Na de transplantatie wordt de dosis corticosteroïden tot op een zo laag mogelijke dosis verminderd om de kans op schadelijke nevenwerkingen tot een minimum te beperken. Corticosteroïden veroorzaken onder andere botontkalking en diabetes.
- Cholesterolremmende medicatie kan aangewezen zijn wanneer een vetarm dieet alleen niet voldoende is om kroonslagadervernauwing van het donorhart te vermijden.

Spiro-ergometrie of bepaling van de maximale zuurstofopname tijdens inspanning

Bij dit onderzoek moet de patiënt een maximale inspanning leveren op de fiets. 'Maximaal' betekent dat hij op de grens van de uitputting is. Het onderzoek veronderstelt dus een motivatie van de patiënt om tot het uiterste te gaan.

Voorbereiding van het onderzoek

- Fiets
- Elektrocardiografie
- Bloeddrukmeting
- De patiënt ademt in en uit in een masker dat in verbinding staat met een toestel dat de hoeveelheid zuurstof en het koolzuurgas meet in de uitgeademde lucht
- De patiënt krijgt een clip ter hoogte van de neus

Wat is de waarde van het onderzoek?

- Het onderzoek beoordeelt de echte inspanningscapaciteit om deze patiënten te selecteren die in aanmerking komen voor een ruilhartoperatie. De graad van hartverzwakking komt immers niet altijd overeen met de graad van inspanningsbeperking. Indien de maximale zuurstofopname lager is dan 14 ml/kg per minuut tijdens maximale inspanning dan krijgt de patiënt met hartfalen verdere onderzoeken met het oog op een eventuele ruilhartoperatie.
- Bij patiënten die last hebben van onverklaarde kortademigheid kan het onderzoek de oorzaak van de kortademigheid aanwijzen. Kortademigheid kan te wijten zijn aan een long- of een hartprobleem maar ook aan onvoldoende training of spierzwakte.
- Bij het opvolgen van patiënten met bijvoorbeeld mitraalkleplijden is het onderzoek nuttig om het juiste tijdstip van klepvervanging te bepalen. Indien de inspanningscapaciteit van de patiënt achteruitgaat is het meestal tijd om in te grijpen, ook al heeft hij weinig klachten.

21 Klepaandoeningen

Vernauwing van de aortaklep (aortastenose)

Wat is een aortastenose en wat voelt men?

De aortaklep bevindt zich aan de oorsprong van de grote lichaamsslagader (aorta) (figuur 1). Deze klep verhindert dat het bloed, tijdens de rustfase van het hart, van de aorta naar de linkerhartkamer terugstroomt. Net voorbij de aortaklep ontspringen de kroonslagaders als een eerste aftakking van de aorta.

De aortaklep bestaat uit drie soepele en plooibare klepblaadjes. De klep laat in gesloten toestand geen bloed door en opent zich tijdens de uitdrijvingsfase van het hart doordat de druk in de kamer groter wordt dan de druk in de aorta. De oppervlakte van de klep is normaal 3 tot 4 cm^2, dit betekent de gemeten oppervlakte van de opening waardoor het bloed kan stromen tijdens de systole. Indien er een vernauwing aan de aortaklep ontstaat (aortastenose) dan is dat meestal te wijten aan een langzaam verouderingsproces waarbij er een afzetting is van kalk (calcium) op deze plaatsen die het meest onderhevig zijn aan wrijving en drukveranderingen. De meeste patiënten ondervinden last wanneer de oppervlakte van de klep tot 1,5 tot 1,0 cm^2 is verminderd maar sommige mensen hebben een aortastenose met een oppervlakte van 0,5 cm^2 zonder klachten. Ongeveer een kwart van de patiënten met een aortastenose overlijdt plotseling zonder dat de zieke werd ontdekt.

Zodra de hartreserves zijn opgebruikt is er hartzwakte met kortademigheid en soms longoedeem. Bij patiënten zonder hartzwakte kan anderzijds het hartdebiet in rust licht verminderd zijn en identiek blijven bij inspanning. Dit veroorzaakt dan zuurstoftekort van het hart (angina) of de hersenen (syncope).

Om de vitale organen van bloed te voorzien past het hart zich aan. Om in rust per minuut een even grote hoeveelheid bloed over de vernauwde klep te laten vloeien zal de kamer een grotere druk opbouwen. Door een toename van het drukverschil tijdens de uitdrijvingsfase tussen de linkerkamer en de aorta kan het lichaamsdebiet identiek blijven. De grotere druk die de kamer moet leveren betekenen een belasting door het grotere brandstofverbruik van het hart. Door de grotere wandspanning in het hart treedt er een verdikking op van de linkerkamer, net zoals bij een verhoogde bloeddruk. De doorbloeding van de dikke spier kan na enige tijd moeilijker zijn, dit is de oorzaak van zuurstoftekort.

Welke onderzoeken zijn nodig in geval van aortastenose?
- Klinisch onderzoek: een typisch hartgeruis dat uitstraalt naar de halsslagaders.
- Elektrocardiografie: een verdikking (hypertrofie) van de linkerkamer.
- Echocardiografie: een verkalking van de aortaklepblaadjes die star zijn en zich niet goed openen met een toegenomen bloedsnelheid van het bloed over de zieke aortaklep, opgemeten via echodoppleronderzoek van hart.
- Hartkatheterisatie: bevestigt dat er een drukverschil is over de aortaklep, gaat na of er vernauwingen zijn ter hoogte van de kroonslagaders van het hart als voorbereiding van een eventuele hartoperatie.

Wat is de behandeling van een aortastenose?

Medicatie bij een aortastenose is ondoeltreffend. Een ingreep is aan te raden bij tekens van hartverzwakking, bij hartkramp door zuurstoftekort van de hartspier, bij onvoldoende hersendoorbloeding met duizeligheid of bewustzijnsverlies bij inspanning. Een vernauwing tot de oppervlakte minder dan 1,0 cm^2 bedraagt, is ernstig. Een operatie wordt vandaag sneller aangeraden, zoals wanneer de patiënt bloeddrukval vertoont tijdens een lichte inspanningstest.

De enige efficiënte behandeling op lange termijn is een openhartoperatie met het vervangen van de zieke klep. Een patiënt met last die zich niet laat opereren doet het na 5 jaar minder goed dan de patiënt die een kunstklepoperatie heeft ondergaan.

Ziektebeeld	*% van patiënten met aortastenose*	*Gemiddelde overleving in jaren indien niet wordt ingegrepen*
Kortademigheid bij inspanning en nadien in rust (dyspnoe graad 2 tot 4)	> 50 %	2 jaar
Hartkramp of angina pectoris	50 %	5 jaar
Duizeligheid bij inspanning of verlies van bewustzijn bij inspanning (of soms in rust)	25 %	3 tot 4 jaar

Houdt een operatie een risico in?

Bij een openhartoperatie op latere leeftijd is de kans op postoperatieve verwikkelingen groter. De nierwerking kan het tijdelijk laten afweten of er kan een infectie zijn ter hoogte van de longen. Door een verbetering van de operatietechnieken is een ingreep bij gemotiveerde patiënten die ouder zijn dan 80 jaar nog mogelijk.

Lek van de aortaklep (aorta-insufficientie)

Wat is een aorta-insufficiëntie en wat voelt men?

Hierbij keert het bloed vanuit de aorta tijdens de rustfase van het hart naar de linkerkamer terug en hierdoor neemt de druk in de aorta af. Tijdens de volgende hartslag pompt de linkerkamer een extra hoeveelheid bloed weg: de som van het normale bloedvolume na vulling van de linkerkamer en een extra volume dat uit de aorta is teruggevloeid. De lage druk in de aorta en de grote hoeveelheid bloed die het hart ineens wegpompt verklaren de forse polsslag bij deze patiënten met een aorta-insufficiëntie. Door de grote reserve van het gezonde hart kan een aorta-insufficiëntie lang bestaan voor er klachten zijn. Als de hartspier voldoende soepel is en goed uitzet als een elastiek, dan vergt het wegpompen van een extra hoeveelheid bloed niet veel energie, zeker wanneer de druk in de aorta laag is.

Klachten	*% patiënten met aorta-insufficiëntie*
Hartkloppingen in de hals of de borststreek	> 70 % en vroegtijdig
Kortademigheid bij inspanning (dyspnoe graad 2 tot 3)	> 70 % en vroegtijdig
Hartkramp of angor	50 % enkel laattijdig

Bij een plots lek van de aortaklep, bijvoorbeeld bij een scheurtje van de aortawand, zijn de klachten afhankelijk van de rekbaarheid van de linkerkamer. Een hart met een soepele kamer pompt gemakkelijk de grotere hoeveelheid bloed weg zonder dat de patiënt veel klachten heeft. Hoge leeftijd of hartspierverdikking maken de kamer evenwel stijver. In dit laatste geval kan een aortakleplek die plotseling optreedt hartverzwakking en bloeddrukval veroorzaken.

Diagnose van aorta-insufficiëntie

- Klinisch onderzoek: een typisch diastolisch geruis.
- Echocardiografie: kleurendoppler van de aortaklep.

- Hartkatheterisatie (van belang bij ernstige aorta-insufficiëntie met het oog op een hartoperatie): de drukmetingen in het hart bevestigen niet alleen de diagnose van de aorta-insufficiëntie maar tonen ook eventuele vernauwingen van de kroonslagaders aan, die tijdens dezelfde hartoperatie worden behandeld.

De behandeling

Medicatie of klepvervanging (zie verder).

Vernauwing van de mitraalklep (mitraalstenose)

Hoe werkt een normale mitraalklep?

De mitraalklep bevindt zich tussen de linkervoorkamer en de linkerkamer (figuur 1) en verhindert dat het bloed tijdens de uitdrijvingsfase van de kamer terugvloeit naar de voorkamer. Tijdens de diastole is de mitraalklep geopend om het bloed van de linkervoorkamer naar de linkerkamer door te laten. Tijdens de uitdrijvingsfase is de druk in de linkerkamer hoger dan in de voorkamer zodat de mitraalklep vanzelf sluit. De mitraalklep bestaat uit twee plooibare en soepele klepblaadjes waarvan de vrije randen zich in een gesloten toestand tegen elkaar opvouwen waardoor de klep goed dicht is en geen bloed meer doorlaat. De klepbaadjes zijn door verschillende touwtjes (chordae) bevestigd aan twee gespierde uitstulpingen (papilspieren) (figuur 1) die in de linkerkamer vasthangen en die beletten dat de klep, tijdens de uitdrijvingsfase, 'doorslaat' in de linkervoorkamer. De gesloten klep is te vergelijken met een open valscherm waarbij de touwtjes zich langzaam opspannen bij de bloeddrukstijging in de linkerkamer. De grootte van de opening tussen de linkervoorkamer en de linkerkamer is het klepoppervlak.

Wat verandert er bij een vernauwing van de mitraalklep en wat voelt men?

Het normale klepoppervlak van de mitraalklep is 4 tot 5 cm^2. Twintig jaar na een acuut gewrichtsreuma hebben ongeveer de helft van de patiënten een vernauwing van de mitraalklep (mitraalstenose). De aandoening komt 4 keer meer voor bij vrouwen dan bij mannen.

In het beginstadium is de druk in de linkervoorkamer in rust nog normaal omdat de voorkamer zich tijdens de diastole (ontspanningsfase) nog net kan ledigen in de kamer. Als de patiënt echter een inspanning levert waardoor het hartritme versnelt, dan verkort de diastole en kan de linkervoorkamer zich niet goed ledigen zodat er in de linkervoorkamer overdruk ontstaat.

Deze overdruk wordt rechtstreeks overgedragen op de longcapillairen of kleine longvaten die in contact staan met de longblaasjes. Hierbij kan er vocht vanuit de dunne longvaten in de longblaasjes terechtkomen waardoor de opname van zuurstof en de afgifte van koolzuurgas onvoldoende wordt.

In een tweede stadium verdikt de wand van de longvaten als aanpassing op de overdruk. Hierdoor kan het vocht van de longcapillairen niet meer in de longblaasjes overlopen maar de overdruk in de longen betekent een extra belasting voor de rechterkamer die na enige tijd volledig is uitgeput. Bij hartverzwakking van de rechterkamer is er leverzwelling, vochtophoping in de onderste ledematen (oedeem) en vochtophoping in de buik (ascites).

Klachten		
Moeheid	Steeds	
Kortademigheid bij inspanning	In het begin van de aandoening	
Kortademigheid in rust	Indien hogere belasting	Soms ernstig longoedeem aan het einde van de zwangerschap
Opgeven bloedfluimen	Streepje bloed Bloederig schuim Ophoesten rood bloed	
Hartkramp	Door zuurstofgebrek rechterdeel hart	Enkel bij 15 %
Klontervorming	In de voorkamers	Embolen in de slagaders bij 15 %

Diagnose van mitraalstenose

- Klinisch onderzoek: het hartgeruis tijdens de diastole is niet altijd hoorbaar.
- Echocardiografie: het tweedimensionaal beeld toont de starre verdikte klepbladen met een min of meer ernstige verkalking, het doppleronderzoek toont verhoogde bloedsnelheden over de vernauwde klep en een blijvend drukverschil tussen de voorkamer en de kamer aan het einde van de diastole.
- Transoesofagale echocardiografie (een ideaal onderzoek om de mitraalklep te bestuderen [figuur 22]): de mitraalklep ligt aan de achterzijde van het hart en komt in nauw contact met de slokdarmsonde zodat de beelden van uitstekende kwaliteit zijn. De transoesofagale echografie is vooral nuttig om een onderliggend mitraalkleplek op te sporen en eventuele klontervorming in de linkervoorkamer.

- De hartkatheterisatie: aan het einde van de rustfase van het hart is er een blijvend drukverschil tussen de linkervoorkamer en de linkerkamer. Soms is een katheterisatie via de arm nuttig waarbij de patiënt tijdens de drukmetingen een fietsproef uitvoert. Het meten van de druk tijdens de inspanning kan de diagnose van een matige mitraalstenose bevestigen, daar waar in rust nog net geen drukverschil wordt opgemeten.

Behandeling van mitraalstenose
- Bij een ernstige mitraalstenose met een klepoppervlakte kleiner dan 1,5 cm^2 stelt de cardioloog een ingreep voor bij klachten.
- Een weinig verkalkte klep die niet lekt kan worden behandeld met een ballondilatatie zonder dat een openhartoperatie nodig is. Net zoals de cardioloog een ballon in een vernauwing van een kroonslagader schuift, zo kan hij een grotere ballon in afgelaten toestand in de vernauwde mitraalklep plaatsen, tussen de voorkamer en de kamer.
- De Inoue-ballon heeft een zandlopervorm in opgeblazen toestand en past precies in de mitraalklep. De cardioloog brengt de ballon via een liesader in. Na het aanprikken van het tussenschot tussen de rechter- en de linkervoorkamer (transseptale punctie) schuift hij een voerdraad door de naald en over de voerdraad komt een hol buisje *(sheath)*. Door dit holle buisje kan de afgelaten ballon verder worden opgeschoven naar de linkervoorkamer en de mitraalklep.

Wanneer is een ballondilatatie niet aangewezen?
- Bij een geassocieerde mitraalinsufficiëntie omdat het lek na de ballondilatatie nog kan toenemen.
- Een sterk verkalkte mitraalstenose leent zich niet goed voor een ballondilatatie omdat het risico van een klepscheur te groot is.
- Klontervorming in de voorkamer is een contra-indicatie voor het gebruik van deze ballon. Bij het inbrengen van de ballon in de linkervoorkamer kunnen immers stukjes van de bloedklonter loskomen en naar de hersenen gaan.

Welke patiënten komen in aanmerking voor een dilatatie met deze ballontechniek?
- Klachtenvrije patiënten die een klepoppervlakte van de mitraalklep hebben $< 1,5\ cm^2$ met pulmonale hypertensie in rust of tijdens de fietstest.
- Patiënten met klachten en met een klepoppervlakte $< 1,5\ cm^2$.
- Patiënten met klachten en met een klepoppervlakte $> 1,5\ cm^2$ en pulmonale hypertensie in rust of tijdens de fietstest.

Het risico van de techniek

- Klein wanneer de cardioloog vertrouwd is met de techniek.
- Soms is er een kleplek als de uitgekozen ballon te groot is of als een verkalkt gedeelte van de klep doorscheurt.
- Soms is er een atriumseptumdefect of een kleine opening tussen de rechter- en de linkervoorkamer. Dit is het gevolg van de passage van de ballon tussen de rechter- en de linkervoorkamer.

Lekken van de mitraalklep (mitraalinsufficientie)

Hoe werkt een normale mitraalklep?

Tijdens de uitdrijvingsfase van het bloed uit de linkerkamer of de systole verhindert de mitraalklep dat er bloed terugstroomt naar de linkervoorkamer. Het lekken van de klep kan te wijten zijn aan een afwijking van de klep zelf of het klepapparaat. Het klepapparaat bestaan uit structuren die in nauw contact staan met de klep. Rond de klep is een gespierde klepring die samentrekt tijdens de systole. Aan de kamerzijde zijn er touwtjes (chordae) die tijdens de systole onder spanning komen en die beletten dat de klep teveel doorbuigt in de linkervoorkamer. De chordae die de klep vasthouden komen samen op twee papilspieren (figuur 1). De papilspieren hangen vast in de linkerkamer en spannen de chordae op tijdens de uitdrijvingsfase van het bloed uit de linkerkamer.

Wat is de oorzaak van een lek van de mitraalklep?

1. Een verkalking van de klepring die niet meer goed samenknijpt.
2. Een verstarring van de klep waarbij de boorden niet goed op elkaar passen.
3. Een prolaps van de klep doordat de chordae te lang zijn en de klep doorbuigt in de linkervoorkamer.
4. Een afwijking van de vorm van de linkerkamer waardoor de papilspieren niet in hetzelfde vlak trekken.

Welke klachten heeft men bij een lek van de mitraalklep?

Een klein lek van de mitraalklep wordt meestal toevallige ontdekt tijdens een cardiologische controle en is onschuldig. Bij een matig lek kan men hartkloppingen ondervinden doordat het hart meer bloed wegpompt. Onregelmatige hartkloppingen zijn te wijten aan voorkamerfibrillatie. Bij ernstige langdurige lekken neemt de linkerkamer een meer bolle vorm aan en kan de pompwerking van de linkerkamer verzwakken.

Een plotseling optredend lek daarentegen kan kortademigheid in rust of longoedeem veroorzaken. Een plotseling optredend ernstig mitraalkleplek komt voor bij een 'verlamming' van de papilspier tijdens een hartkramp of bij het plots doorknappen van een te lange chorda. Een gedeeltelijke of volledige scheur van de papilspier kan te wijten zijn aan een (niet noodzakelijk groot) hartinfarct. Bij een volledige scheur van de papilspier ontstaat er snel hartzwakte met bloeddrukval en is een dringende klepreparatie noodzakelijk.

Prolaps van de mitraalklep

Wat is een prolaps van de mitraalklep en wat voelt men?

Wanneer een of meerdere touwtjes van de mitraalklep te lang zijn dan puilt een deel van de klep uit in de linkervoorkamer wanneer de linkerkamer samentrekt. De cardioloog hoort dan bij auscultatie van het hart meestal een typische klik. De diagnose wordt bevestigd door echocardiografie. De aandoening is frequent (ongeveer 7 % van de vrouwen en 2 % van de mannen) en is te wijten aan een geleidelijk uitrekken van de touwtjes van de mitraalklep. De patiënten hebben meestal een slanke lichaamsbouw.

De aandoening is meestal onschuldig. Soms voelt de patiënt een pijn in de borststreek die optreedt zonder invloed van inspanning. Dit heeft niets te maken met een hartziekte of hartkramp. De helft van de patiënten hebben ook hartkloppingen en vage vermoeidheid.

Door routinegebruik van echocardiografie wordt deze afwijking sneller aangetoond. Bij een uitgesproken prolaps is er meestal ook een lek van de mitraalklep.

Raadgevingen bij een prolaps van de mitraalklep met mitraalinsufficiëntie

- Een klein lek vergt een tweejaarlijkse echocardiografische controle.
- Een matig lek vergt een jaarlijkse echografische controle en een endocarditisprofylaxe.
  Hierbij neemt de patiënt preventief antibiotica om zich te beschermen tegen een eventuele klepinfectie. Deze kan optreden bij elke medische ingreep waarbij microben in de bloedbaan terechtkomen. Bijvoorbeeld: bepaalde tandheelkundige ingrepen (verwijderen van tandsteen of tandextractie, geen tandvulling), een biopsie in de luchtwegen, een onderzoek van de blaas- en urinewegen of een darmonderzoek met een camera (colonoscopie).
- Een ernstig lek door een prolaps met overdruk in de longvaten wordt met de recente technieken gerepareerd zonder dat het plaatsen van een kunstklep noodzakelijk is.
- De mogelijke verwikkelingen van een mitraalklepprolaps zijn gelukkig zeldzaam. Een voorbeeld hiervan is het doorknappen van

een touwtje met plotseling optredend longoedeem door een ernstig kleplek, een stoornissen van de hersendoorbloeding (CVA, TIA, gezichtsstoornissen), een infectie van de klep of endocarditis.

Behandeling van klepgebreken: medicatie, ballondilatatie, hartheelkunde met klepreparatie of klepvervanging door een biologische of een mechanische klep

Medicatie

Voor een vernauwing van de aortaklep (aortastenose) bestaat er geen doeltreffende medicatie. Een patiënt met klachten moet in principe worden geopereerd.

Bij een vernauwing van de mitraalklep (mitraalstenose) start de cardioloog medicatie om het hartritme te vertragen en om overdruk in de longvaten te voorkomen. De patiënt zal overdreven inspanningen vermijden. Voorkamerfibrillatie of een totaal onregelmatige pols met hartversnelling in rust en bij inspanning komt bij mitraalstenose vaak voor, en noodzaakt de inname van bloedverdunners.

Bij een lek van de mitraalklep (mitraalklepinsufficiëntie) kan medicatie een hartverzwakking afremmen. Klassiek neemt de patiënt hier inhibitoren van het conversie-enzyme (ACE-inhibitoren).

Bij een lek van de aortaklep (aorta-insufficiëntie) kan bloeddrukverlagende medicatie het hart ontlasten.

Een verzwakking van de hartspier of hartfalen is een slecht teken en komt voor bij langdurig kleplijden. Deze toestand kan voorkomen bij patiënten bij wie een vroegere klepoperatie niet mogelijk was. Bij hartverzwakking is het risico van een klepherstel of een klepvervanging soms zo groot dat een operatie wordt afgeraden.

Kleppen

Biologische kleppen (figuur 47) zijn van menselijke of van dierlijke oorsprong. Kleppen van dierlijke oorsprong zijn afkomstig van het hartzakje (pericard) van het kalf of van de aortaklep van het varken.

Bij biologische kleppen is er weinig risico van klontervorming op de klepstructuur zodat bloedverdunnende medicatie (antistolling) kan vermeden worden.

Een menselijke ingevroren klep van een overleden persoon wordt een homograft genoemd, in tegenstelling tot heterografts die van dierlijke oorsprong zijn.

Bij een autograft wordt een lichaamseigen hartklep ingeplant zoals bij een Ross-operatie waarbij de eigen pulmonaalklep in de aortapositie wordt geplaatst. De pulmonaalklep wordt dan vervangen door een homograft. Een autograft in de aortapositie noodzaakt geen bloedverdunnende medicatie en heeft een uitstekende levensduur. Anderzijds vergt de operatie een hoge technische vaardigheid van de hartchirurg.

Mechanische kleppen (figuur 48) zijn van kunststof. In tegenstelling tot de biologische kleppen is er steeds antistolling nodig. De eerste generatie mechanische kleppen bestaan uit een bewegende bal in een kooistructuur maar vertonen een groter risico op klontervorming. Ze vergen een strikte antistolling. De tweede generatie kleppen bestaan uit een draaiend schijfje en soms treedt er degeneratie op van de klep door metaalmoeheid. De meest moderne kleppen zijn vervaardigd uit twee halve schijfjes die in geopende toestand bijna geen belemmering vormen voor het bloed zodat de kans op klontervorming lager is. Mechanische kleppen zijn over het algemeen duurzamer dan biologische kleppen

Aortaklepvervanging

Het vervangen van aortaklep bij een vernauwing is aangewezen zodra er klachten zijn eigen aan de aortastenose zoals angor, duizeligheid of kortademigheid. Ook op hoge leeftijd is een operatie zinvol voor zover de patiënt nog valide is en niet aan kanker lijdt. Een behandeling met geneesmiddelen is er niet en de kans op overlijden binnen de 5 jaar is groot eens er klachten zijn. Het risico van de operatie is hoger bij hartverzwakking en bij een gecombineerde operatie met kroonslagaderoverbruggingen.

Bij een lek van de aortaklep (aorta-insufficiëntie) komen alleen ernstige lekken in aanmerking voor een klepvervanging. In geval van een ernstig lek heeft de patiënt last van kortademigheid en is de linkerkamer meestal uitgezet door het toegenomen bloedvolume.

Ballondilatatie van de aortaklep

De cardioloog brengt een afgelaten ballonnetje, onder lokale verdoving, tot in de vernauwde klep. Bij het opblazen onder hoge druk wordt de klep verwijd. De interventie is niet zonder risico aangezien losgekomen kalkbrokjes van de sterk verkalkte klep soms een deel van de hersendoorbloeding afsluiten. Bovendien is het goede resultaat slechts gedurende enkele maanden goed omdat de vernauwing nadien terugkomt. Deze interventie is enkel geschikt bij ernstig zieke patiënten met een aortastenose die akkoord zijn om een klepoperatie te ondergaan. Door de ontlasting na de ballondilatatie kan een verzwakte hartspier gedeeltelijk herstellen zodat het risico van een openhartoperatie kleiner is.

Heelkundige behandeling van de vernauwing van de mitraalklep (mitraalklepstenose)
Is mogelijk wanneer een ballondilatatie niet geschikt is door een te grote verkalking van de klep of door een klonter in de voorkamer van het hart.

De vernauwing van de mitraalklep moet voldoende ernstig te zijn. Dit is het geval bij:

- patiënten met kortademigheid bij minimale inspanning of in rust (NYHA III of IV) met een klepoppervlakte die kleiner is dan 1,5 cm^2.
- patiënten met een kortademigheid bij doorgedreven inspanning (NYHA II) en een oppervlakte van de mitraalklep die kleiner is dan 1 cm^2.

Heelkundige behandeling van een lek van de mitraalklep (mitraalinsufficiëntie)
De huidige technieken in de openhartchirurgie zijn verbeterd zodat de chirurg vaker een herstel van de klep uitvoert dan een klepvervanging. Door een herstel van de mitraalklep behouden de papilspieren hun werking wat beter is voor de spierkracht van het hart.

Bij verminderde inspanningscapaciteit of bij een lichte uitzetting van de linkerkamer beslissen de cardioloog en de chirurg of de patiënt nog verder kan met medicatie alleen. Algemeen is men geneigd om sneller een hartoperatie voor te stellen indien klepherstel nog mogelijk is. Het ingrijpen in een vroeg stadium betekent ook een kleiner operatief risico omdat het hart nog sterk is. Een ander voordeel van klepherstel is het vermijden van bloedverdunnende medicatie.

Het herstel van de kleppen is vandaag mogelijk geworden door de samenwerking tussen de cardiologen en de chirurgen. De cardioloog kan via slokdarmechocardiografie precies de plaats en de oorzaak van het klepgebrek nakijken. Zo weet de chirurg nog voor de patiënt op de operatietafel ligt of een herstel van de zieke klep mogelijk is. Ook tijdens de operatie zal de chirurg advies vragen aan de cardioloog die het resultaat van de operatie via slokdarmechografie nakijkt.

Klepvervanging door een biologische of een mechanische kunstklep is noodzakelijk wanneer klepherstel door bijvoorbeeld uitgebreide verkalkingen niet meer mogelijk is.

Medicatie bij verhoogde bloeddruk

Afhankelijk van de onderliggende aandoening van de individuele patiënt kiest de arts een geneesmiddel uit een bepaalde klasse. De verschillende klassen geneesmiddelen worden hierna besproken.

De arts streeft via een behandeling met antihypertensiva twee doelen na. Ten eerste voorkomt de behandeling de verwikkelingen van arteriële hypertensie op lange termijn en ten tweede verhoogt de behandeling met antihypertensiva de levensverwachting.

DIURETICA

Hoe werken diuretica?

Diuretica zijn water- en zoutafdrijvende geneesmiddelen die de bloeddruk verlagen. Op lange termijn verhoogt de levensverwachting en normaliseert de bloeddruk. Wie diuretica neemt moet ook op zijn zoutverbruik letten omdat de bloeddruk anders opnieuw kan stijgen.

De verschillende diuretica werken in op een bepaald gedeelte van de nier. In het begin van de behandeling vermijdt de arts om de zogenaamde 'harde' diuretica te gebruiken. Dit zijn de diuretica die de patiënt flink doen urineren (wat heel vervelend kan zijn voor wie een actief sociaal leven leidt) maar deze medicatie is heel doeltreffend bij een longoedeem.

'Zachte' diuretica werken niet zo snel maar zijn de eerstelijnsbehandeling voor een verhoogde bloeddruk. De bloeddruk daalt zonder dat de patiënt overmatig moet urineren.

Wat zijn de mogelijke nevenwerkingen van diuretica?

- Urinedrang bij de harde diuretica wat hinderlijk kan zijn voor een patiënt die bijvoorbeeld buitenshuis werkt.
- Door een tekort aan magnesium in het lichaam kan spierkramp optreden, vooral bij de aanvang van de behandeling. In dit geval zijn magnesiumpillen nuttig.
- Een tekort aan kalium in het bloed komt vooral voor bij ouderen die weinig eten. Bij een ernstig kaliumtekort is er spierzwakte en treden soms hartritmestoornissen op. Een kaliumsupplement in de voeding is dan aangewezen (bijvoorbeeld vruchtensap).

- Een vochttekort van het lichaam tijdens de zomermaanden kan opnieuw bij ouderen een nevenwerking zijn van de diuretica. Oudere personen hebben een verminderd dorstgevoel. Bij een ernstig vochttekort is de bloeddruk laag waardoor patiënten duizelig worden of vallen. Anderzijds kan, bij een lage bloeddruk, de nierwerking verminderen zodat de afvalstoffen zich ophopen in het lichaam.

Namen van de meest gebruikte diuretica

Thiazide-diuretica

- Chloortalidon 50 mg, 100 mg tabletten
- Indapamide 2,5 mg dragees of tabletten

Lis-diuretica ('harde' diuretica)

- Bumetanide 1 mg, 5 mg tabletten
- Furosemide 30 mg capsules, 40 mg tabletten
- Torasemide 2,5 mg, 10 mg tabletten

Kaliumsparende diuretica

- Kaliumcanrenoaat 25 mg, 50 mg, 100 mg tabletten
- Spironolacton 25 mg, 50 mg, 100 mg tabletten
- Triamtereen 50 mg tabletten

BÈTABLOKKERS

Worden veel gebruikt

Bètablokkers verbeteren de levensverwachting van de patiënten met hoge bloeddruk, een hartinfarct of een hartverzwakking. Patiënten met hartkramp kunnen met bètablokkers grotere inspanningen aan voordat ze pijn aan de borst krijgen.

Hoe werken ze?

Bètablokkers blokkeren de bètareceptoren die instaan voor de werking van het hart, de luchtwegen, de gladde spieren van de baarmoeder en de slagaderwand.

Het para- en het orthosympatisch zenuwstelsel reguleren de werking van de organen van ons lichaam en staan in voor de normale werking van ons organisme, zonder dat we hierover hoeven na te denken. Een prikkeling van de bètareceptoren in het hart doet het hart krachtiger en sneller samentrekken maar bètablokkers brengen het hart terug in rusttoestand, wat ideaal is na een hartinfarct, bij hartkramp en bij een verhoogde bloeddruk. Prikkeling van de bètareceptoren van luchtwegen of van de baarmoeder ontspant de spieren van de luchtwegen en de baarmoeder. Medicatie die de bètareceptoren stimuleert (dus het omgekeerde van een bètablokker) wordt aangewend bij de behandeling van een astmacrisis of bij een dreigende vroeggeboorte. Bètablokkers kunnen kramp van de slagaders veroorzaken en doorbloedingsstoornissen van de onderste ledematen verergeren.

Bètablokkers blokkeren bètareceptoren

Er zijn 3 soorten receptoren. Bèta-1 en bèta-3-receptoren komen voornamelijk in het hart voor. Bèta-2-receptoren bevinden zich in het hart, de gladde spieren van de bloedvaten, de luchtwegen en de baarmoeder.

In tegenstelling tot de bèta-1 en bèta-2-receptoren leidt een stimulatie van de bèta-3-receptoren in het hart tot een vermindering van de contractiekracht.

Een bètablokker die enkel op het hart inwerkt is een cardioselectieve bètablokker. De hinderlijke nevenwerkingen van bètablokkers, zoals het koud aanvoelen van de onderste ledematen en kortademigheid met piepende ademhaling (astma), komen met een cardioselectieve bètablokker minder vaak voor.

Wat zijn de nevenwerkingen van bètablokkers?

De meeste bètablokkers worden goed verdragen. Als mogelijke (eerder zeldzame) nevenwerking kennen we:

- Allergisch astma.
- Kramp in de onderste ledematen tijdens het wandelen, bij bestaande slagadervernauwing van de onderste ledematen.
- Kramptoestand van de kroonslagaders (Prinzmetal-angor).
- Slaapstoornissen of depressies.
- Toename van potentiestoornissen die verdwijnen na het stoppen van de medicatie. Meestal is er een andere onderliggende oorzaak (doorbloeding, neurologisch of hormonaal).
- Abnormale vermoeidheid bij inspanning, duizeligheid en vlekken voor de ogen door een vertraging van de pols in rust of tijdens inspanning.

Wanneer is voorzichtigheid geboden?

- Indien de patiënt zonder medicatie een rustpols heeft van 50/min, dan schrijft de arts een speciale bètablokker voor die enkel bij inspanning het hartritme vertraagt.
- Bij vroeger allergisch astma is een cardioselectieve bètablokker steeds aangewezen, maar de arts vermijdt hoge dosissen.
- De patiënt met type 1-diabetes en een te lage suikerspiegel heeft een stressreactie met zweten en hartkloppingen. Bij een behandeling met niet-cardioselectieve bètablokkers ontbreken deze symptomen en kan de patiënt niet op tijd reageren door suiker in te nemen. Een te lage suikerspiegel veroorzaakt energietekort in de hersenen waardoor een hypoglykemisch coma optreedt. Een persoon uit de

omgeving van de patiënt moet in dergelijk geval een glucagoninjectie toedienen. Glucagon is een hormoon dat de suikerspiegel in het lichaam snel verhoogt door het vrijzetten van de suikerreserves uit de lever.

Indicaties voor bètablokkers

De meeste bètablokkers die de arts voorschrijft zijn cardioselectief. Hierbij komen eventuele eerder vernoemde hinderlijke bijwerkingen minder voor. Patiënten met vroeger astma of met een slechte bloedsomloop in de handen of de onderste ledematen krijgen bij voorkeur een cardioselectief preparaat.

Anderzijds kan een niet-cardioselectieve bètablokker een voordeel zijn voor een patiënt die lijdt aan arteriële hypertensie en migraine. Een niet-cardioselectieve vorm verhindert immers de vasodilatatie of het uitzetten van de bloedvaten van de hersenen die de migraine veroorzaakt.

Richtlijn: de volledige dosis nooit plots starten of onderbreken

De dosis bij de aanvang is laag en wordt geleidelijk opgevoerd naar gelang van de bloeddruk en de rustpols. Plotseling stoppen van de behandeling met een bètablokker kan gevaarlijk zijn en kan zuurstoftekort van het hart veroorzaken door een abnormaal versnellen van de hartslag. Na een langdurige behandeling met een bètablokker is het aantal bètareceptoren op de hartcellen gestegen. Bij het onderbreken van de bètablokker duurt het enkele dagen voordat de overmaat aan bètareceptoren terug daalt. Doordat de bètareceptoren niet meer bezet zijn is het hart in deze periode heel gevoelig voor uitwendige orthosympathische stimulatie.

Namen

Er zijn veel bètablokkers te verkrijgen en elke cardioloog heeft ervaring met enkele soorten. Tot de niet-cardioselectieve vormen, bijvoorbeeld, hoort propranolol, in een maximale dosis van 240 mg per dag; tot de cardioselectieve vormen, hoort atenolol in een eenmalige dosis van minstens 100 mg per dag voor de behandeling van angor (maximaal 200 mg per dag) of metoprolol in een dosis van maximaal 300 mg per dag.

De bètablokker die ook de bètareceptor stimuleert is pindolol (maximale dosis 30 mg per dag). Deze geeft een lichte stimulatie van het orthosympatisch zenuwstelsel wat nuttig is bij een trage rustpols.

- Acebutolol 200 mg, 400 mg tabletten
- Atenolol 25 mg, 50 mg, 100 mg tabletten
- Betaxololhydrochloride 20 mg tabletten
- Bisoprololhemifumaraat 5 mg, 10 mg tabletten
- Carvedilol 6,25 mg, 12,5 mg, 25 mg tabletten
- Celiprolol 200 mg, 400 mg tabletten
- Labetalolhydrochloride 100 mg, 200 mg tabletten
- Metoprololsuccinaat 95 mg, 190 mg tabletten
- Metoprololtartraat 10 mg, 100 mg, 200 mg tabletten
- Nadolol 80 mg tabletten
- Pindolol 5 mg, 15 mg tabletten
- Propranololhydrochloride 10 mg, 40 mg tabletten, 80 mg, 160 mg capsules
- Tertatololhydrochloride 5 mg tabletten
- Timololmaleaat 10 mg tabletten

CALCIUMANTAGONISTEN

Wat is de rol van calcium in het lichaam?

Calcium is onder andere essentieel voor de spierwerking. Hieronder vallen de spieren van de ledematen, de hartspier en de spieren van de ingewanden. Verder speelt calcium een rol in de goede werking van tal van organen en in de prikkelgeleiding van het hart.

Hoe wordt de bloeddruk van het lichaam constant gehouden bij houdingsveranderingen?

De bloeddruk in het lichaam is afhankelijk van de graad van spanning van de grote slagaders en hun vertakkingen. Het lichaam houdt dus in de meeste omstandigheden een goed evenwicht tussen vasodilatatie (het openzetten van de bloedvaten door ontspanning) en vasoconstrictie (het krimpen van de bloedvaten door opspannen van de spierwand). Wanneer we plots rechtstaan dan zorgt het autonoom zenuwstelsel voor een aanpassing ter hoogte van de slagaders zodat de bloeddruk constant blijft. Deze aanpassing gebeurt vanzelf, zonder dat we hierover nadenken.

Hoe werken de calciumantagonisten?

Een ontspanning van de wand van de arteries die deels uit gladde spiervezels bestaat, verlaagt de bloeddruk van ons organisme. Calciumantagonisten werken selectief in op de spieren van de bloedvatwand zodat er geen verstoorde werking zal optreden van de andere organen, tenzij bij een toevallige overdosis of een intoxicatie.

Verapamil en diltiazem zijn calciumantagonisten die, bij hartritmestoornissen, naast de bloeddrukregeling ook de elektrische geleiding in de atrioventriculaire knoop vertragen.

Wat zijn de bijwerkingen?

- Vooral bij warm weer kan er een toename zijn van enkeloedeem. Dit enkeloedeem is te wijten aan de verwijding van de aders van de onderste ledematen waardoor zich onderhuids een kleine hoeveelheid vocht ophoopt. Voor dit licht oedeem zijn zachte diuretica nuttig.
- Een verstoorde circulatie in het gelaat met 'plots blozen' kan optreden door het uitzetten van de bloedvaten van de huid.
- Sommige patiënten hebben last van constipatie door ontspanning van de spieren van de darmwand.

Soorten calciumantagonisten

De eerste generatie calciumantagonisten hebben een kortdurende werking, daarom zal de patiënt de medicatie drie keer per dag innemen. Door de snelle en korte werking treedt bij bepaalde patiënten soms een lichte bloeddrukval met hinderlijke hartkloppingen op. Om die reden vermijdt de arts deze medicatie bij een hartinfarct of bij een hartkramp in rust (instabiele angor).

De nieuwste generatie calciumantagonisten hebben een verlengde werking gedurende 24 uur zodat één inname per dag volstaat. Door de langdurige en langzame werking is er geen plotselinge bloeddrukval zodat de medicatie na een hartinfarct en bij ernstige hartkramp veilig is.

Indicaties

- Een oudere patiënt zonder hartaandoening, maar met een verhoogde bloeddruk.
- Jonge patiënten met hoge bloeddruk zijn soms niet geschikt om een behandeling te krijgen met diuretica of bètablokkers of verdragen deze medicatie niet. In deze gevallen kan een calciumantagonist een oplossing zijn.
  - Bij orthostatische hypotensie of een sterke bloeddrukdaling bij houdingsverandering van liggende naar staande houding vermijdt de arts diuretica.
  - Bij diabetes, een vernauwing van de slagaders van de onderste ledematen of bij spastische bronchitis zijn bètablokkers niet geschikt.

Voorzichtigheid

Calciumantagonisten die de elektrische geleiding vertragen (verapamil, diltiazem) mogen niet met bètablokkers of digitalis worden gecombineerd, om te vermijden dat het hartritme te traag wordt.

Intraveneus verapamil is niet aangewezen bij inname van bètablokkers, bij WPW-syndroom of bij kamertachycardie.

Namen

- Amlodipine 5 mg capsules
- Diltiazemhydrochloride 60 mg tabletten, 120 mg, 180 mg, 200 mg, 240 mg, 300 mg, 360 mg capsules
- Felodipine 5 mg, 10 mg tabletten
- Isradipine 2,5 mg tabletten, 5 mg capsules
- Lacidipine 4 mg tabletten
- Lercanidipinehydrochloride 10 mg tabletten
- Nicardipinehydrochloride 20 mg, 30 mg, 45 mg capsules
- Nifedipine 5 mg, 10 mg, 20 mg capsules, 20 mg, 30 mg tabletten
- Nisoldipine 10 mg, 20 mg tabletten
- Nitrendipine 10 mg, 20 mg tabletten
- Verapamilhydrochloride 40 mg, 80 mg, 120 mg dragees, 240 mg tabletten

INHIBITOREN VAN HET ANGIOTENSINE CONVERSIE-ENZYM (ACE-INHIBITOREN)

Hoe werken deze geneesmiddelen?

De longen maken angiotensinogeen aan, een voorloperhormoon dat door renine wordt omgezet tot angiotensine I. Bij een bloeddrukval of een laag hartdebiet maken de nieren renine vrij. Het conversie-enzym zet angiotensine I om tot angiotensine II, het actieve hormoon dat onder andere de arteries in ons lichaam doet samentrekken (vasoconstrictie) en dat water- en zoutretentie veroorzaakt.

Indicaties voor de behandeling

- Arteriële hypertensie die niet goed reageert op een eerste behandeling met een bètablokker of met een diureticum.
- Bij diabetespatiënten is eiwitverlies in de urine een teken van beschadiging van de nierfilter. De ACE-inhitoren stabiliseren de nierfunctie, ook al heeft de patiënt geen verhoogde bloeddruk.
- Een vermindering van de pompfunctie van de linkerkamer komt voor na een infarct, na jarenlange hoge bloeddruk of bij een ziekte van de hartspier zelf (cardiomyopathie). De ACE-inhibitor verhindert dat het hart uitzet en een bollere vorm aanneemt waardoor de

kamerfunctie nog verder achteruitgaat. De medicatie verbetert in dit geval de levensverwachting van alle patiënten.

Voorzorgen

- ACE-inhibitoren worden niet gestart wanneer de nieren veel renine afscheiden (bijvoorbeeld na een behandeling met diuretica) omdat een eerste dosis ACE een sterke bloeddrukdaling veroorzaakt bij een hoge reninespiegel.
- Bij een vernauwing van de rechter en de linker nierarterie kan een ACE-inhibitor de goede nierwerking belemmeren doordat de bloeddruk in de nier te laag wordt.
- Een stenose op een nierarterie aan één zijde is daarentegen geen contra-indicatie voor deze behandeling.
- Patiënten met een verminderde nierwerking krijgen een kleine dosis. Het is van belang om, een tiental dagen na de start, de nierwerking te controleren.

Bijwerkingen

- ACE-inhibitoren verhinderen de omzetting van angiotensine I naar angiotensine II. Door de toename van angiotensine I wordt een overmaat aan bradykinine gevormd, waarvan een droge prikkelhoest een vervelende bijwerking is.
- Angioneurotisch oedeem is een allergische reactie die gepaard gaat met roodheid van de huid en astma.

Namen

- Benazepril 5 mg, 10 mg tabletten
- Captopril 25 mg, 50 mg, 100 mg tabletten
- Cilazapril 0,5 mg, 1 mg, 2,5 mg, 5 mg tabletten
- Enalaprilmaleaat 5 mg, 20 mg tabletten
- Lisinopril 5 mg, 20 mg tabletten
- Natriumfosinopril 20 mg tabletten
- Perindopril 4 mg tabletten
- Quinapril 5 mg, 20 mg tabletten
- Ramipril 1,25 mg, 2,5 mg, 5 mg tabletten

CENTRAAL WERKENDE ANTIHYPERTENSIVA

Hoe werken deze geneesmiddelen?

Door de inwerking op een centrum in de hersenen verlaagt de bloeddruk. Een combinatie met andere bloeddrukverlagende geneesmiddelen is mogelijk en er is weinig kans op nevenwerkingen. Methyldopa is veilig tijdens de zwangerschap.

Namen

- Clonidinehydrochloride 0,15 mg tabletten, 0,15 mg, 0,25 mg capsules
- Guanfacine 2 mg tabletten
- Methyldopa 250 mg, 500 mg tabletten (toegelaten tijdens de zwangerschap)
- Moxonidine 0,2 mg, 0,4 mg tabletten

INHIBITOREN VAN DE ANGIOTENSINE II-RECEPTOR

Hoe werken deze geneesmiddelen?

Angiotensine II zet zich op zijn receptor ter hoogte van de slagaders waardoor de diameter van het bloedvat verkleint en de bloeddruk stijgt. De inhibitoren van het conversie-enzym verhinderen slechts gedeeltelijk de omzetting van angiotensine I in angiotensine II.

Dit verklaart waarom een ACE-inhibitor soms minder doeltreffend wordt om de bloeddruk te normaliseren, in tegenstelling tot een remmer van de angiotensine II-receptor.

Voordelen

Zeer goede bloeddrukdaling door een volledige blokkering van het effect van angiotensine II.

Geen vorming van bradykinine, geen allergische reacties of prikkelhoest.

Bij patiënten met hartfalen die geen ACE-inhibitoren verdragen is deze medicatie een goed alternatief.

Voorzorgen

Voorzichtigheid bij oudere patiënten met een vermindering van de nierfunctie.

Namen

- Candesartancilexetil 8 mg, 16 mg tabletten
- Eprosartan 600 mg tabletten
- Irbesartan 75 mg, 150 mg, 300 mg tabletten
- Kaliumlosartan 50 mg tabletten
- Telmisartan 40 mg, 80 mg tabletten
- Valsartan 80 mg, 160 mg tabletten

ALFABLOKKERS

Hoe werken deze geneesmiddelen?

Op de slagaders bevinden zich receptoren (alfa-receptoren) die reageren op prikkels van het zenuwstelsel. De geprikkelde receptor geeft een signaal aan de slagaderwand die deels uit gladde spiervezels bestaat, zodat deze samentrekt. Door de vermindering van de diameter van de slagaders verhoogt de weerstand in de bloedsomloop en stijgt de bloeddruk.

Een alfablokker is een geneesmiddel dat zich vastzet op de alfareceptor waardoor deze laatste inactief wordt en de bloeddruk verlaagt.

De alfareceptoren activeren ook de sluitspier van de blaas en beletten urineverlies. Zo kunnen alfablokkers (zoals bijvoorbeeld het geneesmiddel terazosine) nuttig zijn bij patiënten die moeilijk urineren doordat een vergrote prostaat de blaasuitgang verspert.

Namen

- Prazosinehydrochloride 1 mg, 2 mg, 5 mg tabletten
- Terazosine 1 mg, 2 mg, 5 mg, 10 mg tabletten

KEUZE VAN EEN ANTIHYPERTENSIVUM NAAR GELANG DE ONDERLIGGENDE AANDOENING

Een patiënt met diabetes krijgt best een ACE-inhibitor. Bij een deel van de patiënten met diabetes is de nierfilter na meerdere jaren beschadigd zodat een abnormale hoeveelheid kleine eiwitten zoals albumine in de urine verloren gaat. Het gezonde deel van de nier wordt hierdoor extra belast en raakt op zijn beurt beschadigd zodat de nierwerking op termijn geleidelijk volledig uitvalt. De specialist van nierziekten (een nefroloog) kan preventief medicatie starten bij diabetespatiënten die een minieme hoeveelheid albumine via de urine uitscheiden (microalbuminurie) zonder dat er sprake is van een nierziekte of hoge bloeddruk. De arts spoort de microalbuminurie op door een urinecollectie van 24 uur (het klassieke teststrookje kan soms nog normaal zijn voor eiwitten).

Diabetespatiënten lijden vaak aan hoge bloeddruk en een ACE-inhibitor is een eerstekeuzeproduct omdat de medicatie ook het ontstaan van de microalbuminurie uitstelt.

Bij patiënten met arteriële hypertensie en een verminderde spierkracht van de linkerhartkamer (of een verlaging van de ejectiefractie van de linkerkamer) is een ACE-inhibitor ook de eerste keuze. De medicatie voorkomt uitzetting en verdere verzwakking van de hartspier waardoor op termijn hartverzwakking met waterophoping ontstaat.

Bètablokkers zijn ideale geneesmiddelen bij de behandeling van patiënten die lijden aan angor pectoris en arteriële hypertensie. De tragere polsslag en de normalisatie van de bloeddruk hebben een gunstig effect op het zuurstofverbruik van het hart.

Jonge gestreste personen met hartkloppingen kunnen tijdelijk een bètablokker innemen. Bij spanning vermijdt een niet-cardioselectieve bètablokker niet alleen hartkloppingen maar ook het beven door stress. Daarom, bijvoorbeeld, staat bij boogschieten de bètablokker propranolol op de lijst van dopingproducten.

Anticoagulantia

Hoe werkt onze stolling?

Zowel de bloedplaatjes als de bloedstolling spelen een rol in de vorming van een bloedklonter. Trombine is een molecule in ons bloed die actief wordt wanneer het binnenste laagje van het bloedvat (het endotheel) onderbroken is, bijvoorbeeld bij een scheur van een plaque. In het lichaam werkt antitrombine het activeren van trombine tegen. Het actieve trombine zet het fibrinogeen, een andere stollingsfactor, om tot onoplosbaar fibrine. Fibrinogeen is oplosbaar in het bloed en heeft een bolvorm. Het fibrinogeen verandert van vorm tot een 'geweven net' van niet te breken fibrinedraden. Trombine prikkelt ook de bloedplaatjes die zich in een kluwen op de fibrinedraden vastzetten. Het kluwen van bloedplaatjes en de fibrinedraden vormen samen een witte klonter. Deze witte klonter is als een net waarin de rode bloedcellen gevangen geraken en zo ontstaat een rode klonter.

Onze lever is de fabriek van vele moleculen die instaan voor de stolling (stollingsfactoren), waarvan trombine en fibrinogeen twee voorbeelden zijn. Voor de aanmaak van de stollingsfactoren is vitamine K nodig, een vitamine die we via de darmen opnemen. Een deel komt uit de voeding en een deel is afkomstig van de darmflora (bacteriën die normaal in onze darmen leven). Deze stollingsfactoren verdwijnen na enkele dagen uit de bloedsomloop.

In normale omstandigheden is er een evenwicht tussen de aanmaak en de afbraak van stollingsfactoren zodat het bloed niet te vloeibaar is (waardoor er blijvende bloedingen zouden zijn bij een wonde) en ook niet te veel stolt (waardoor onnodige klontervorming optreedt).

Wat zijn anticoagulantia?

Bloedverdunnende medicatie of anticoagulantia werken de stolling van het bloed tegen en maken het bloed vloeibaarder (*anti* = tegenwerken, *coagulans* = stolsel). De antiaggregantia, daarentegen, werken de bloedstolling niet tegen, maar verhinderen het aaneenklitten van de bloedplaatjes (*aggregans* = bijeenkomen). Door het vermijden van nieuwe klontervorming zijn de anticoagulantia meestal levensreddend. De meest voorkomende nevenwerkingen zijn maag- en darmbloedingen. Hersenbloedingen zijn meestal fataal en gelukkig zeldzaam. Voor de individuele patiënt wordt het nut van de behandeling afgewogen tegen de risico's. Het risico van een fatale hersenbloeding na het toedienen van anticoagulantia bedraagt 0,5 % per jaar (dus 1 kans op 200 indien een patiënt 1 jaar wordt behandeld).

Heparines intraveneus of onderhuids:
Bloedverdunnende medicatie kan onderhuids (laag moleculair gewicht heparines, afgekort LMWH of gefractioneerde heparines) of intraveneus (niet-gefractioneerde heparines) worden toegediend.

De intraveneuze heparine maakt het bloed onmiddellijk na de toediening vloeibaarder door een verhoogde werking van de antitrombine. Het middel wordt enkel in het ziekenhuis gebruikt omdat de arts de dosis voortdurend aanpast. Een bloedanalyse en bepaling van de geactiveerde protrombinetijd (APTT-waarde) in seconden geeft de arts een idee van de graad van vloeibaarheid of antistolling. Een APTT-tijd die 2 tot 3 keer langer is dan de aanvangswaarde duidt op een optimale bloedverdunning. Bij klontervorming in het lichaam verhinderen de intraveneuze heparines de uitbreiding van de klonter en kan het lichaam de aanwezige klonter langzaam oplossen.

Laag moleculair gewicht heparines kan de patiënt zelf buiten het ziekenhuis toedienen. Bloedcontroles zijn niet nodig omdat de toegediende dosis wordt berekend volgens het gewicht van de patiënt en goed overeenkomt met de graad van antistolling.

De subcutane heparines in een lage dosis (één keer per dag) vermijden klontervorming in de onderste ledematen bij patiënten die na een operatie bedlegerig zijn. De subcutane heparines in hoge dosis (twee keer per dag 0,1 ml/10 kg) zijn even krachtig als de intraveneuze heparines en een alternatief voor een thuisbehandeling van een aderklonter in het been (diepe veneuze trombose).

Orale anticoagulantia of bloedverdunners in pilvorm
Bloedverdunners in pilvorm (orale anticoagulantia) remmen de verwerking van vitamine K in de lever zodat de aanmaak van nieuwe stollingsfactoren stopt. Bij inname werken de orale anticoagulantia pas na enkele dagen omdat het een tijdje duurt voordat de reeds aangemaakte stollingsfactoren uit het bloed verdwijnen. Door een bloedanalyse bepaalt de arts de PTT of de protrombinetijd om de dosis aan te passen. De protrombinetijd is de tijd dat het bloed van de patiënt nodig heeft om te stollen na contact met een standaardmengsel dat verschillend is

van lab tot lab. De INR (International Normalized Ratio) drukt ook de graad van bloedverdunning uit en is praktischer omdat de waarde onafhankelijk is van het gebruikte mengsel.

De INR-bepaling van bloed met een normale stolling is 1. Bij een effectieve antistolling varieert de INR tussen 2 en 3 (lichte antistolling), tussen 2,5 en 3,5 (matige antistolling) of tussen 3,5 en 4,5 (hoge antistolling). Als de INR hoger is dan 4,5 dan is er een grote kans op bloedingen en als de INR lager dan 2 is, dan is het bloed niet genoeg ontstold.

Het duurt 4 tot 6 weken voor een volledig evenwicht is bereikt na het starten van orale anticoagulantia. Elke patiënt kent dan zijn gebruikelijke wekelijkse dosis die een stabiele INR-waarde geeft.

Namen van orale anticoagulantia
- Acenocoumarol 1 mg, 4 mg tabletten
- Fenprocoumon 3 mg tabletten
- Warfarine 5 mg tabletten

Veilig gebruik en praktische richtlijnen bij het gebruik van orale anticoagulantia.
Een te grote antistolling kan levensgevaarlijke bloedingen uitlokken. Dit probleem stelt zich indien de patiënt zich niet goed aan de regels houdt.

Het is normaal dat patiënten die anticoagulantia nemen en die zich stoten gemakkelijk onderhuidse bloeduitstortingen (ecchymosen) hebben, ook tandenpoetsen veroorzaakt snel bloedend tandvlees. Patiënten vermijden best sporten met hard lichaamscontact (judo, karate, voetbal, rugby enz.) en intramusculaire inspuitingen zijn af te raden.

De patiënt die orale bloedverdunners neemt mag nooit andere medicatie innemen zonder eerst raad te vragen aan de huisarts. Heel wat geneesmiddelen sturen de werking van de orale anticoagulantia in de war zodat het bloed te weinig of te veel is ontstold, wat risico's inhoudt (optreden van klonters of bloedingen). Vrouwen dienen een zwangerschap absoluut te vermijden. Bij een longembool vervangt de arts de pil door een andere vorm van contraceptie.

Volgende medicatie verhoogt heel sterk de werking van de orale anticoagulantia en is te vermijden:
- ticlopidine, bijvoorbeeld gebruikt na *stent*implantatie van de kroonslagaders.
- meer dan 1 gram aspirine per dag.
- ontstekingsremmers voor reuma.
- miconazole als antischimmelpreparaat.

Volgende medicatie kan de werking van de orale anticoagulantia versterken en wordt met de nodige voorzichtigheid gebruikt: amiodarone, itraconazole, propafenone, quinolone antibiotica enz.

Volgende medicatie vermindert de werking van de orale anticoagulantia en noodzaakt een dosisverhoging van de orale anticoagulantia:
- carbamazepine bij de behandeling van epilepsie.
- rifampycine als antibioticum.
- barbituraten.
- colestyramine als remmer van de vetopname.

Orale anticoagulantia mogen niet worden genomen in volgende gevallen (contra-indicaties):
- Een letsel in de hersenen dat kan bloeden (vroegere hersenbloeding of hersenoperatie, een recente verwonding aan het oog enz.).
- Ongecontroleerde arteriële hypertensie.
- Gekende bloedstollingproblemen.
- Bloedende maagzweer in het verleden.
- Overmatig gebruik van alcohol en leverziekte.
- Oudere patiënten die geregeld vallen.
- Slechtziende en vergeetachtige patiënten die alleen wonen.
- Zwangerschap.

Enkele veiligheidsvoorschriften bij het gebruik van orale anticoagulantia
- Een regelmatige controle door hetzelfde lab en het afstellen van de medicatie door dezelfde persoon (de huisarts is hiervoor het meest aangewezen).
- Het bijhouden van een kaartje, naast een bloedgroepkaart, waarop de graad van antistolling bij de laatste bloedcontrole wordt vermeld.
- Geen andere medicatie innemen zonder het advies van de huisarts te vragen.
- Het eten van voedingsstoffen die veel vitamine K bevatten kan de werking van de orale anticoagulantia verminderen. Tot deze groenten behoren alle koolsoorten (broccoli, witte en rode kool, bieten...).
- Een tandextractie, operaties en inspuitingen zijn te vermijden en kunnen enkel gebeuren nadat de antistolling enkele dagen voordien werd onderbroken. Indien een spoedoperatie vereist is, dan dient men vers plasma toe.
- Spontane bloedingen vergen een onmiddellijke bloedcontrole door de arts met een bepaling van het hemoglobinegehalte en de graad van antistolling. Als de bloedstolling correct is dan vraagt de arts bijkomende onderzoeken aan, na het onderbreken van de antistol-

ling. Bloed in de stoelgang kan wijzen op een bloedende maagzweer of een poliep in de dikke darm. Een gezwelletje in de nier of de blaas kan de oorzaak zijn van bloed in de urine. Antistolling veroorzaakt soms bloedingen in het geval van een klein kankergezwel dat hierdoor in een vroegtijdig stadium wordt ontdekt en waardoor genezing nog mogelijk is.

Indicaties voor het gebruik van anticoagulantia buiten het ziekenhuis

- Preventie van veneuze trombose na een recente operatie (orale anticoagulantia of een LMWH).
- Preventie van klontervorming in het hart bij voorkamerfibrillatie.
- Preventie van trombose bij een mechanische kunstklep.
- Behandeling van diepe veneuze trombose gedurende 3 maanden.
- Behandeling van longembolie gedurende 6 maanden.

Hoe vaak is een bloedcontrole nodig?

Dit is afhankelijk van de individuele schommelingen van de INR en iedere patiënt heeft een individuele snelheid van verwerking van vitamine K in de lever. Bepaalde personen vertonen sterken schommelingen van de INR, ook na de stabilisatieperiode van de eerste 6 weken.

Deze schommelingen kunnen verminderen indien de geneesheer een ander product voorschrijft met een langere werkingsduur (warfarine in plaats van acenocoumarol).

Na een startdosis vindt de eerste bloedtest plaats na 2 dagen voor acenocoumarol en na 3 dagen voor warfarine.

Nadien volgt een dagelijkse bloedtest, gedurende 5 dagen, om de juiste dosis te bepalen. Tijdens de daaropvolgende week wordt de INR twee keer bepaald en nadien wekelijks gedurende een drietal weken. Zodra de wekelijkse dosis gekend is volstaat één bloedcontrole per maand.

De graad van antistolling

Lage graad van antistolling:

- Voorkomen van klontervorming in het hart bij voorkamerfibrillatie (INR tussen 2 en 3).
- Nabehandeling van longembolie (INR tussen 2 en 3).
- Nieuwe generatie van aortakunstkleppen in de aortapositie (INR tussen 2,5 en 3).

Matige graad van antistolling (INR tussen 3 en 4):

- Nieuwe generatie van kunstkleppen in de mitraalklepppositie.

Hoge graad van antistolling (INR tussen de 3,5 en 4,5):
- Oudere kunstkleppen.

De zwangere patiënte
Orale anticoagulantia worden vermeden tijdens de zwangerschap omdat de foetus vitamine K nodig heeft voor de beendergroei. Orale anticoagulantia zijn verantwoordelijk voor misvorming van de beenderen van de neus, van de ledematen en voor vroeggeboorte.

Bij zwangerschapswens kan de patiënte met een mechanische kunstklep orale anticoagulantia vervangen door subcutane heparine.

Orale anticoagulantia dringen ook door in de moedermelk en zijn te vermijden bij borstvoeding.

Nitraten

Hoe werken nitraten?
Nitraten zetten vooral de aders en in mindere mate de slagaders uit. Het hart moet hierdoor minder bloed wegpompen zodat het wordt ontlast.

Wanneer worden nitraten gebruikt?
- Bij hartkramp kan de patiënt een pil of een spray onder de tong nemen, dit heeft al na drie minuten effect.
- Patiënten met hartkramp die een operatie ondergaan krijgen een kleefpleister omdat de normale medicatie een tijdje wordt onderbroken.
- Intraveneus toegediende nitraten zijn nuttig om het hart te ontlasten bij een infarct of bij een acuut longoedeem.

Hoe worden nitraten best ingenomen?
- De medicatie onder de tong is zeer snel werkzaam. Het is belangrijk dat nitraten dadelijk worden ingenomen zonder dat de hartkramp volledig doorkomt.
- De nitraten die de patiënt enkele keren per dag via de mond inneemt, hebben geen effect bij een acute hartkramp maar kunnen het aantal hartkrampen verminderen, net zoals de kleefpleister.
- De nitraten onder de tong worden bij voorkeur zittend of liggend ingenomen omdat zij bloeddrukval kunnen veroorzaken.

Voorzorgen bij het gebruik van nitraten
- Nitroglycerine verliest zijn werking na langdurige blootstelling aan het licht en moet in de verpakking worden bewaard.

- Vooral intraveneus toegediende nitraten en deze in een pleister veroorzaken na enkele dagen gewenning. Dit betekent dat de dosis die initieel werkzaam was nu geen effect meer heeft. Men kan dit voorkomen door de kleefpleister of het infuus enkele uren per dag te onderbreken.

Welke nevenwerkingen hebben nitraten?
- Hoofdpijn door het ontspannen van de aders en de slagaders.
- Bloeddrukval door het ontspannen van de aders en een verminderde terugvloeiing van bloed naar het hart.
- Men mag geen sildenafil (Viagra) gebruiken in combinatie met nitraten omdat dit een ernstige bloeddrukval kan uitlokken.

Namen
- Isosorbidedinitraat 5 mg, 10 mg, 20 mg, 30 mg, 40 mg tabletten
- Isosorbidemononitraat 10 mg, 20 mg, 40 mg tabletten
- Nitroglycerine 0,4 mg spray
- Nitroglycerine 2,5 mg, 6,5 mg, 7,5 mg capsules
- Nitroglycerine 5 mg, 7,5 mg, 10 mg, 15 mg per 24-urenklever
- Molsidomine 2 mg, 8 mg tabletten

Digitalis

Hoe werkt digitalis?

Digitalis versterkt de pompwerking van het hart en vertraagt de hartfrequentie bij voorkamerfibrillatie.

Voorzorgen bij het gebruik van digoxine

De hoeveelheid digoxine in het bloed, of de digoxinespiegel, ligt normaal tussen 1 en 2 nanogram per milliliter.

Bepaalde geneesmiddelen tegen hartritmestoornissen zoals verapamil, amiodarone, propafenone en kinidine verhogen de digoxinespiegel door een verminderde uitscheiding van digoxine via de nieren.

Andere geneesmiddelen zoals erythromycine (een antibioticum) of omeprazole (geneesmiddel tegen maagzweren) verhogen de digoxinespiegel door een verhoogde opname van digoxine uit de darm.

Wat zijn de nevenwerkingen van digitalis?

Digoxine is moeilijk voor te schrijven omdat een lichte verhoging van de efficiënte dosis snel schadelijk kan worden voor de patiënt (digoxine-intoxicatie).

Digoxine-intoxicatie komt frequenter voor bij hypokaliëmie of bij oudere patiënten met een verminderde spiermassa en een verminderde nierfunctie. De patiënt braakt en het hartritme is traag.

Bij zeer ernstige intoxicatie kunnen er zich snelle ritmestoornissen van de kamer voordoen. In deze gevallen of bij accidentele inname van een grote dosis kan de arts de werking van digitalis blokkeren door het toedienen van antistoffen.

Namen

- Digoxine 0,125 mg, 0,25 mg tabletten of druppels 0,05 mg/ml
- Metildigoxine 0.1 mg tabletten
- Digitoxine 0.1 mg tabletten

Antiarrhytmica

Antiarrhytmica zijn geneesmiddelen die de arts voorschrijft om hartritmestoornissen te behandelen. De antiarrhytmica worden ingedeeld in 4 klassen.

- De bètablokkers en bepaalde calciumantagonisten vertragen het hartritme en behoren respectievelijk tot de klasse II en de klasse IV-antiarrhytmica.

Flecaïnide, propafenone, cibenzoline

Dit zijn de klasse IC antiarrhytmica, zij remmen de natriumkanalen en verkorten de actiepotentiaal van de hartspiercellen. Zij worden meestal gebruikt bij de behandeling van ritmestoornissen bij patiënten zonder een oud infarct.

- Flecaïnide acetaat 100 mg tabletten
- Propafenonhydrochloride 150, 225, 300 mg tabletten
- Cibenzoline 130 mg tabletten

Sotalol

- Dit is een klasse III-antiarrhytmicum dat de actiepotentiaal verlengt door het blokkeren van de kaliumkanalen in de hartspiercellen. Sotalol heeft verder ook eigenschappen van een bètablokker.
- Sotalol wordt gebruikt bij de behandeling van ritmestoornissen bij gezonde en zieke harten. Het is een goed antiarrhytmicum dat bij een oud infarct kan worden gebruikt.
- Een hogere dosis bij de start is te vermijden en patiënten met een traag hartritme of een verminderde nierfunctie krijgen de eerste dosis sotalol best in het ziekenhuis. Bij gevoelige patiënten (en vooral vrouwen) kan sotalol namelijk ritmestoornissen uitlokken. De snelle ritmestoornissen van de kamer of de *torsades de pointes*

hebben een karakteristiek elektrocardiogram en zijn gevaarlijk vanwege de kans op kamerfibrilleren. Bij een bewaking van het hartritme in het ziekenhuis wordt deze nevenwerking snel herkend.
- Te vermijden als het hartritme onder de 50 slagen per minuut is, als het QT-interval verlengd is, bij een te lage kaliumspiegel of bij patiënten die op een kunstnier aangewezen zijn.
Sotalolhydrochloride 160 mg tabletten.

Amiodarone

- Is het beste antiarrhytmicum dat ook tot de klasse III behoort en gebruikt wordt bij ritmestoornissen van de voorkamer en de kamer. Het verlengt de actiepotentiaal zoals sotalol, maar de kans op *torsades de pointes* is gering. Het product bevat veel jodium.
- Het product is zeer veilig maar heeft mogelijke bijwerkingen die een strikte controle vereisen. Mogelijke bijwerkingen zijn: een te trage of een te snelle werking van de schildklier (hypo- of hyperthyroïdie), een opstapeling van het product in de cornea (dit is reversibel en geeft zelden last), een afzetting in de huid en een overgevoeligheid aan het zonlicht, ademhalingsproblemen.
- Na het onderbreken van de behandeling duurt het enkele weken voordat amiodarone uitgewerkt is.
- Amiodaronhydrochloride 200 mg tabletten.

Geneesmiddelen tegen verhoogd cholesterolgehalte

Cholesterol, een noodzakelijke bouwsteen voor ons lichaam

De cholesterol uit onze voeding wordt samen met andere vetstoffen (triglyceriden en fosfolipiden) uit de voeding tot kleine vetbolletjes (chylomicra) verwerkt die via de lymfevaten in de lichaamscirculatie terechtkomen. De lever neemt cholesterol uit de chylomicra op en produceert zelf ook cholesterol.

Een deel van de cholesterol uit de lever gaat in het bloed als een partikel met een vetrijke kern (triglyceriden, cholesterol en fosfolipiden) omgeven door een eiwitmantel (lipoproteïne). Dit vetpartikel wordt een VLDL-partikel genoemd *(very low density lipoprotein)*.

Een groot deel van de cholesterol uit de lever wordt aangewend voor de productie van galzouten die de vetstoffen uit de darmen oplossen zodat een opname in het bloed mogelijk is.

Het lichaam gebruikt slechts een miniem deel van de levercholesterol voor de productie van de hormonen van de bijnieren en de geslachtsorganen omdat de organen zelf voor hun cholesterolproductie zorgen. Ten slotte vermelden we dat een groot deel van de lichaamscellen zelf cholesterol aanmaken die verwerkt wordt in de buitenbekleding van de cel (celmembraan).

Wanneer is cholesterol schadelijk voor ons lichaam?

De VLDL-vetpartikels verliezen in het bloed geleidelijk hun overmaat aan triglyceriden zodat een partikel overblijft met een overmaat aan kleine cholesteroldeeltjes (LDL-partikel of *low density lipoprotein*). LDL-cholesterol is slechte cholesterol die zich kan afzetten in de slagaderwand tenzij de lever het partikeltje op tijd opruimt. Aan de oppervlakte van de lever komen tal van receptoren voor die de LDL-partikels herkennen en voor recyclage opnemen uit de bloedsomloop. Anderzijds elimineren onze lichaamscellen een deel van hun aangemaakte cholesterol in het bloed onder de vorm van HDL-partikels *(high density lipoprotein)* via de lever. Dit HDL-partikel bevat goede cholesterol die cholesterolafzetting tegengaat.

Statines

- Dit zijn geneesmiddelen die de arts voorschrijft om de overmaat aan LDL-cholesterol te verlagen, vooral bij patiënten die voor kroonslagadervernauwing werden behandeld.
  De statines verminderen de aanmaak van cholesterol door de lever waardoor het aantal receptoren van LDL op het leveroppervlak verhoogt zodat meer slechte cholesterol uit het lichaam wordt weggehaald. Door de LDL-cholesterol met gemiddeld 40 % te verlagen kan het aantal hartaandoeningen door kroonslagadervernauwing afnemen tot tussen de 25 en de 60 % en vermindert ook de kans op overlijden met 30 %.
- De statines neemt men ’s avonds in omdat de cholesterolproductie door de lever ’s nachts hoger is. Oudere patiënten met een verminderde nierwerking krijgen een kleinere dosis.
- Er zijn heel weinig neveneffecten, minder dan 1 % van de patiënten hebben stoornissen van de leverwerking en nog zeldzamer is de afbraak van de spiercellen. Een griepgevoel, verminderde eetlust of spierpijnen onder een behandeling met een statine noodzaken een bloedanalyse. Statines zijn te vermijden tijdens de zwangerschap.
- Bepaalde geneesmiddelen verminderen de verwerking van sommige statines door de lever zodat er te veel statines in het bloed blijven. Bij een statinebehandeling houdt men de dosis van volgende geneesmiddelen bij voorkeur laag: erythromycine (een antibioticum), verapamil en amiodarone, cimetidine (bij maagzweren).
- Een bloedstaal voor analyse van de levertesten en de spierenzymen is aangewezen enkele weken na het starten van de behandeling en verder om de 6 maanden.

- Namen van de meest gebruikte statines: pravastatine 20 mg en 40 mg tabletten; simvastatine 5 mg, 20 mg en 40 mg tabletten; atorvastatine 10 mg en 20 mg tabletten; fluvastatine 40 mg tabletten.
- Noot: cerivastatine werd in augustus 2001 van de markt gehaald vanwege enkele gevallen van fatale spierafbraak (rhabdomyolyse). In het algemeen verhoogt de kans op rhabdomyolyse wanneer een statine in hoge dosis gecombineerd wordt met een fibraat (zie verder) of met medicatie die de eliminatie van statine verminderen. Deze nevenwerking is echter zeldzaam en mits het in acht nemen van de voorschriften blijven de statines absoluut levensreddende producten voor de hartpatiënten met hypercholesterolemie.

Fibraten

- Deze geneesmiddelen verlagen de triglyceriden in het bloed en doen het HDL-cholesterolgehalte stijgen. Zij doen in mindere mate het totale cholesterolgehalte en het gehalte LDL-cholesterol dalen.
- De dosis wordt verminderd bij patiënten met een slechte nierwerking.
- Omgekeerd wordt de dosis orale anticoagulantia en orale antidiabetica verminderd bij het gebruik van een fibraat.
- Bij de combinatie met een statine is de kans voor spierafbraak groter. Fibraten zijn ook te vermijden tijdens de zwangerschap.
- Namen van de meest gebruikte fibraten: bezafibraat 200 mg en 400 mg tabletten; ciprofibraat 100 mg tabletten; fenofibraat 100 mg, 200 mg tabletten.

Resines of anionenwisselaars

- Deze geneesmiddelen waren vroeger, voor de komst van de statines, de beste producten bij de behandeling van hypercholesterolemie. Nu worden zij enkel gebruikt bij patiënten die ondanks de inname van een statine nog te hoge cholesterolwaarden hebben.
- Resine wordt niet opgenomen in het bloed maar bindt in de darmen met de galzouten die via de stoelgang worden afgescheiden. Door het grote verlies van galzouten maakt de lever extra galzouten aan en door het toegenomen cholesterolverbruik gaat er minder cholesterol in de bloedbaan.
- Het nadeel van de medicatie zijn de darmongemakken (opgeblazen gevoel of constipatie). Dit is te vermijden door de dosis te verlagen of door inname van pruimensap.
- De inname van statines, orale anticoagulantia, zachte diuretica, thyroxine en digoxine gebeurt best één uur voor of vier uur na de inname van de resines. De resines binden zich namelijk aan de eerder vermelde medicatie zodat slechts een deel wordt opgenomen.

- Namen: Colestipol zakjes van 5 gram; colestyramine zakjes van 4 gram.

Acipimox

- Dit geneesmiddel verlaagt de triglyceriden en doet het HDL-cholesterolgehalte stijgen. Het doet het LDL-cholesterolgehalte in mindere mate dalen.
- De dosis wordt verlaagd bij nierinsufficiëntie.
- Roodheid in het gezicht kan voorkomen aan het begin van de behandeling.
- Naam: acipimox 250 mg capsules.

Plaatjesremmers

Aspirine

Het aaneenklitten van de bloedplaatjes is de oorzaak van een gedeeltelijke of een volledige opstopping van een kroonslagader bij een instabiele angor of een hartinfarct. Aspirine blokkeert irreversibel het aaneenklitten van de bloedplaatjes. Het nemen van 500 mg aspirine bij een acuut hartinfarct redt levens! Een kleine onderhoudsdosis aspirine van 100 mg per dag is al voldoende om de bloedplaatjes te remmen. Het is dezelfde aspirine die we in hogere dosis gebruiken tegen koorts en ontsteking.

Bij patiënten met een maagzweer wordt aspirine best vermeden en ook 10 dagen voor een operatie is het beter de inname van aspirine te stoppen om overdreven bloedverlies tijdens de operatie te vermijden.
Namen:

- acetylsalicylzuur 80 mg, 160 mg dragees, 80 mg, 100 mg, 300 mg, 320 mg, 324 mg, 325 mg, 330 mg, 500 mg tabletten
- lysine-acetylsalicylaat 180 mg, 288 mg, 450 mg, 540 mg, 900 mg, 1800 mg zakjes
- diflunisal 250 mg dragees, 250 mg, 500 mg tabletten
- benorilaat 2 gram korreltjes in zakjes
- calciumcarbasalaat 636 mg, 1272 mg bruistabletten

Ticlopidine

Deze medicatie is krachtiger dan aspirine en belet klontervorming van bloedplaatjes. De dosis is twee keer 250 mg per dag. Na een *stent*-implantatie van de kroonslagader krijgt de patiënt gedurende 4 weken ticlopidine om klontervorming in de *stent* tegen te gaan. Na 14 dagen is een controle van het bloed aangewezen om een neutropenie (een sterke daling van de witte bloedcellen) te kunnen opsporen. Sommige

patiënten hebben diarree of huiduitslag waardoor de arts beslist om ticlopidine te vervangen door clopidogrel.
Naam:
- ticlopidine 250 mg dragees

Clopidogrel

Dit geneesmiddel is even krachtig als ticlopidine en heeft minder nevenwerkingen waardoor bloedcontrole niet nodig is.

Na een *stent*implantatie van de kroonslagader bedraagt de dosis 75 mg per dag, gedurende 4 weken.

Bij patiënten die ondanks de inname van aspirine een nieuwe trombose doormaken ter hoogte van het hart of de hersenen is een behandeling met clopidogrel aangewezen.

Bij maagbloedingen of bij allergie voor aspirine kan aspirine worden vervangen door clopidogrel.

De hogere kostprijs in vergelijking met aspirine is een nadeel.
- Clopidogrel 75 mg tabletten.

Generische geneesmiddelen

Hoe wordt een geneesmiddel klassiek ontwikkeld?

De ontwikkeling van een geneesmiddel is het werk van de farmaceutische industrie. Een geneesmiddel uitvinden dat actief is tegen een bepaalde aandoening vereist een hoop wetenschappelijk onderzoek dat niet alleen de doeltreffendheid van het product aantoont maar ook de mogelijke schadelijke nevenwerkingen in kaart brengt. Er worden veel stoffen getest maar uiteindelijk wordt slechts een klein percentage voor verder onderzoek en ontwikkeling weerhouden.

Eerst wordt het geneesmiddel getest op dieren. Naast de analyse van de opname in het lichaam, de doeltreffendheid en de uitscheiding van het product wordt ook onderzoek gedaan op mogelijke nevenwerkingen. Dit is het fase 1-onderzoek.

Tijdens het fase 2-onderzoek wordt het geneesmiddel uitgetest op patiënten die vrijwillig aan het wetenschappelijk onderzoek deelnemen. Hierbij wordt de meest doeltreffende dosis van het geneesmiddel nagegaan.

Tijdens het fase 3-onderzoek wordt het geneesmiddel getest op een grotere groep patiënten en worden de doeltreffendheid en de eventuele nevenwerkingen van het product nagegaan door de patiënten gedurende vele maanden te volgen.

Als het fase 3-onderzoek gunstig is dan doet de firma een aanvraag voor registratie van het geneesmiddel om het nadien te commercialiseren. De fase 4-studies vergelijken het nieuwe product men andere producten en tonen nogmaals de doeltreffendheid aan.

Het is duidelijk dat dergelijke onderzoeken duur zijn. De ontwikkeling van een enkel geneesmiddel kost een bedrijf snel meer dan een half miljard euro. Het bedrijf vraagt bij de start van het onderzoek en ontwikkeling van een nieuw product een patent aan. Wanneer het nieuwe geneesmiddel op de markt is mag niemand dit namaken gedurende de tijd dat het patent geldig is. Tussen de aanvraag van het patent en het op de markt komen van een geneesmiddel verloopt ongeveer 10 jaar. Het farmaceutische bedrijf heeft dan nog 10 jaar de tijd om het geneesmiddel te verkopen. Na het verstrijken van deze periode van bescherming mogen andere farmaceutische bedrijven het geneesmiddel op de markt brengen en door de concurrentie wordt de prijs dan meestal lager.

Wat is een generisch geneesmiddel?

Een bedrijf dat een geneesmiddel maakt dat evenwaardig is aan het origineel produceert een generisch geneesmiddel. Dit is niet hetzelfde als een kopie van het origineel omdat de bewaarstoffen waarin het generisch geneesmiddel is verwerkt kunnen verschillen van het origineel product. De firma die generische geneesmiddelen maakt doet geen wetenschappelijk onderzoek en vindt geen nieuwe producten uit. De kostprijs bij de ontwikkeling van een generisch geneesmiddel omvat enkel de productiekosten.

Hoe wordt een generisch product geregistreerd?

Registratie betekent dat de Belgische overheid het geneesmiddel als veilig ervaart en dat de overheid het geneesmiddel goedkeurt voor gebruik door patiënten. Het registratiedossier van een generisch geneesmiddel bevat een volledige analyse van de samenstelling van het generisch product. De resultaten van de klinische studies en de eigenschappen van het actieve bestanddeel hoeven niet te worden vermeld. Doordat het actieve bestanddeel identiek is aan het vroeger goedgekeurd product, is de overheid van mening dat de proeven niet moeten worden overgedaan. De biologische beschikbaarheid van het product moet identiek te zijn aan het origineel voor goedkeuring wordt verkregen. Dit betekent dat de hoeveelheid van het geneesmiddel dat in het bloed komt en beschikbaar is voor het lichaam ongeveer identiek is en tussen 75 en 125 % van het origineel bedraagt.

Hoe wordt de prijs van een generisch geneesmiddel bepaald?

Het bedrijf dat het generisch product op de markt brengt moet bij het ministerie van economische zaken een dossier indienen met een voorgestelde prijs. Een generisch geneesmiddel wordt terugbetaald wanneer zijn prijs aan twee voorwaarden voldoet: de verkoopprijs van het generische middel moet 16 % lager zijn dan de verkoopprijs van het origineel en de fabrieksprijs moet 26 % lager zijn. Het prijsreglement is zo opgesteld dat de marge van de apotheker dezelfde blijft, ongeacht of het gaat om een generisch product of een origineel.

Terugbetaling van geneesmiddelen

De terugbetaalde geneesmiddelen zijn ingedeeld in 5 categorieën.
- Categorie A: 100 % terugbetaald.
- Categorie B: 75 tot 85 % terugbetaald, afhankelijk van het statuut van de patiënt, maar het remgeld ten laste van de patiënt overschrijdt een bepaald maximum niet.
- Categorie C: 50 % terugbetaling met een bepaald maximum voor het remgeld.
- Categorie Cs: 40 % terugbetaling.
- Categorie Cx: 20 % terugbetaling.

Als er voor een bepaald geneesmiddel een generisch product bestaat dan wordt de terugbetaling bepaald op het bedrag van het generisch product dat doorgaans 16 % goedkoper is dan het origineel.

Praktische adressenlijst voor hartpatiënten
Nationale verenigingen

- Federatie van de revalidatiecentra voor hartpatiënten
  Wilrijkstraat 10
  2650 EDEGEM
  03.829.11.11

- De Belgische Cardiologische Liga
  Elyzeese Veldenstraat 43
  1050 BRUSSEL
  02.649.85.37

- De Belgische Hartpatiëntenvereniging vzw
  Nationaal secretariaat
  Persstraat 4
  1000 BRUSSEL
  02.217.80.80

Met dank aan mijn collega's:

Dienst Cardiologie van de Algemene Kliniek Sint-Jan
Dr. Marc Castadot
Dr. Elisabeth Beauthier
Prof. Jacques Col
Dr. Philippe de Salle
Dr. Bertin Foading Deffo
Dr. Béatrice Van Frachen
Dr. Marc Vincent

Dienst Cardiovasculaire Heelkunde van de Algemene Kliniek Sint-Jan
Dr. Philippe Bettendorff
Dr. Ramadan Jashari
Dr. Paul Maes
Dr. Frank Hofman

Met speciale dank voor de illustraties aan:

Prof. Lheureux, Erasmus Ziekenhuis
Paula Kamphuis, Nederlandse Hartstichting
Johan Vandenweghe, GEMS Ultrasound Belgium
Bruno Carlier, Bayer
Herman Laermans, St. Jude Medical
Thierry Leblois, Boston Scientific Corp.
Dr. Pierre Lambrechts, radioloog, Algemene Kliniek Sint-Jan
Dr. Philippe Bettendorff, hartchirurg, Algemene Kliniek Sint-Jan

Met dank aan:

Sabine, mijn echtgenote, en onze kinderen Charline, Augustin
en Florian.

Dr. Peter Goethals
Sterrebeek, 16 oktober 2002

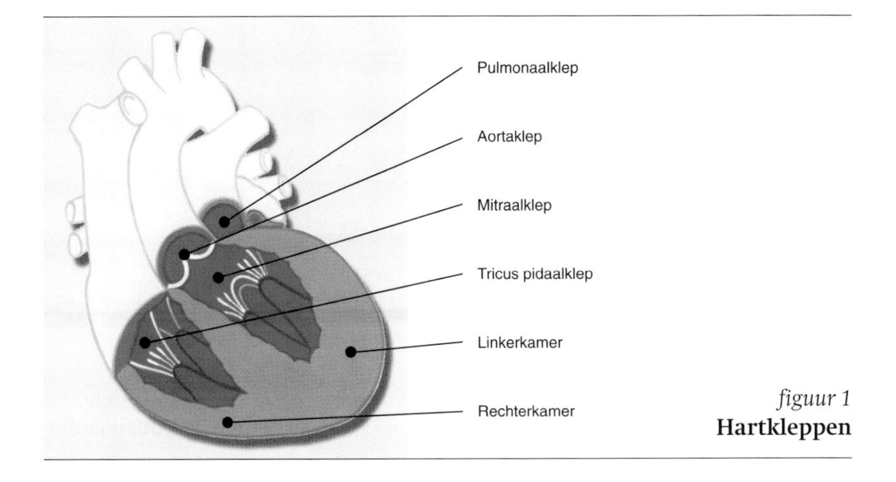

figuur 1
Hartkleppen

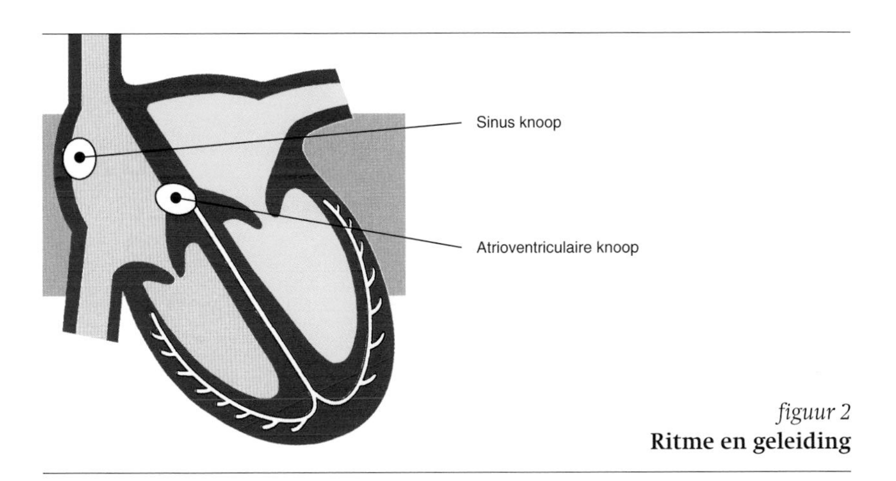

figuur 2
Ritme en geleiding

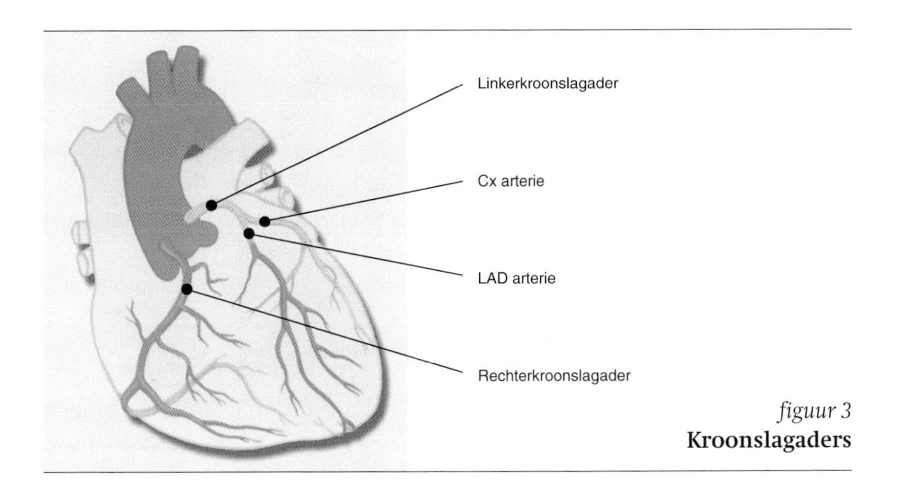

figuur 3
Kroonslagaders

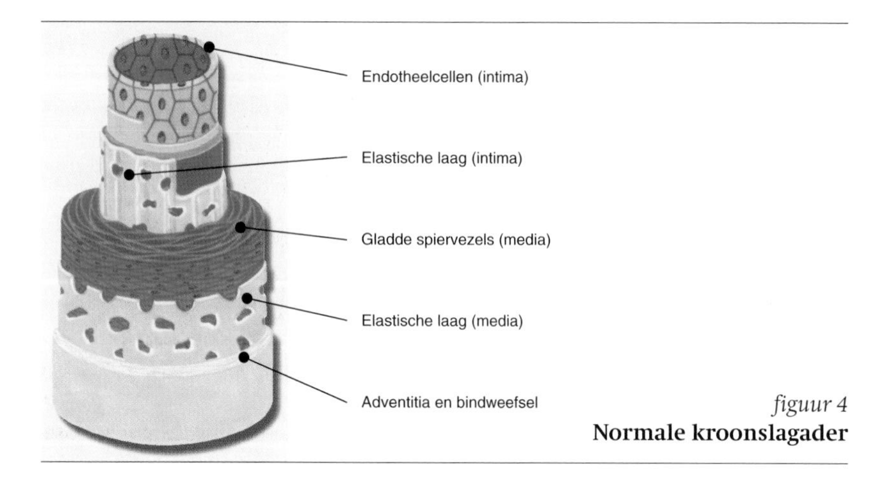

figuur 4
Normale kroonslagader

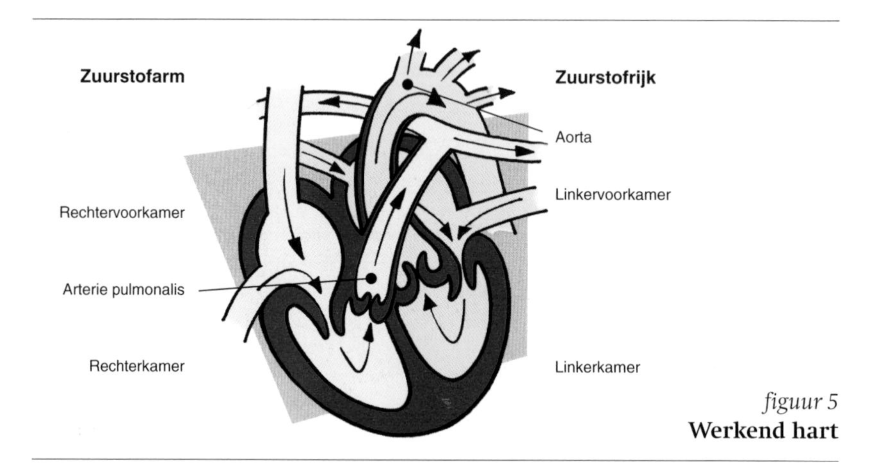

figuur 5
Werkend hart

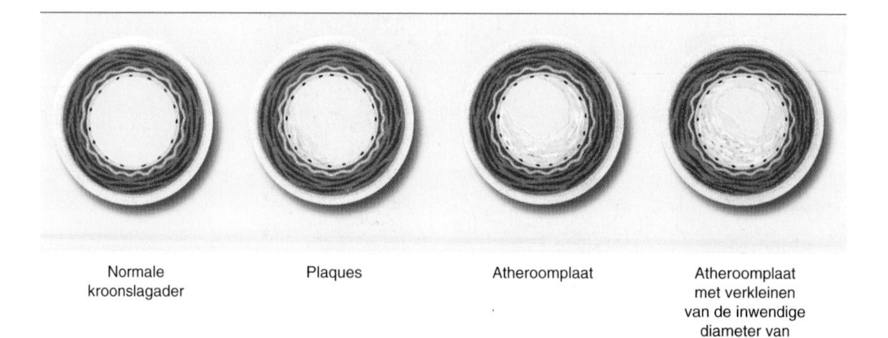

figuur 6
Atheromatose

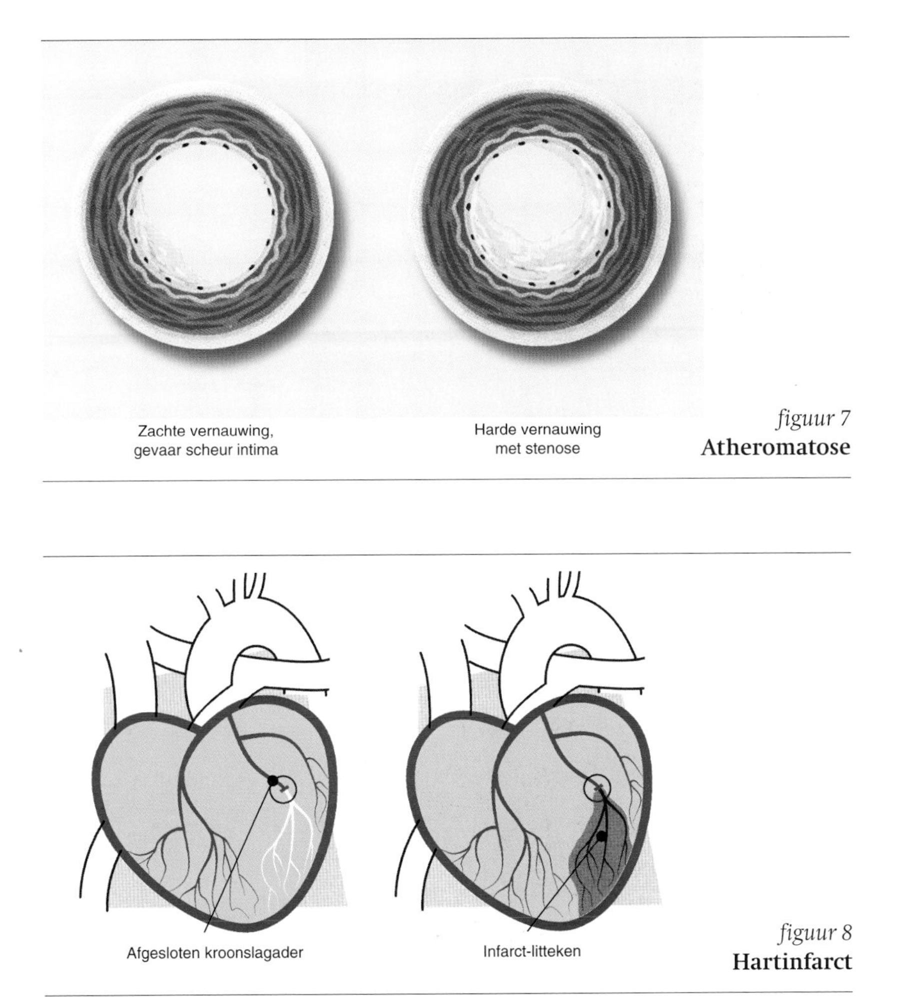

figuur 7
Atheromatose

figuur 8
Hartinfarct

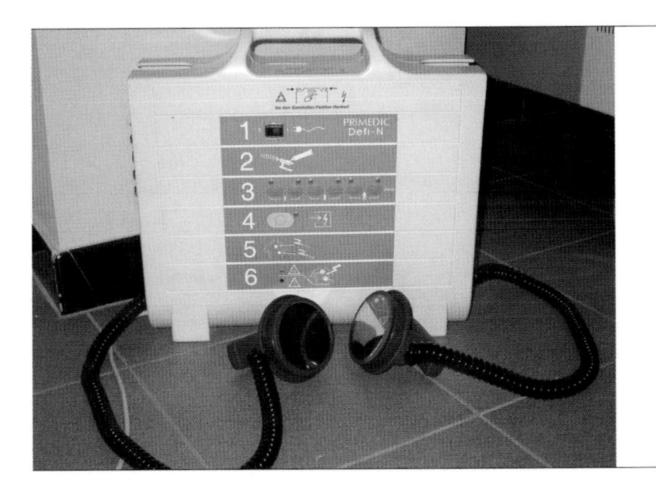

figuur 9
Externe defibrillator

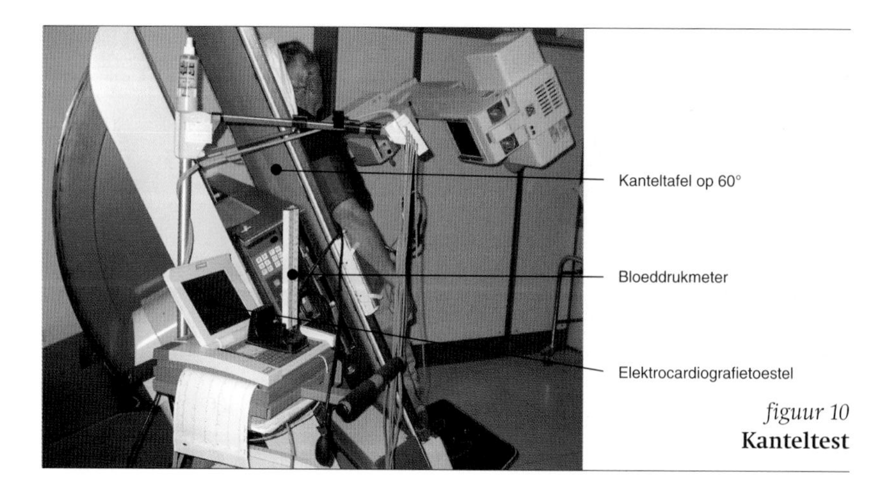

figuur 10
Kanteltest

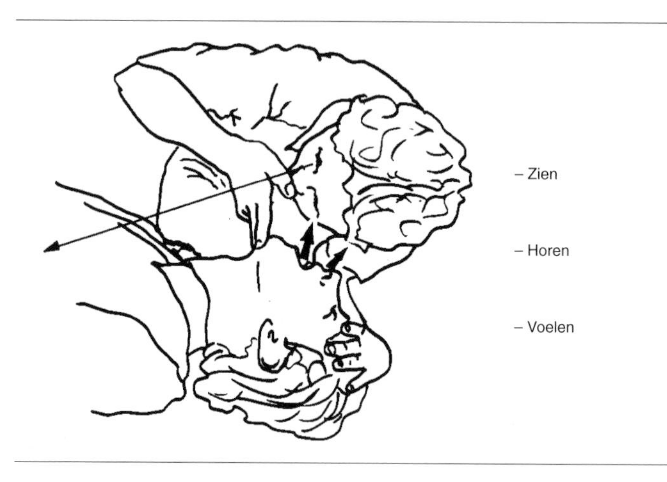

figuur 11
Hartstilstand

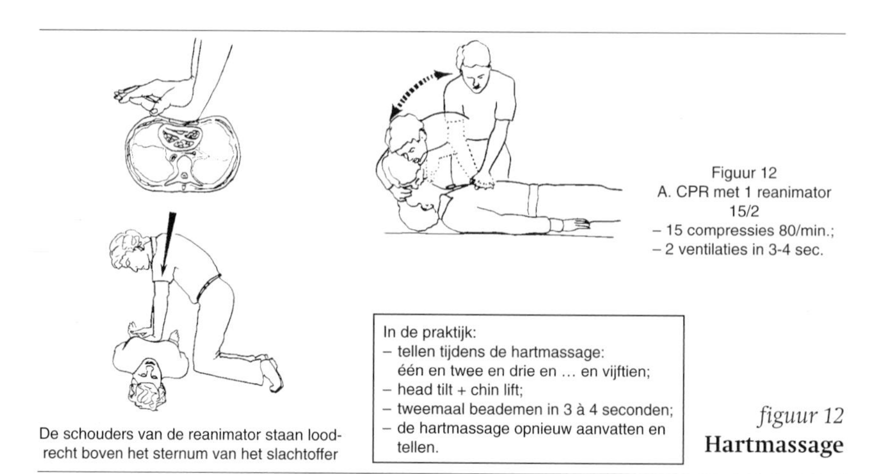

Figuur 12
A. CPR met 1 reanimator
15/2
– 15 compressies 80/min.;
– 2 ventilaties in 3-4 sec.
De schouders van de reanimator staan loodrecht boven het sternum van het slachtoffer
In de praktijk:
– tellen tijdens de hartmassage:
één en twee en drie en ... en vijftien;
– head tilt + chin lift;
– tweemaal beademen in 3 à 4 seconden;
– de hartmassage opnieuw aanvatten en tellen.

figuur 12
Hartmassage

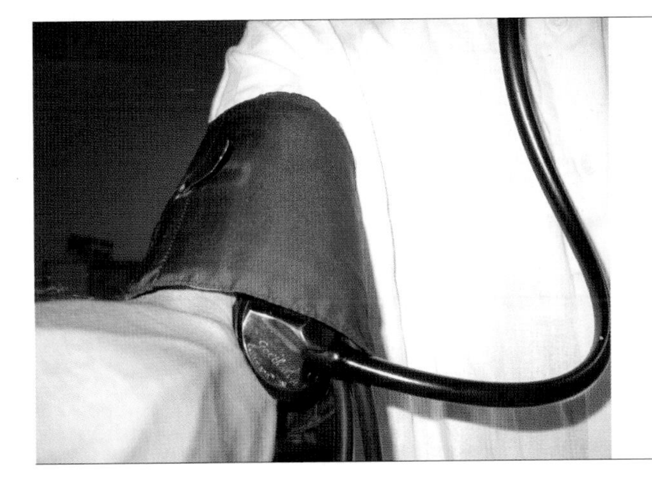

figuur 13
Bloeddrukmeting

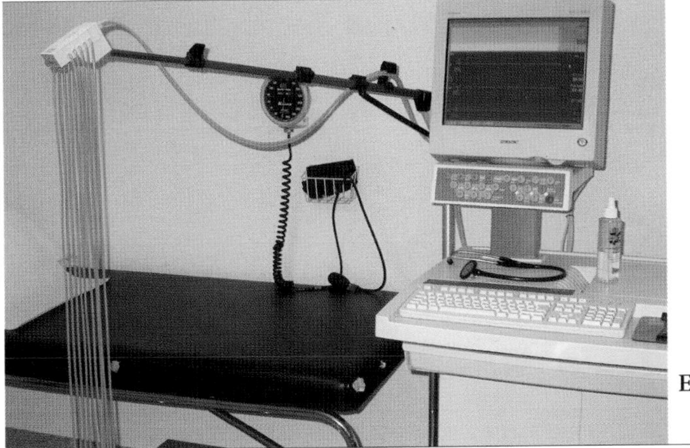

figuur 14
Elektrocardio-grafietoestel

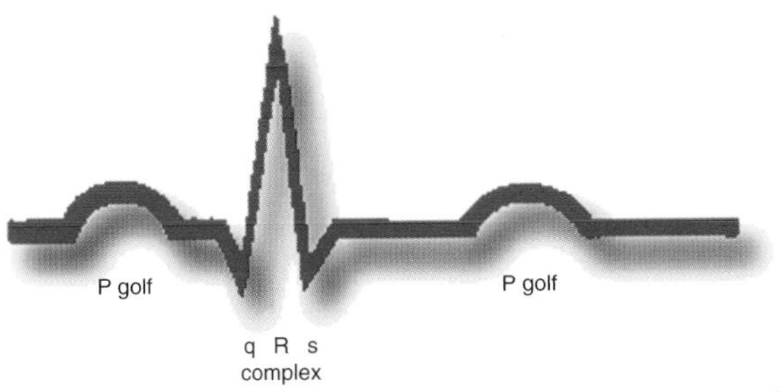

figuur 15
Elektrocardiogram

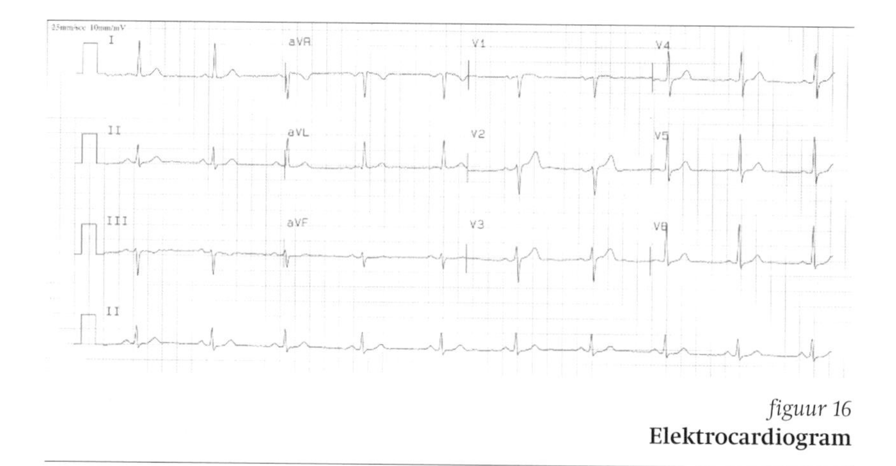

figuur 16
Elektrocardiogram

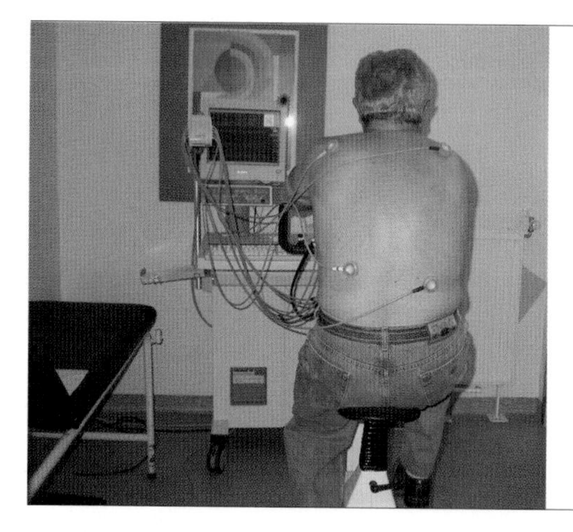

figuur 17
Fietsproef

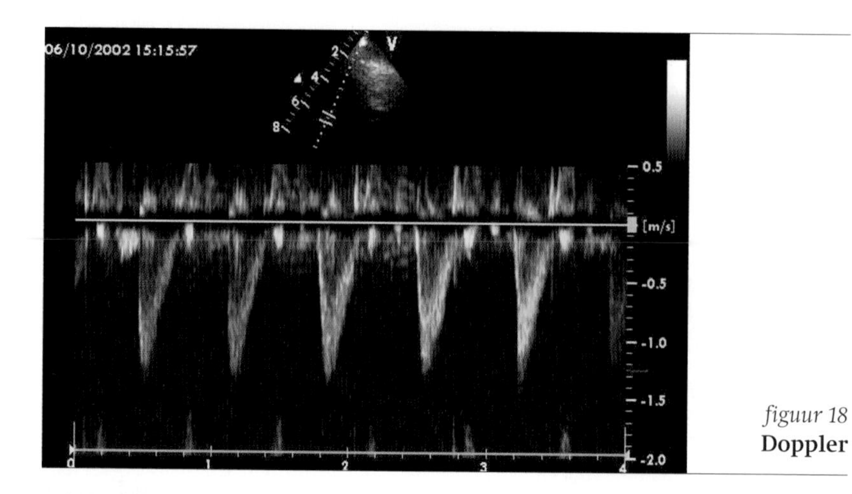

figuur 18
Doppler

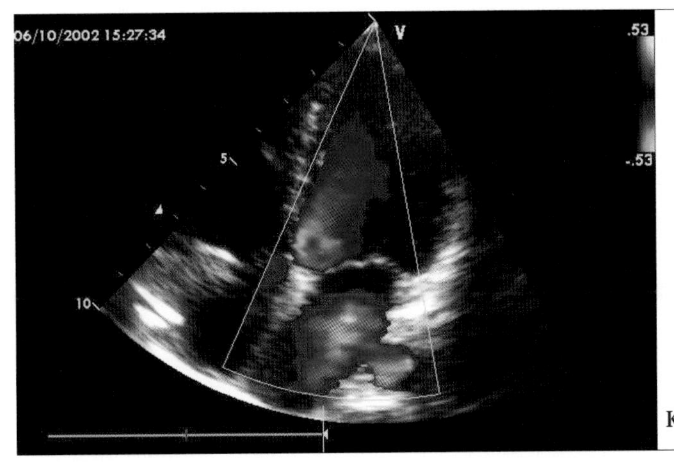

figuur 19
Kleurendoppler

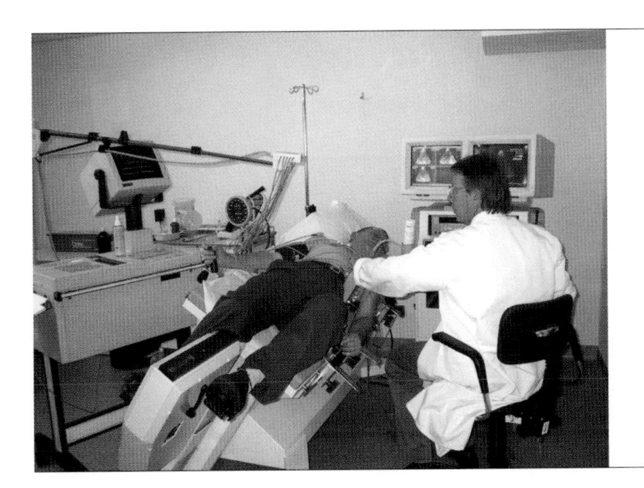

figuur 20
Inspannings-echocardiografie

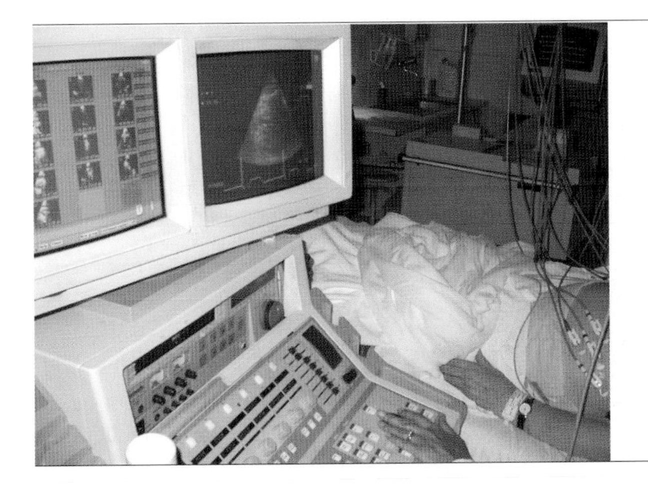

figuur 21
Echocardiografie

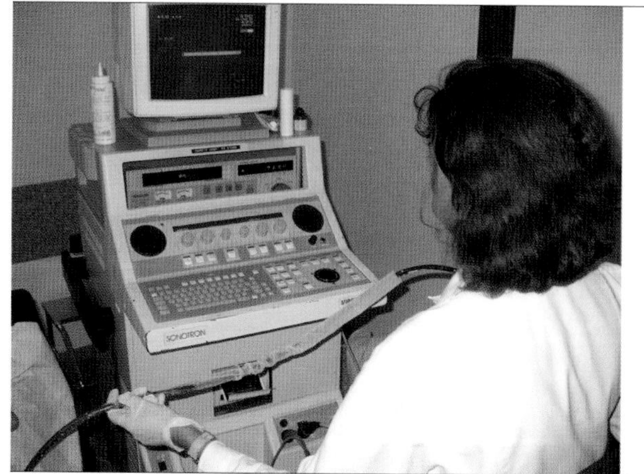

figuur 22
Slokdarmechografie

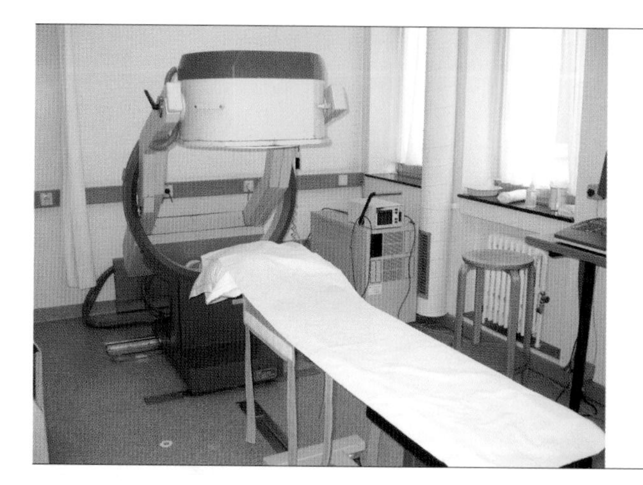

figuur 23
Camera

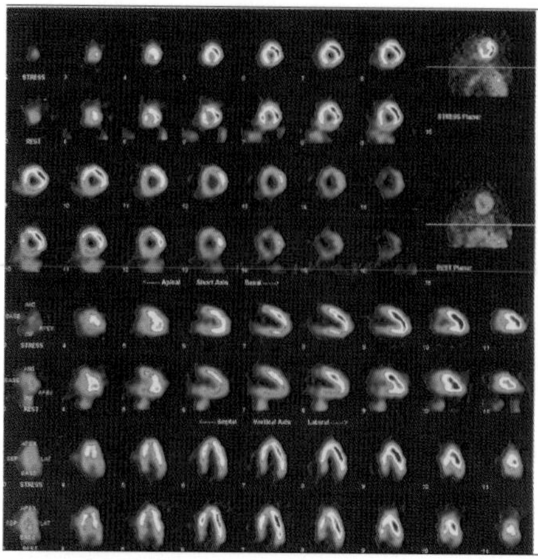

figuur 24
Isotoop kleurt het hart

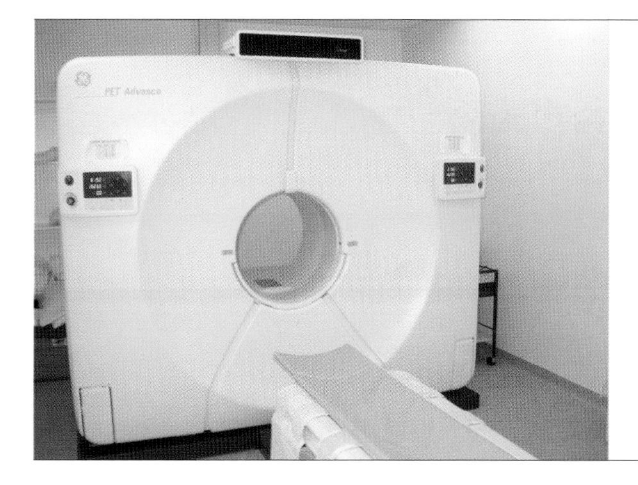

figuur 25
PET-scan

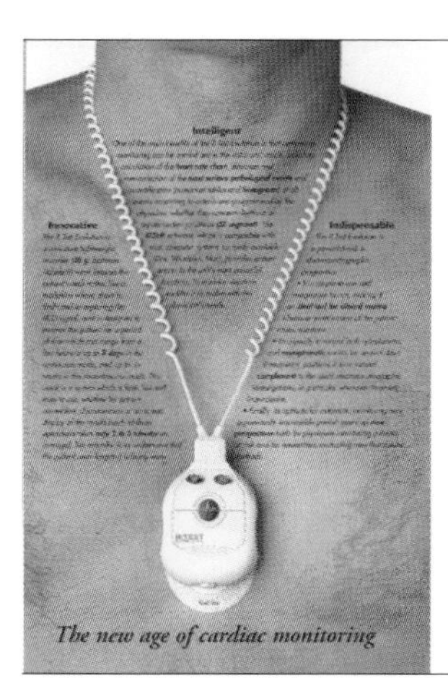

figuur 26
Event-recorder

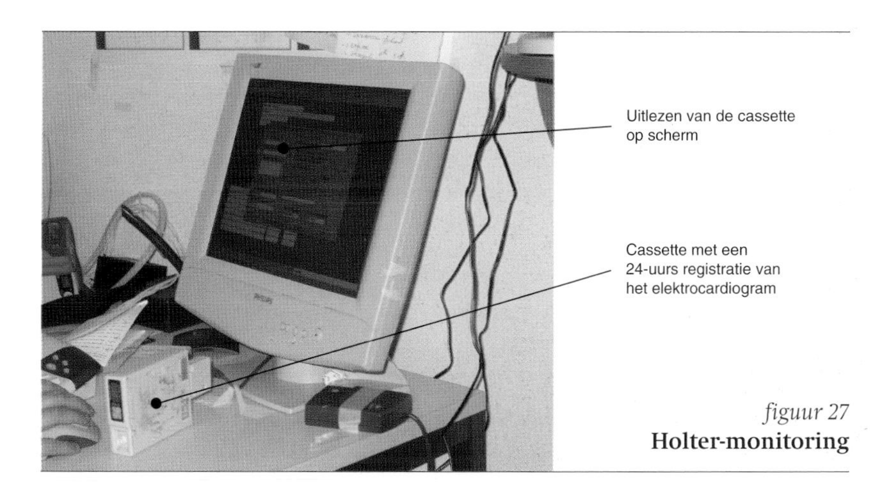

figuur 27
Holter-monitoring

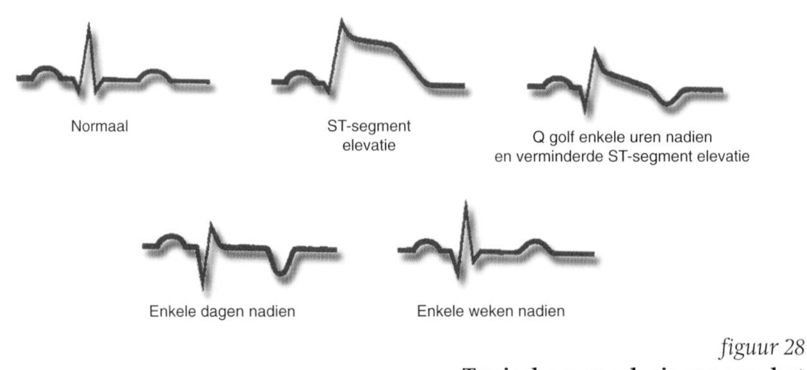

figuur 28
Typische veranderingen van het elektrocardiogram bij een hartinfarct met ST-segment elevatie

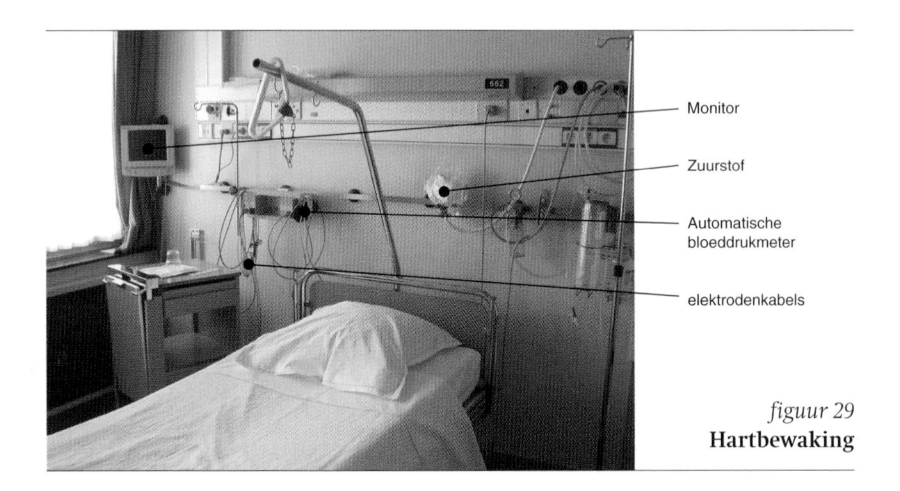

figuur 29
Hartbewaking

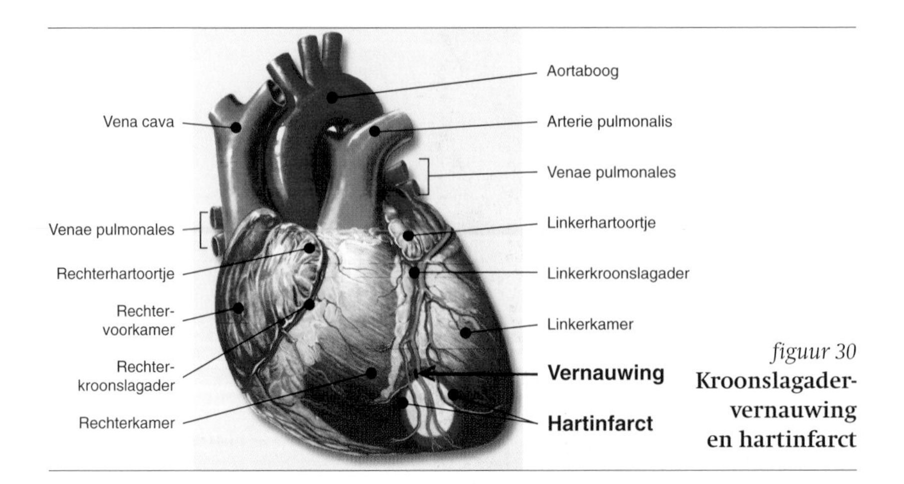

figuur 30
Kroonslagader-vernauwing en hartinfarct

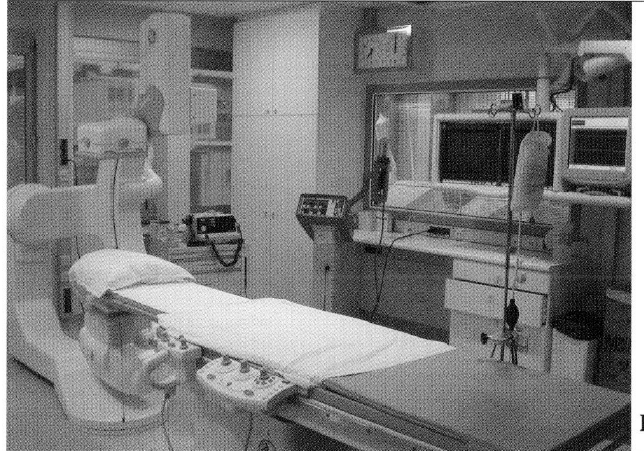

figuur 31
Hartkatheterisatie

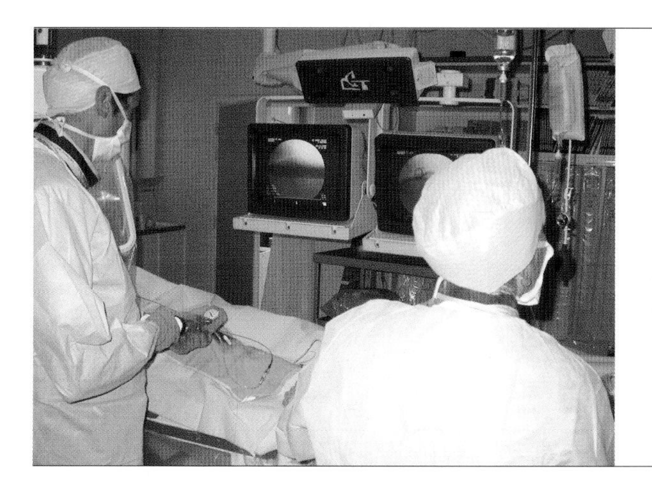

figuur 32
Coronariografie

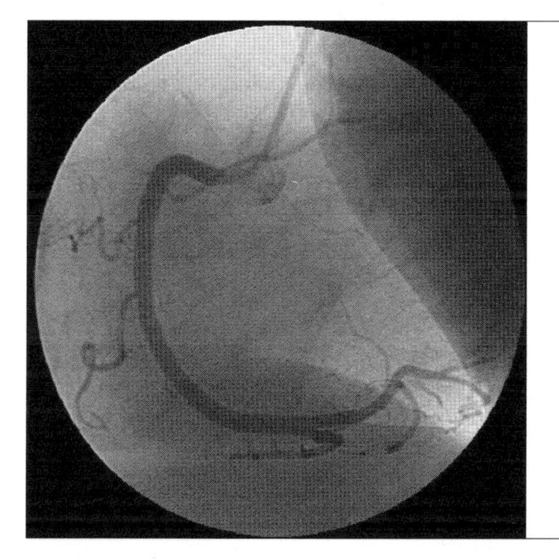

figuur 33
Rechterkroonslagader

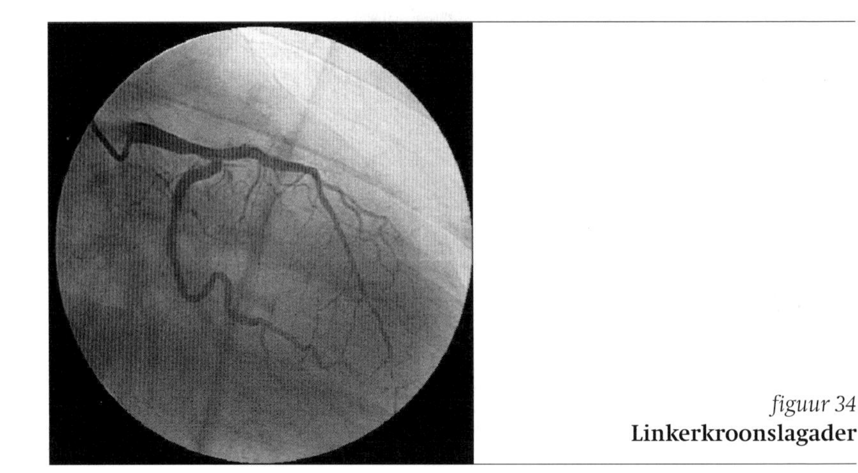

figuur 34
Linkerkroonslagader

vernauwing van de kroonslagader

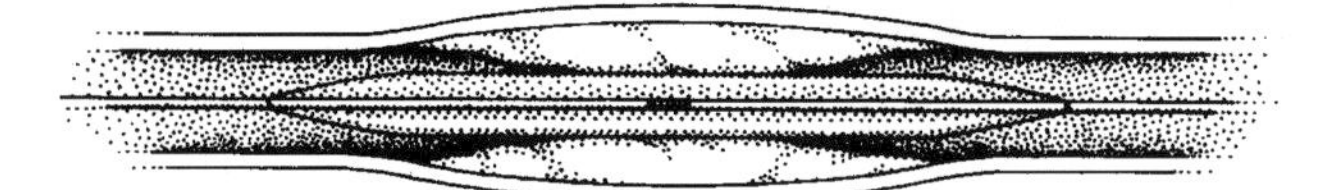

opgeblazen ballon in de vernauwing

figuur 35
Ballondilatatie

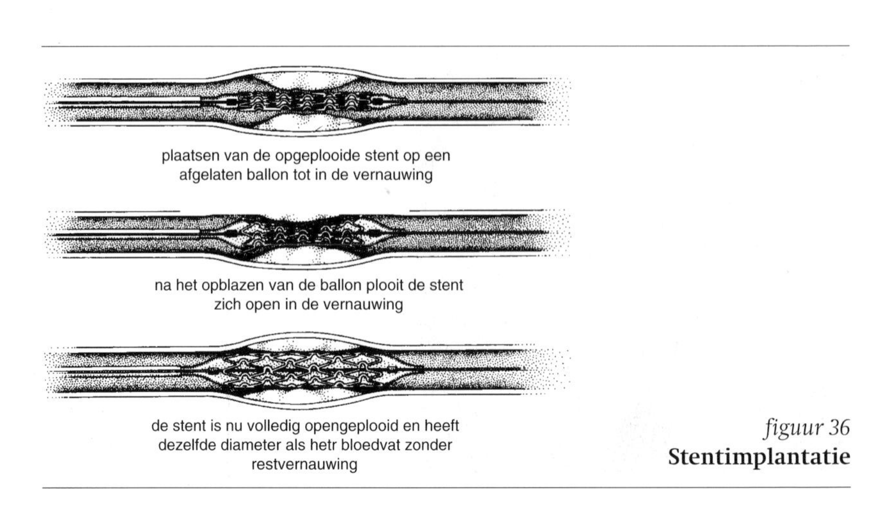

plaatsen van de opgeplooide stent op een afgelaten ballon tot in de vernauwing
na het opblazen van de ballon plooit de stent zich open in de vernauwing
de stent is nu volledig opengeplooid en heeft dezelfde diameter als hetr bloedvat zonder restvernauwing

figuur 36
Stentimplantatie

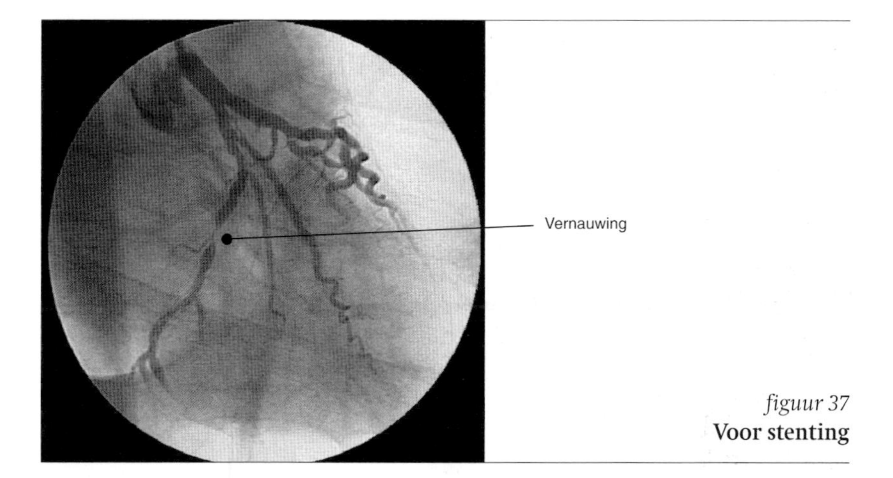

figuur 37
Voor stenting

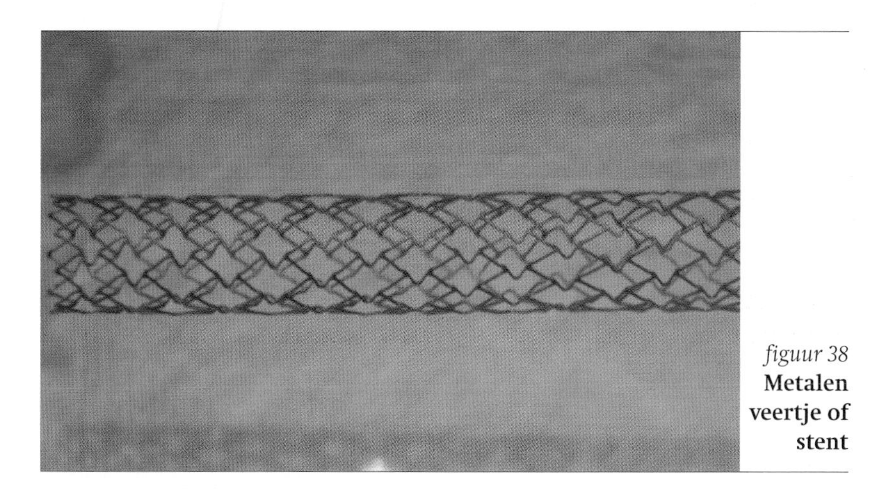

figuur 38
Metalen veertje of stent

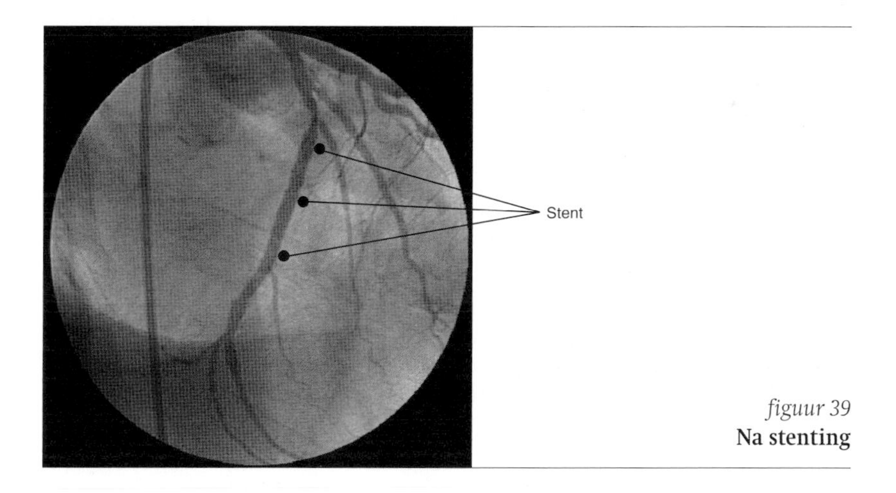

figuur 39
Na stenting

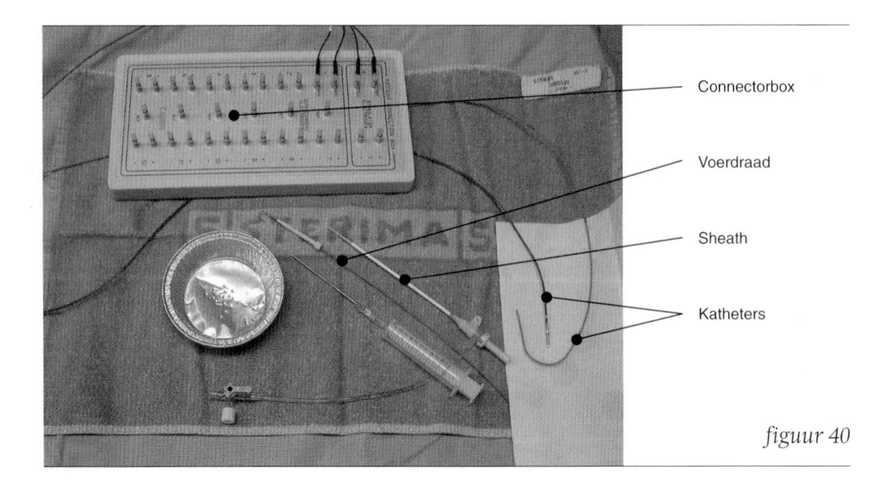

figuur 40

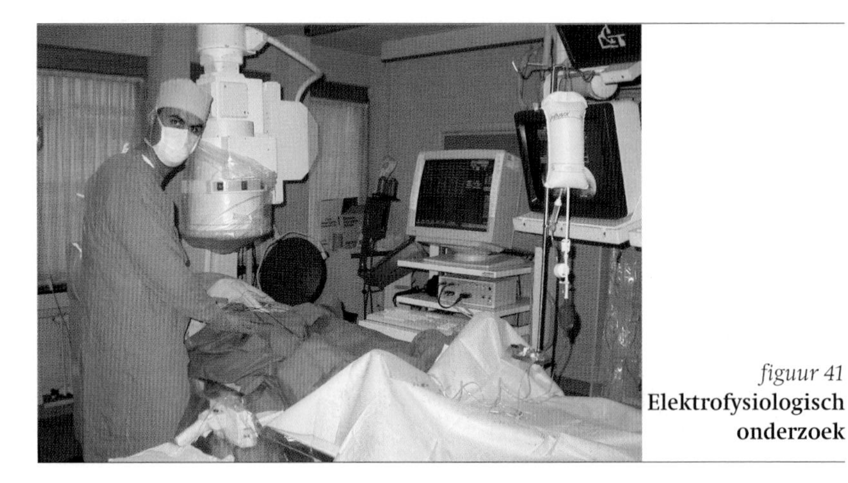

figuur 41
Elektrofysiologisch onderzoek

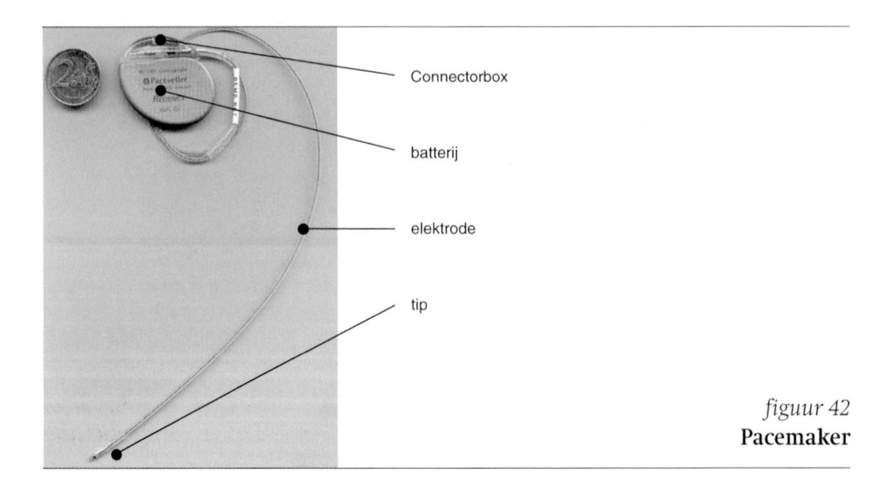

figuur 42
Pacemaker

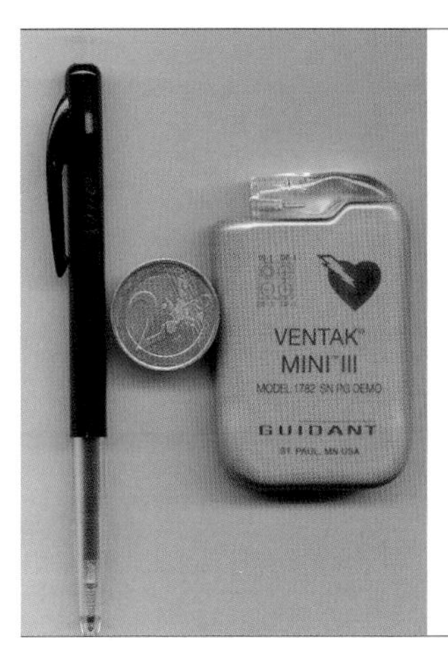

figuur 43
Inwendige defibrillator

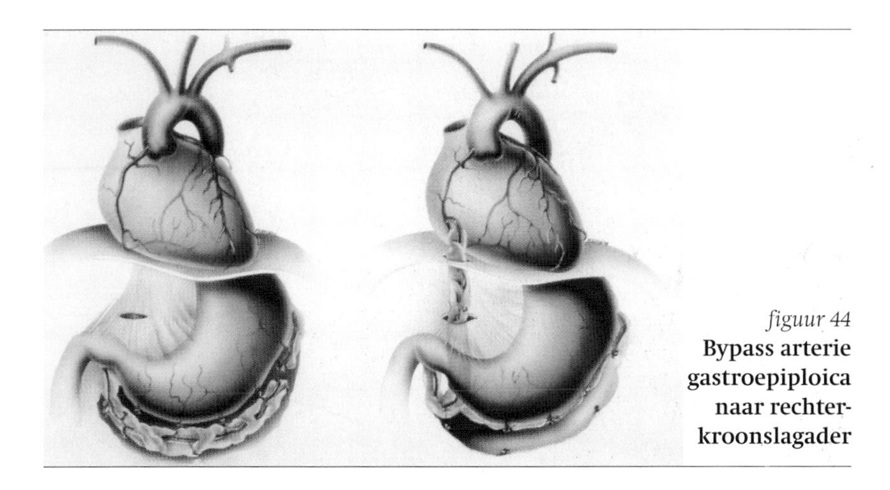

figuur 44
Bypass arterie gastroepiploica naar rechterkroonslagader

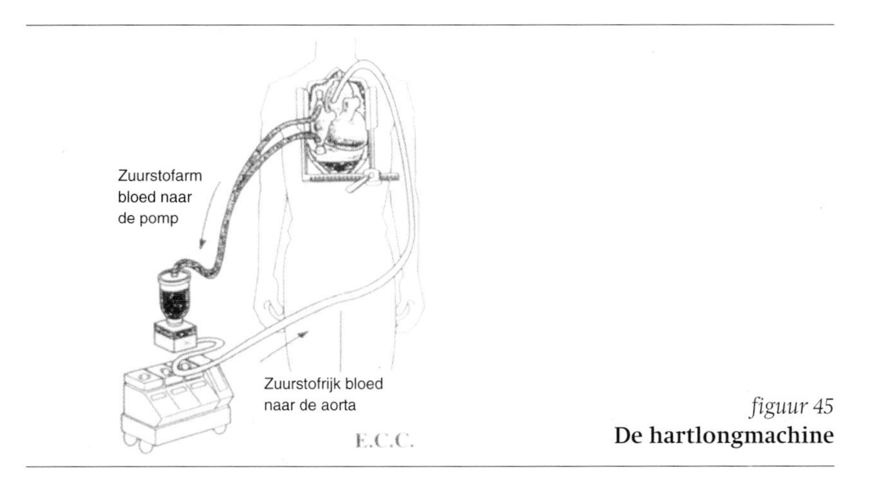

figuur 45
De hartlongmachine

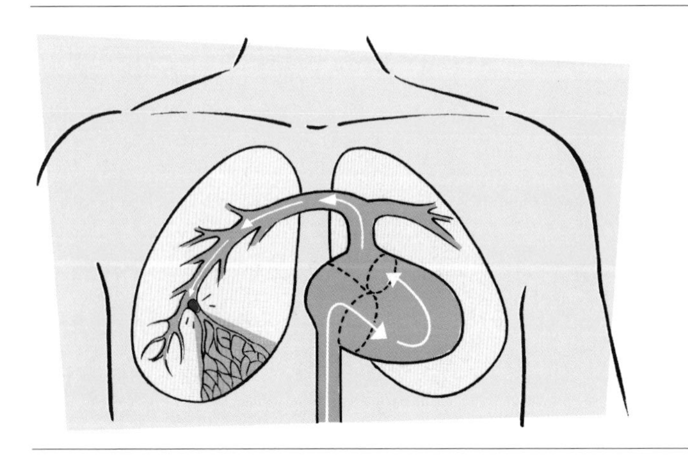

figuur 46
Longembolie

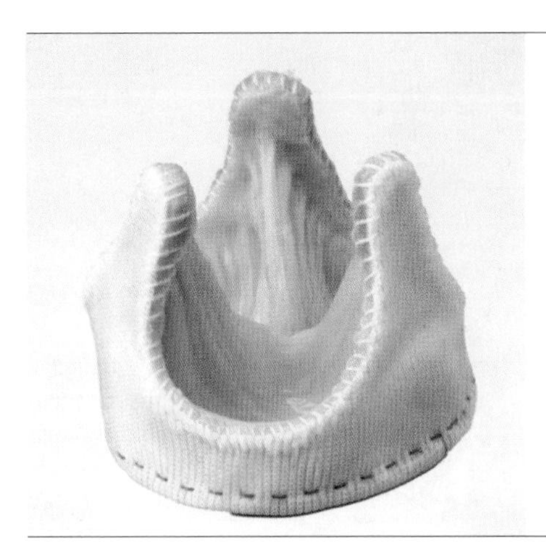

figuur 47
Biologische kunstklep

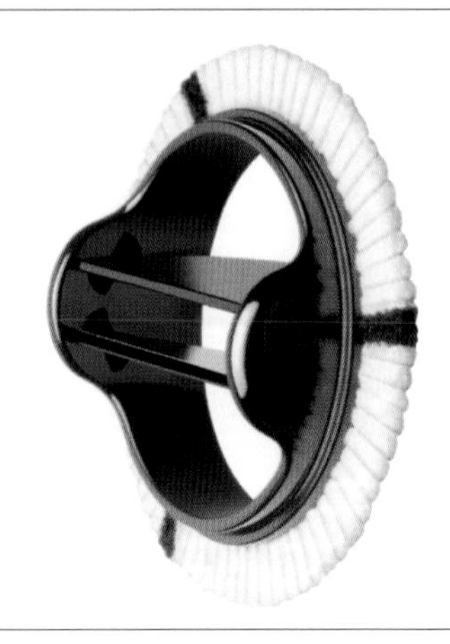

figuur 48
Mechanische kunstklep